Rosi

Von Ulrike Schweikert ist außerdem erschienen:

Die Hexe und die Heilige

Über die Autorin:

Ulrike Schweikert, 1966 in Schwäbisch-Hall geboren, gab nach sechs Jahren ihren Job als Wertpapierhändlerin auf und studierte zunächst Geologie, später Journalismus. Nebenher begann sie über die Geschichte ihrer Heimat zu recherchieren. So entstand ihr erster Roman, »Die Tochter des Salzsieders«, der zu einem großen Erfolg wurde.
Wenn Sie mehr über die heutige Bestseller-Autorin erfahren wollen, besuchen Sie ihre Homepage: www.ulrike-schweikert.de.

ULRIKE SCHWEIKERT

Die Tochter des Salzsieders

Roman

Knaur

Besuchen Sie uns im Internet:
www.droemer-knaur.de

Vollständige Taschenbuchausgabe 2003
Knaur Taschenbuch. Ein Unternehmen der Droemerschen
Verlagsanstalt Th. Knaur Nachf. GmbH & Co. KG, München.
Dieser Titel erschien bereits unter der Bandnummer 61922.
Copyright © 2000 by Droemersche Verlagsanstalt
Th. Knaur Nachf., München.
Alle Rechte vorbehalten. Das Werk darf – auch teilweise – nur
mit Genehmigung des Verlages wiedergegeben werden.
Umschlaggestaltung: büroecco, Augsburg
Druck und Bindung: Clausen & Bosse, Leck
Printed in Germany
ISBN 3-426-62356-0

5   4   3   2   1

Am Kochen Hall die löblich Statt
Vom Saltzbrunn ihren Ursprung hat.
Das Saltzwerck Gott allzeit erhalt
Und ob der Stadt mit Gnaden walt.

Hans Schreyer 1643

Für Peter, meinen lieben Mann,
der immer an mich geglaubt hat.

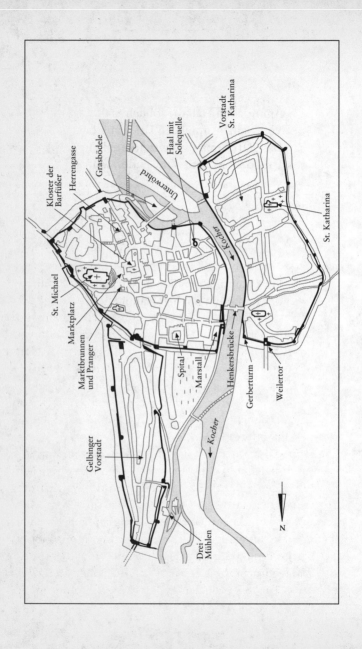

Kloster der Barfüßer

Herrengasse

Grasbödele

Haal mit Solequelle

Vorstadt St. Katharina

Unterwöhrd

Kocher

St. Katharina

St. Michael

Marktplatz

Marktbrunnen und Pranger

Spital

Marstall

Henkersbrücke

Gerberturm

Weilertor

Gelbinger Vorstadt

Kocher

Drei Mühlen

N

ANSTELLE EINES VORWORTS

Die Haller Salzsieder

Schwäbisch Hall verdankt der Salzquelle am Haal nicht nur ihren Namen. Schon sehr früh brachte das Salz den Bürgern Wohlstand. Die Stauferkönige verliehen Hall das Stadtrecht und richteten eine Münze ein. Der Haller Heller war bald weit verbreitet. Doch bereits im hohen Mittelalter besaßen die Könige gerade noch fünf der einhundertelf Siedensrechte oder auch Pfannen genannt. Eigentümer der Pfannen waren Klöster, Kirchen und vor allem der Stadtadel, der sich zum Teil aus den von den Stauferkönigen eingesetzten Ministerialen herausgebildet hat. Namen wie »Münzmeister«, »Schultheiß« oder »Sulmeister«, die sich später Senft nannten, zeugen davon. Später kamen die »Gemeinbürger« und der Rat der Stadt als Eigentümer hinzu.

Die »Herren der Sieden«, und damit Eigentümer der Solquelle, verpachteten ihre Rechte an die Sieder. Jährlich wurden gegen eine Abgabe die Pfannen für die Zeit der Siedenswochen an die Sieder vergeben. Mit dem »Bestand« wurden nur die Sieddauer und der Preis für eine Siedperiode festgelegt. Es entstanden hieraus keinerlei Ansprüche des Sieders für das folgende Jahr. Dieser Zustand der Unsicherheit änderte sich im Laufe der Jahrhunderte. Die »Herren der Sieden« gingen immer mehr dazu über, die Sieden längerfristig zu verpachten – erst auf Lebenszeit und dann schließlich vererblich. Dies hatte für die Sieder nicht nur Vorteile, denn die Lehensherren wälzten damit auch die Instandhaltungsarbeiten und -kosten der Haalhäuser und der Geräte auf die Sieder ab. Die Eigentümer nahmen nur noch die Pachtbeträge – meist zu Weihnachten – entgegen.

Durch die Erblichkeit der gepachteten Siedensrechte entstanden im 15. Jahrhundert Siederfamilien, deren Reichtum, Ansehen und Einfluß auf die Stadt ständig wuchsen und die, nach dem Auszug des Stadtadels 1512, auch die meisten Ratsherren stellten. Als Stammsieder werden die vierzig Sieder bezeichnet, deren Nachkommen noch heute die Siedensrechte, und damit den Anspruch auf eine Siedensrente, weitervererben. Unter ihnen befinden sich die in diesem Roman immer wieder auftauchenden Namen Vogelmann, Blinzig, Firnhaber, Dötschmann, Seyboth, Feyerabend, Eisenmenger und Schweycker.

Sehr vereinzelt gab es auch Eigensieden, das heißt, Handwerker, die – meist Bruchteile von – Sieden besaßen und diese selbst sotten.

Die Siederschaft bildete eine Art Genossenschaft unter der Führung der vier Meister des Haals, denen je ein Viertel der Haalhäuser unterstand. Sie wechselten jährlich. Die Siederschaft konnte dem Rat zehn Kandidaten vorschlagen, von denen die Ratsherren vier auswählten. Die Viermeister leiteten und überwachten das Siedensgeschäft, den Holz- und Eisenhandel für Pfannen und Geräte und das Flößerwesen. Ohne Erlaubnis des Meisters durfte nicht mit dem Sieden begonnen werden, sonst konnte der Meister »die Pfanne in den Herd werfen« (Haalordnung von 1385).

Die Sieder waren nicht nur die Erzeuger des Salzes, sie

übernahmen auch den Handel auf eigenen Gewinn und eigenes Risiko. Als Rückfracht war vor allem Wein sehr begehrt, und so stammt der Reichtum mancher Siederfamilie eher aus dem Handel mit Wein denn vom Salz.

KAPITEL 1

Tag der heiligen Hadelog,
Samstag, der 2. Februar
im Jahr des Herrn 1510

Es war Frühling, die Obstbäume standen in voller Blüte und glänzten rosa und weiß im hellen Sonnenschein. Das Summen der Bienen verwob sich mit dem Flüstern des warmen Windes, der durch das zarte Grün junger Blätter strich. Einen Kirschblütenzweig in den Händen, lief Anne Katharina Vogelmann mit wehenden Röcken über die Wiese zu dem alten, knorrigen Apfelbaum, unter dem ein weißes Leinentuch ausgebreitet war. Schon hatten ihre Schwägerin Ursula und die Magd Agnes all die Leckereien ausgebreitet, die diesen herrlichen Tag krönen sollten. Ihr älterer Bruder Ulrich hob gerade einen Krug und goß blutroten Wein in den Becher, den Peter Vogelmann ihm entgegenhielt. Von überall strömten Freunde und Bekannte herbei, setzten sich ins duftende Gras, lachten und scherzten. Glücklich und ein wenig außer Atem ließ sich Anne Katharina neben ihrer Schwägerin auf den Boden sinken.

»Liebes, warum bist du denn so ruhig?«

Sie faßte Ursula an der Schulter, aber die eisige Kälte unter ihrer Hand ließ sie zurückzucken. Sie stieß einen Schrei aus, als ihre junge Schwägerin nach hinten kippte und hart auf dem Boden aufschlug. Das bleiche Gesicht war verzerrt, die Augen weit aufgerissen, aus dem Leib ragte der Griff eines riesigen Dolches. Blut, rot wie der Wein, den Ulrich ausschenkte, sickerte durch ihr Gewand. Anne Katharina wollte erneut schreien, doch kein Ton kam aus ihrem Mund. Sie schüttelte Peter am Arm, doch auch der schien seltsam steif. Als sie die starren Augen sah, wußte sie, daß auch ihr Bruder tot war. Sein Hals zeigte blutunterlaufene Striemen und ein Stück Seil lag in seinem Schoß. Auch Ulrich, der gerade noch den Weinkrug in Händen gehalten hatte, lag plötzlich mit verrenkten Gliedern und Schaum vor dem Mund bewegungslos zwischen Blumen und Gräsern.

Vom Grauen geschüttelt, sprang Anne Katharina auf und sah sich verzweifelt nach Hilfe um, doch die fröhliche Gesellschaft war völlig unerwartet vom Sensenmann wie Grashalme geschnitten worden. Unter den tiefhängenden Zweigen, an den Stamm des alten Baumes gelehnt, erkannte das Mädchen die Junker Rudolf und Gabriel Senft. Die Haut in ihren Gesichtern begann bereits, sich schwarz zu verfärben, und löste sich in fauligen Fetzen.

Verwesungsgeruch hing in der Luft, vertrieb die süßen Frühlingsdüfte, lag schwer über der Lichtung und ließ sich auch nicht vom warmen Wind vertreiben. Von überallher, aus den Schüsseln und Krügen, aus der Erde und von den Bäumen herab, krochen Maden, Käfer, Würmer und Spinnen, um sich über die Leichen herzumachen.

Kreischend drehte sich Anne Katharina um, rannte und schrie, lief und stolperte immer weiter, nur nicht umdrehen. Ein höhnisches Lachen schallte in ihren Ohren. Sie rannte durch Wälder, über blühende Wiesen, an einem Fluß entlang. Plötzlich tauchten Häuser auf, und die Straßen kamen ihr bekannt vor. Von irgendwoher erklang

Musik. Völlig außer Atem trat sie auf einen Platz – es war der Marktplatz. Sie erkannte das Kloster und St. Michael oberhalb der großen Freitreppe.

Ein paar Gaukler spielten fröhliche Musik, die Menschen klatschten und sangen mit und tanzten in einem bunten Reigen.

Wie könnt ihr singen, tanzen und fröhlich sein, wenn solch Entsetzliches unter euch geschieht? dachte sie voller Verzweiflung, doch dann entdeckte sie in den Reihen der Tänzer ihren Bruder Peter. Da waren ja auch Ulrich und Ursula, die Junker Rudolf und Gabriel, die Magd Agnes und all die anderen. Erleichtert lief Anne Katharina zu ihnen und berührte ihre Gesichter, die sich seltsam starr anfühlten.

»Warum tragt ihr denn Masken? Was ist mit euch?«

Sie lachten, doch es war kein fröhliches Lachen. Es war das höhnisch-böse Lachen der Dämonen, das das Blut in den Adern gefrieren läßt.

»Wer seid ihr? Zeigt eure wahren Gesichter!«

»Die willst du doch gar nicht sehen! Du liebst die Masken, du hast sie dein Leben lang einfach hingenommen. Warum willst du plötzlich dahintersehen?«

»Ich will es eben!« schrie sie und riß ihrem Bruder die Maske vom Gesicht. Eine schwarze, häßliche Fratze grinste sie an, spottete über das entsetzte Mädchen.

Nun taten es die anderen Tanzenden ihm gleich, warfen die Masken weg und rissen sich die Kleider vom Leib. Bald tummelten sich nur noch mehr oder minder scheußliche, dämonische Gestalten auf dem Platz.

»Ursula, Agnes, nein, ihr auch?«

Die teuflischen Gestalten faßten sich an den Händen, tanzten im Kreis und zogen diesen immer enger um das Mädchen.

»Wir reißen auch dir die Maske ab. Wir reißen auch dir die Maske ab«, sangen sie im Takt der dumpf dröhnenden Trommeln, zogen den Ring immer enger um das Mädchen, griffen mit ihren eisigen Klauen nach ihr, rissen ihr die Kleider vom Leib und hinterließen blutige Striemen in dem zarten, jungen Fleisch. Anne Katharina fühlte sich emporgehoben, fortgerissen in einem wilden Strudel. Die Häuser der Stadt rasten an ihr vorbei, und ein mächtiger grauer Turm tauchte vor ihr auf. Die schweren Tore schwangen auf, ließen feuchte, kalte Luft in den Frühling fließen. Wie Ranken umflossen sie das Mädchen, hakten sich an seinem Rock fest und zogen es in die Finsternis der alten, mächtigen Mauern. Der Tanz der Dämonen verklang in der Ferne, ein Fallgitter rasselte herab, eine eisenbeschlagene Tür fiel ins Schloß und ließ Anne Katharina verwirrt und blutend in einem stinkenden Kerker in der lichtlosen Einsamkeit zurück.

Schweißgebadet fuhr Anne Katharina in die Höhe. Es war noch dunkel, in ihrer Kammer war es eisig kalt, doch von unten ertönten schon die vertrauten, morgendlichen Geräusche. Agnes holte Holz, schürte die schwache Glut vom Vorabend und entfachte das Feuer im Herd, um Milchsuppe zu kochen.

Mit einem Seufzer der Erleichterung ließ sich Anne Katharina in ihre Kissen zurücksinken, zog das daunengefüllte Deckbett bis ans Kinn und lauschte dem beruhigenden Klappern aus der Küche.

Ein Traum ohne Bedeutung! Aber waren Träume nicht von Gott oder dem Teufel geschickt? Dieser konnte nur aus der tiefsten Hölle stammen! Sollte dieser Alptraum ihr etwas sagen?

Sie wollte nicht mehr an den Schrecken zurückdenken, nicht noch einmal die furchtbaren Bilder sehen. Entschlossen schlug sie die Decke beiseite und schwang die Beine über die Bettkante. Die frischen Binsen knisterten unter ihren Füßen, als sie nach ihren Schuhen tastete.

Sie vergaß den Traum und dachte viele Wochen nicht mehr an ihn. Der Frühling kam, überzog die Wiesen mit lichtem Grün und die Bäume mit prächtigen Blüten, aber selbst die üppige Natur und der strahlende Sonnenschein konnten die immer tiefer werdenden, häßlichen Kratzer in der heilen Welt der kleinen Stadt nicht übertünchen. Doch erst als nichts mehr von Anne Katharinas ruhiger, gewohnter Welt übriggeblieben war und sie dem Tod ins Antlitz sah, da erinnerte sie sich wieder an den Traum und fragte sich, ob er vielleicht von einem der Heiligen gesandt worden war, um sie zu warnen und um ihr einen Weg aus der Dunkelheit zu zeigen.

KAPITEL 2

Tag des heiligen Blasius,
Sonntag, der 3. Februar
im Jahr des Herrn 1510

Es hatte die ganze Nacht geschneit, und ein kalter Nordwind fegte durch die Gassen. Zaghaft und ein wenig schwankend trat Ursula Vogelmann in den von einigen Kirchgängern und streunenden Hunden bereits zertretenen Schnee. Die hohen hölzernen Sohlen, die sie sich unter ihre weichen Lederschuhe gebunden hatte, gaben ihr keinen Halt, und sie rutschte ein wenig nach vorn, ließ den pelzgefütterten Mantel los, den sie eng um sich geschlungen hatte, streckte die Hände in die Luft und stieß einen spitzen Schrei aus. Sofort war Anne Katharina an der Seite ihrer hübschen Schwägerin und legte der zierlichen Frau mit dem blonden Haar beruhigend einen Arm um den dicken Leib.

»Willst du deinen Sohn schon vor der Geburt in den Schnee werfen? Warte damit doch lieber, bis er das Licht der Welt erblickt hat und sich mit lautem Geplärr dagegen wehren kann!«

Ein Lächeln huschte über das bleiche Gesicht mit den fast blutleeren, bläulich angelaufenen Lippen, als Ursula sich bei ihrer Schwägerin einhakte.

»Du bist so lieb. Glaubst du, daß der Herr mit mir ist und

es dieses Mal gutgeht?« In ihren wasserblauen Augen glänzten Tränen.

Anne Katharina nahm die Schwangere in die Arme.

»Ich bete jeden Tag darum. Erst gestern war ich in St. Katharina und habe jeder der großen Jungfrauen – Margarete, Dorothea und Katharina – eine Kerze gestiftet und ein Paternoster gebetet. Und damit du ganz beruhigt sein kannst, schenke ich dir das.«

Sie zog ein kleines, blaues Wachsrelief hervor, das man mit einem Band um den Hals tragen konnte, auf dessen Oval ein Lamm abgebildet war.

»Ein Agnus Dei, wie lieb von dir!« rief Ursula und befestigte das Amulett an ihrem Gürtel. »Ich werde es mir umhängen, sobald wir von der Messe zurück sind.«

Die beiden Brüder, Ulrich und Peter, traten zu den Frauen auf die verschneite Straße. Ulrich, das Oberhaupt der Familie Vogelmann, wenn man von dem blinden Großvater im Spital absah, wirkte mit seiner Größe von fast sechs Fuß und der breitschultrigen, kräftigen Gestalt älter als dreißig Jahre. Der strenge Zug um seinen Mund und das energische Kinn, das er seit ein paar Jahren unter einem Bart verborgen hielt, deuteten schon an, daß er meist seinen Willen durchsetzte und über seine Frau, seine jüngeren Geschwister, die Magd Agnes und die Siedersknechte ein strenges Regiment führte.

Viel zu früh, vor nun schon fünf Jahren, war der Vater zu seinem Schöpfer gerufen worden, und die Mutter hatte bereits bei Peters Geburt im Kindbett ihr Leben lassen müssen. Seit des Vaters Tod verwaltete Ulrich die zwei Sieden, die die Vogelmanns von den Junkern Senft zur Erbpacht hatten, und auch das Sieden der Barfüßermönche, obwohl ein Teil des Erbes den jüngeren Geschwistern zustand. Von Peter erhoffte sich das neue Familienoberhaupt, daß er die Rechte studieren und ein gewitzter Advokat werden würde. Anne Katharina würde ihr Sieden als Mitgift erhalten. Das junge Mädchen wußte, daß es deshalb ihre Aufgabe war, durch eine vorteilhafte Verbindung mit einer anderen, führenden Siederfamilie die angesehene Stellung der Familie zu sichern und die Anteile an den Sieden zu vermehren, doch daran dachte sie mit ihren siebzehn Jahren noch nicht. Viele der Jungfrauen aus den angesehenen Bürgerfamilien heirateten erst mit zwanzig Jahren oder sogar noch später.

»Nun komm schon.« Ulrich griff nicht gerade sanft nach dem Ellenbogen seiner Frau. »Du sollst doch nicht so lange in der Kälte herumstehen.«

Ursula nickte nur und verzichtete auf den Hinweis, daß sie mit Anne Katharina auf die beiden Brüder hatte warten müssen. Doch so war sie, immer ruhig und gehorsam – was man von Anne Katharina nicht gerade behaupten konnte. Daher kam es zwischen Ulrich und seiner Schwester oft zu heftigen Auseinandersetzungen, die zu Anne Katharinas Kummer meist darauf hinausliefen, daß sie das tun mußte, was sich ihr Bruder in den Kopf gesetzt hatte.

Ursula schob sich mit der behandschuhten Hand eine blonde Locke unter die Haube und ließ sich von ihrem Ehemann in Richtung Marktplatz führen.

Ungestüm stieß Peter mit dem Fuß gegen die Haustür, so daß sie mit einem lauten Krachen ins Schloß fiel. Kaum fünfzehn Jahre alt, war er schon fast so groß wie sein Bruder, doch hatte er noch die schlaksige Statur der Halbwüchsigen mit den eckigen, unbeholfenen Bewegungen. Sein schulterlanges Haar wies nicht die satte rotbraune Färbung wie das seiner Schwester auf, doch er hatte dieselben großen, braunen Augen und langen dunklen Wimpern. Das Erbe einer Mutter, die er nie kennengelernt hatte.

Der jüngste der Vogelmanngeschwister grinste seine Schwester an und entblößte eine Zahnlücke, die an eine heftige Prügelei vom letzten Sommer in der Klosterschule erinnerte.

»Was zögerst du? Du mußt dich beeilen. All die vielen Heiligen warten in der Kirche sicher schon auf dich und dein Flehen um ihren Beistand!«

Anne Katharina lächelte ein wenig spöttisch zurück.

»Ich stehe hier nur, um mir wieder einmal den lausigen Zustand deiner Erziehung vor Augen zu führen. Es gebietet dir der Anstand, daß du mir den Arm reichst und mich über die rutschige Straße bis zur Kirche geleitest.«

Peter zog sich sein schwarzsamtenes Barett mit der einzigen, schon etwas traurig herabhängenden Feder tiefer in die Stirn, setzte eine feierliche Miene auf und bot seiner Schwester den Arm.

»Aber nur, wenn du mich mit deinem gelehrten Geschwätz in Ruhe läßt. Hebe dir das für den alten Großvater oder deinen Pater auf.«

Würdevoll griff Anne Katharina nach ihrem Schleiertuch, das sich im kalten Wind aufbauschte, und hielt es unter dem Kinn fest.

»Schade, jetzt wollte ich dir gerade empfehlen, den heiligen Thomas von Aquin um ein wenig Weisheit anzurufen. Als Schutzpatron der Studierenden gehört das schließlich zu seinen Aufgaben.«

Peter grunzte ungnädig und beschleunigte seine Schritte, so daß Anne Katharina Mühe hatte, auf dem unebenen, eisigen Steinpflaster Schritt zu halten.

»Ich werde sowieso nicht mehr lange bei den Barfüßern in der Klosterschule bleiben. Ich habe das Geschwätz der

Mönche satt. Wenn das Kaltliegen im Frühjahr vorbei ist, dann fange ich als Siederbursche an. Das ist Arbeit für einen richtigen Mann!« Der noch bartlose Jüngling plusterte sich wie ein stolzer Gokkel auf und straffte die Schultern. Seine Schwester gluckste belustigt.

»Schließlich gehört mir auch ein Sieden«, fügte er noch hinzu. »Soll Ulrich doch den Handel übernehmen, dann kümmere ich mich um das Salz.«

Anne Katharina lagen viele spitze Erwiderungen auf der Zunge und auch die Frage, was ihr Bruder Ulrich zu diesem Vorhaben sagen würde, doch all ihre Worte behielt sie vorläufig für sich.

Die Geschwister waren noch nicht weit gekommen und gerade auf der Höhe des Senftenhauses in der Herrengasse angelangt, als die Tür aufschlug und Rudolf, der jüngere Bruder des Hausherrn, mit vor Wut rotverzerrtem Gesicht in den kalten Wintermorgen herausstürmte. Ohne die Vogelmanngeschwister zu grüßen, drehte er sich um, hob die geballte Faust und brüllte in die leere Türöffnung:

»Du von Gott verdammter Hurensohn! Du hattest kein Recht, das Michelfelder Gut an die Nonnen zu verkaufen! Hast dich wieder beim Vater eingeschmeichelt und ihm Honig um den Mund geschmiert, wie bei dem Haus auch. Du betrügst mich um mein Erbe und verschleuderst es!«

Der stattliche, mit seiner kräftigen Statur sehr gut aussehende Junker Gabriel Senft, der Jüngere, kam die Treppe herunter, stemmte die Hände in die Hüften und sah seinen Bruder ruhig an.

»Du weißt, daß ich als der Älteste Anrecht auf das Haus habe, noch dazu, wo ich verheiratet bin und du nicht. Außerdem gehörte das Gut Vater und nicht dir, und die Gnadentaler Nonnen haben einen guten Preis geboten. Du hast also gar keinen Grund, dich wie ein Gassenjunge aufzuführen, dem man seine Steinschleuder weggenommen hat.«

Rudolf, dessen sonst sehr einnehmende Züge vor Zorn zu einer abschreckenden Maske geworden waren, spuckte auf den Boden. Sein Atem stieg dampfend weiß in den klaren Morgen, als er seinen Bruder anschrie.

»Du fühlst dich wohl sehr sicher, nur weil die Berlerin mit einem dicken Bauch herumläuft! Du meinst, du hast deine Gulden im Sack, aber ich warne dich! Bei allen Dämonen der Hölle, es wird nichts Rechtes aus ihrem Leib kriechen! Du wirst kinderlos und in Gram sterben, und dann gehört alles mir!«

Er wandte sich ab und stürmte in Richtung Marktplatz davon. Fast stieß er gegen Ursula und Ulrich, als er die beiden in schnellem Schritt überholte und dabei ins Rutschen kam.

Gabriel, der Sproß der alten Stadtadelsfamilie, Nachfahre der ersten, noch von den großen Stauferkönigen eingesetzten Sulmeister, sah seinem Bruder nach und bekreuzigte sich. Sein Blick spiegelte seine aufgewühlte Seele wider, als er zu dem Geschwisterpaar hinübersah, das noch immer regungslos im Schnee stand.

»Gegrüßt sei Jesus Christus«, murmelte der Junker, drehte sich um und verschwand wieder im Haus.

»In Ewigkeit, Amen«, antworteten die Geschwister artig und setzten ihren Weg fort. Peters Augen leuchteten vor Begeisterung.

»Das war doch was! Spannender als die Geschichten der Gaukler …«

»Vor allem mit solch hochrangigen Darstellern«, ergänzte Anne Katharina belustigt.

»Meinst du, der Fluch wird eintreffen?«

Die Miene des jungen Mädchens wurde ernst.

»Ich weiß es nicht, doch wenn ich die Berlerin wäre, dann würde ich ein paar Ave Marias mehr beten und für alle Fälle Allermannsharnisch, Wacholder und Mannstreu über die Türe hängen.«

Kurz darauf betraten sie den zwischen der Michaelskirche und dem St.-Jakobs-Kloster gelegenen Marktplatz, der an diesem Sonntag die übliche Geschäftigkeit vermissen ließ. Nur wenige der Buden waren geöffnet. In dicke Mäntel gehüllt, Hüte und Mützen tief ins Gesicht gezogen, die Hände in Fellhandschuhen vergraben oder über Kohlepfannen haltend, standen die Händler mit roten, tropfenden Nasen da, um Brot und Gebäck, Süßigkeiten und dampfende Fleischpastete, gewürzten Wein und heißen Met zu verkaufen. Doch der eisige Wind, der ungehindert über den weiten, nach Westen abfallenden Marktplatz strich, ließ die Gläubigen, die Mäntel eng um sich geschlungen, schnell zur Kirche eilen. St. Jakob begann die *hora tertia* einzuläuten, und auch vom Turm der St.-Michaels-Kirche klangen die Glocken, um die Gläubigen zur heiligen Messe und zur heutigen Predigt des Predigers Brenneisen zu rufen.

Anne Katharina ließ ihren Blick vom Marktplatz über die erst vor einigen Jahren errichtete, geschwungene Freitreppe zur St.-Michaels-Kirche hinaufwandern, deren gewaltiger Mittelbau sich gegen den bleiernen Himmel abhob. Der alte, trutzige Westturm mit seinen schmalen Bogenfenstern wirkte ein wenig verloren vor dem mächtigen neuen Mittelbau, den er nur um wenige Fuß überragte. Die auf beiden Seiten des Westgiebels vorstehenden Verzahnungssteine mahnten täglich den schon seit über fünfzig Jahren hinausgeschobenen Neubau eines modernen, hochaufragenden Turms an, doch nichts geschah. Auch der alte, rechteckige Chor, der nicht ganz zu dem neuen Mittelschiff passen wollte, war noch erhalten. Seine Tage waren allerdings gezählt, denn wie ein totes Gerippe ragten hinter ihm bereits die aufgestellten Gerüste empor und kündeten von dem ehrgeizigen Vorhaben des Baumeisters Scheyb aus Urach. Der Chor hätte mit seiner schwindelnden Höhe und seinem kunstvollen Gewölbe der nüchternen Kirchenhalle Glanz und Pracht verleihen sollen, doch durch den plötzlichen Tod des Baumeisters waren die Arbeiten am Chor vor fünf Jahren ins Stocken geraten, daher hatte es der Rat mit Freude begrüßt, als Scheybs Schwiegersohn Meister Schaller angeboten hatte, den Bau zu vollenden.

Anne Katharina versuchte gerade, sich vorzustellen, wie die fertige Kirche aussehen würde, prachtvoll und ehrfurchtgebietend, zur Ehre des Herrn und seines Erzengels Michael, als Peter sie plötzlich kräftig in den Arm kniff und aus ihren Gedanken riß.

»Sieh mal, Anne Katharina, da steht eine Frau am Pranger. Komm mit, wir wollen nachsehen, ob wir sie kennen.«

Mit ausladenden Schritten überquerte er den Marktplatz, der, leicht abfallend, an der Nordseite in zwei terrassenartige Stufen überging. Über dem kastenartigen Marktbrunnen, der an der oberen Stufenwand lehnte, ragte, für alle gut sichtbar, der Pranger auf. Peter strebte auf die filigran verzierte Steinsäule zu, an der eine junge, hochschwangere Frau mit einem groben Halseisen festgehalten wurde.

»So warte doch!« Mit den Armen rudernd, schlitterte Anne Katharina Peter hinterher und rutschte fast in ihre Schwägerin hinein, die mit ihrem Gemahl unterhalb des Prangers stehengeblieben war.

»Das ist ja die Marie Wagner, das arme Ding«, rief Ursula entsetzt, und erst jetzt erkannte Anne Katharina in der armseligen Gestalt mit dem strähnig in die Augen hängenden, abgeschnittenen Haar und dem vor Kälte blau angelaufenen Gesicht die hübsche Magd wieder, die bis zum letzten Sommer im Senftenhaus gearbeitet hatte und dann zu Gabriels und Rudolfs Oheim, dem Stättmeister Gilg Senft, ins Sulmeisterhaus gegangen war. Mit geschlossenen Augen stand die junge Frau wie erstarrt da. Nur das leichte Zittern der nackten Beine zeigte, daß sie noch am Leben war. Neugierig studierte Anne Katharina das Schild, das an dem um die Prangersäule laufenden Eisengeländer angebracht war.

»Der hochwohllöbliche Rat der freien Reichsstadt Hall hat die ledige Magd Marie Wagner der Unzucht für schuldig befunden. Also soll sie am Sonntag des heiligen Blasius zwei Stunden am Pranger stehen, daß jeder ihre Unzucht vor Augen habe, dann soll sie bis zum Tage ihrer Niederkunft im Hezennest eingesperrt werden. Ist das Kindlein zehn Tage alt, wird die Sünderin mit Rutenhieben aus der Stadt hinausgefetzt, auf daß sie das Haller Land für alle Zeit nicht mehr betrete.«

»Und ich habe nicht mal ein Ei oder ein Stück faulen Kohl bei mir, um sie zu bewerfen«, bedauerte Peter und zog ein finsteres Gesicht.

Daß schon andere ehrenwerte Bürger heute morgen auf diese Idee gekommen waren, davon zeugten ein paar überriechende grünliche Klumpen im Schnee, zwischen denen zwei streunende Hunde mißmutig nach etwas Eßbarem suchten. Auch die vielfarbigen Flecken auf dem zerrissenen Kittel, unter dem der grobe Stoff des leinenen Leibrockes zu sehen war, sprachen davon.

»Nun ist es also doch herausgekommen«, seufzte Ursula.

»Lange genug hat sie ihren Zustand unter den Röcken verborgen.«

»Du hast von diesem Vergehen gewußt und es mir nicht gesagt?« Ulrich Vogelmann sah seine Frau scharf an.

»Hast du mir erzählt, daß das arme Ding vom Rat verurteilt wurde, Herr Ratsherr?« antwortete seine sanfte Gattin in ungewohnter Weise aufbegehrend.

»Ich bin Ratsherr und kein Richter, und außerdem hat sie ein gerechtes Urteil bekommen.« Er deutete auf den geschwollenen Leib, den die junge Magd mit den Armen vergeblich vor dem kalten Nordwind zu schützen suchte. »Es ist ja nicht zu übersehen, daß sie sich einen Buhlen genommen und Unzucht getrieben hat.«

»Ja schon, doch es ist für eine Magd nicht immer einfach, ihre Unschuld zu bewahren«, murmelte Ursula und senkte den Blick. Zu Anne Katharinas Verwunderung überzog sich das kantige Gesicht ihres Bruders mit leichter Röte, und er wandte sich abrupt ab. Wortlos zog er seine Frau hinter sich her, die weitausladende Treppe zu St. Michael hoch, und Peter folgte ihnen.

Anne Katharina warf noch einen Blick auf die jämmerliche Gestalt in ihrem schmutzigen, zerrissenen Gewand, dann eilte sie den anderen die Treppe hinauf nach, denn die Glocken schwiegen bereits, und durch das Portal erklangen über das Brausen der Orgel hinweg die reinen Stimmen der Chorknaben: » *Veni, sancte spiritus …*«

Anne Katharina schritt durch die Vorhalle des Turms, vorbei am heiligen Erzengel, der mit einer Lanze den Drachen zu seinen Füßen in Schach hielt, durch das Portal in die Kirche. Rasch knickste sie, tauchte die Finger ins Weihwasser und bekreuzigte sich. Nahezu lautlos schlich sie durch das Seitenschiff nach vorn und rutschte in die hölzerne Kirchenbank, die sich die Vogelmanns mit der

Familie Firnhaber teilten. Auch die Bänke vor und hinter ihnen waren mit den Mitgliedern der führenden Siederfamilien besetzt. Die Eisenmenger und Seiferhelds, die die spitaleigenen Sieden sotten, die Blinzigs, die die Sieden des Klosters Gnadental in Pacht hatten, die Feyerabends und Seyboths. Dahinter erkannte Anne Katharina die knochige Gestalt des armen Sieders Hubheinz, der für die Junker von Merstatt sott. Sein Kopf war zur Seite gesunken, seine Augen geschlossen.

Auf der anderen Seite, weiter vorn, hatten sich die Stadtadeligen versammelt: die Junker und Edelfrauen der Familien Keck und Nagel, Roßdorf und Berler, von Rinderbach und die Herren der Vogelmannschen Sieden, die Familie Senft. Anne Katharina reckte den Kopf, um zu sehen, ob sie Rudolf Senft entdecken könnte. Ja, da saß er neben seinem Vater und redete sichtlich erregt auf den alten Mann ein. Rudolfs Bruder Gabriel und dessen hochschwangere Frau Barbara konnte Anne Katharina jedoch nicht entdecken.

In der ersten Bank, vor den Senfts, saß der reiche Kaspar Eberhart. Er war um die achtzig Jahre alt, doch bis zum letzten Sommer einer der führenden Richter im Rat gewesen. Man schätzte ihn fast zwanzigtausend Gulden schwer. Seine runzeligen Hände über dem Knauf seines Ebenholzstockes gefaltet, saß er aufrecht da und verfolgte anscheinend mit großem Interesse die Predigt von Pfarrer Sebastian Brenneisen. Ursula beugte sich zu ihrer Schwägerin hinüber und stieß sie leicht in die Seite.

»Hast du die Helene, die von Rinderbach, gesehen?« flüsterte sie und nickte zu den Bänken rechts vorn.

Anne Katharina folgte ihrem Blick, um die hochgewachsene schlanke Tochter des Junkers mit den üppig goldblonden Flechten zu suchen.

»Sie trägt ein gelbes Schleiertuch!« zischte Ursula empört. »Wenn ich ihre Mutter wäre, dann könnte sie sich auf etwas gefaßt machen. Nicht im Leben dürfte sie mit der Farbe der freien Weiber und Juden auf dem Kopf aus dem Haus!«

Anne Katharina lächelte bei den Worten ihrer Schwägerin, die kaum älter als die Junkerstochter war.

»Das ist eben der Unterschied. Eine Tochter aus dem Hause von Rinderbach kann sich so etwas erlauben, eine Siedertochter nicht«, flüsterte sie zurück, verstummte dann aber, als sie den wütenden Blick ihres älteren Bruders spürte.

Die Pfarrer betete das Paternoster. Auch Anne Katharina senkte das Haupt, doch ihre Gedanken wanderten immer wieder zum Pranger hinaus, zu der geschundenen Magd mit ihrem ungeborenen Kind. Fast hätte sie den Einsatz der Gemeinde verpaßt.

»Erlöse uns von dem Bösen …«

Die unkeusche Frage, aus was denn genau das Unzuchtvergehen bestand, bewegte sie und ließ ihr keine Ruhe mehr. Sie wußte, wie das vor sich ging, wenn der Kater die Katze bestieg, und hatte auch schon Pferde auf der Koppel beobachtet, doch wie war das bei den Menschen, bei der Krönung von Gottes Schöpfung? Man sagte, sie hätten beieinander gelegen, wenn eine Frau ein Kind erwartete. Eheleute teilten ein Bett miteinander, um einen Erben zu zeugen. Es mußte etwas mit der Männlichkeit zu tun haben, die sich so deutlich von der Scham der Frauen unterschied, soviel stand fest. Vor ihrem inneren Auge sah sie die nackten Straßenjungen, die im Sommer in den Gassen spielten, und dann die Flößer und Siederburschen, wie sie an manchen milden Abenden im Kocher badeten. Errötend senkte sie den Kopf und hoffte, daß der Herr Jesus Christus sich nicht gerade in diesem Moment mit ihren Gedanken befaßte. Sie nahm sich aber trotzdem vor, zwei Rosenkränze zur Buße zu beten.

Also so wie bei den Tieren konnte es nicht gehen – und wenn, dann war es ganz sicher eine große Sünde!

Als die Vogelmanns aus dem Kirchenportal traten, gesellte sich eine Frau zu ihnen, deren Alter nur schwer zu schätzen war. Sie war von kleiner, kräftiger Gestalt, hielt sich sehr gerade und schritt forsch einher. Ihr Gesicht war fast faltenfrei, und in den leuchtend hellgrauen Augen blitzte manchmal der Schalk, doch die unter ihrer strengen Haube hervorlugenden Haarsträhnen waren beinahe weiß. In den Händen, die sich auf Ursulas Leib legten, waren Kraft und Zärtlichkeit seltsam vereint, und ihr Blick spiegelte die Erfahrung vieler Jahre wider.

»Nun ist es bald soweit, gnädige Frau. Noch wenige Tage, vielleicht eine Woche. Ich werde mit Euch kommen und Euch noch ein wenig mit Fett einreiben. Bewegt es sich?«

Ursula lächelte die Hebamme unsicher an.

»Ja, manchmal spüre ich es. Ich meine, es tritt nach mir, und ich weiß nicht, was ich tun soll.«

Els ergriff beruhigend die Hand der Schwangeren.

»Seid ganz unbesorgt, meine Liebe. Ihr müßt fröhlich und guter Dinge sein und mich, wenn die Wehen einsetzen, rechtzeitig rufen, dann wird der Herr Euch auch ein gesundes Kind schenken.«

»Einen Sohn, so hoffe ich«, murmelte Ursula, mit einem Seitenblick auf ihren Gatten, dem das Gespräch über Wehen und Geburt sichtlich unangenehm war.

»Wie geht es der Berlerin? Sie müßte doch auch bald soweit sein«, mischte sich Anne Katharina ein, als sie im Hintergrund Rudolf Senft die Kirche verlassen sah. Zwei Stufen auf einmal nehmend, lief der Junker die Freitreppe hinunter, überquerte den Marktplatz und schritt auf die Sporengasse zu, als er plötzlich innehielt und sich umwandte. Er sah zum Pranger hinauf, seine Augen verdunkelten sich. Bewegungslos und stumm stand er einige Augenblicke da, dann wandte er sich abrupt um und eilte weiter. Erst als er aus ihrem Blickfeld entschwunden war, richtete Anne Katharina ihre Aufmerksamkeit wieder auf die Hebamme, die gerade sagte:

»… so gut es einer Frau in diesem Zustand eben gehen kann. Ich war vor der Messe erst bei den Senftens und habe nach ihr gesehen. Wenn Gott will, dann werde ich in dieser Woche drei Kindern auf die Welt helfen.« Ihr Mund nahm einen harten Zug an, als sie am Pranger vorbeikamen. »Oder nur zweien, denn daß Marie in ihrem Zustand die Kälte im Verlies des Hezennests unbeschadet überlebt und auch noch ein gesundes Kind zur Welt bringt, kann ich mir kaum vorstellen. So ein Unsinn, sie erst, wenn es soweit ist, ins Spital bringen zu lassen. Da hätten die Herren Richter ihr auch gleich den Kopf abschlagen können. Das wäre eine geringere Strafe gewesen.«

Sie warf einen Seitenblick auf Ulrich, der leise vor sich hinbrummte, daß die Ratsherren schließlich nichts für das Wetter könnten.

»Ich werde dem armen Ding jedenfalls nachher einen warmen Mantel und wollene Beinlinge zum Turm bringen, wenn der hochwohllöbliche Rat nichts dagegen einzuwenden hat!« Die Hebamme sah den Ratsherrn herausfordernd an, doch dieser schwieg und ließ ausnahmsweise dem Weib an seiner Seite das letzte Wort.

*   *   *

29

Der Mönch verschränkte seine Arme und vergrub seine Hände tief in den Ärmeln seiner weiten Kutte aus grober grauer Wolle, doch dies waren die einzigen Anzeichen, daß er die grimmige Kälte spürte. Die blauen Augen auf den verschneiten Marktplatz gerichtet, stand er regungslos da und betrachtete die Gläubigen, die aus der Kirche hervorquollen und sich dann in bunten Flecken über die Treppe und den Marktplatz verteilten. Manche blieben in kleinen Grüppchen stehen, um noch ein wenig Klatsch auszutauschen, andere eilten schnell in ihre warmen Stuben zurück.

Noch im letzten Winter war Anne Katharina jedesmal nach der Messe gleich zum Kloster geeilt, um vor dem Kamin in der Gästestube – selbstverständlich unter der strengen Aufsicht Bruder Ruperts oder eines anderen ehrwürdigen Bruders – mit ihm über Albertus Magnus oder Thomas von Aquin, Vergil oder Galen, Aristoteles oder Euklid zu sprechen. Wie oft hatte sie früher auf seinen Knien gesessen, die Stirn angestrengt in Falten gelegt, wenn die Feder über das Pergament kratzte, um ein paar krakelige Buchstaben zu zeichnen und viele unschöne Tintenkleckse zu hinterlassen. Lesen und Rechnen hatte er ihr beigebracht und viele Geschichten von den großen Griechen erzählt. Ein Lächeln glitt über das noch fast faltenfreie Gesicht, als er an das Gezeter dachte, das Bruder Ludwig jedesmal angestimmt hatte, wenn er dem Mädchen eine weitere Episode von Odysseus' Abenteuern berichtet hatte, denn bereits die Erwähnung der heidnischen Götter war für Bruder Ludwig Ketzerei.

Aber nach des Vaters Tod waren ihre Besuche seltener geworden, und dann im letzten Jahr war die Zeit mit einemmal für immer vorbei.

Nun ja, sagte Pater Hiltprand sich immer wieder, für eine

Jungfrau im heiratsfähigen Alter ziemt es sich eben nicht, sich von einem alternden Mönch mit unnötigem Wissen vollstopfen zu lassen. Sie hat genug gelernt, um die Bücher ihres Bruders zu führen, und jetzt ist es an der Zeit, daß sie lernt, einen Haushalt in Ordnung zu halten, um ihrem späteren Ehemann ein gemütliches Heim zu schaffen. So ist der Lauf der Dinge eben. Er seufzte schwer.

»Alter Narr!« murmelte er. »Du weißt ganz genau, daß das nicht der Grund für ihr Fernbleiben ist. Den Grund hat dir ihr Bruder ja heftig genug um die Ohren geschlagen.« Das Verbot, jemals wieder ein Wort mit ihr zu wechseln, traf ihn härter, als er es je für möglich gehalten hatte. Doch auch Anne Katharina war entsetzt gewesen. Sie hatte sich beklagt, getobt und geschimpft, doch von diesem Tage an war sie nicht mehr im Kloster erschienen, um an seinem Wissen teilzuhaben.

Pater Hiltprand beobachtete mit regungsloser Miene, wie Anne Katharina an der Seite ihrer Brüder den Marktplatz überquerte.

Das ist eben der Preis, den man dem Herrn bezahlen muß, wenn man Ihm sein Leben widmet. Keine Frau, die Ihm einen Teil der Liebe streitig machen könnte. Ein bitteres Lächeln teilte seine Lippen. Nun, zumindest keine, die man offiziell anerkennen darf. Mit einem Ruck wandte er sich um und verschwand hinter den Klostermauern, um im Gebet und in der Stille sein aufgewühltes Gemüt zu beruhigen.

*   *   *

»Wir haben uns daheim ganz schrecklich gezankt«, erzählte Anne Katharina Vogelmann ihrem Großvater, als sie ihn später, als die bleiche Wintersonne schon tief stand, in seiner Kammer im Spital besuchte.

»Ich wollte, daß Ulrich die Geheimen aufsucht, damit sie die Marie gleich ins Spital bringen. Sie können sie ja hier ins Fegefeuer zu den Kranken legen oder in einer der kleinen Kammern wegschließen.«

Der alte Peter Schweycker, selbst über lange Jahre Ratsmitglied und Richter, richtete die weißlichen, getrübten Augen auf seine Enkelin.

»Und, hat er das getan?«

»Erst mußte ich mir wieder das alte Lied von den weiblichen Tugenden anhören und daß es sich für eine Jungfrau aus guter Familie nicht ziemt, sich um das Schicksal einer unkeuschen Magd zu kümmern, doch dann ist er doch zum Büschler gegangen, um mit ihm zu reden.«

»Zum Hermann? War das eine kluge Entscheidung? Als Vorjahresstättmeister ist er zwar unter den Geheimen, aber ...«

»... er ist kein Junker!« ergänzte seine Enkelin.

»Eben, das meine ich. Du sagst, das Mädchen war Magd bei den Senftens?«

»Ja, bis zum Frühjahr im Senftenhaus in der Herrengasse, dann im Sulmeisterhaus an der Sulfurt ...«

»... bei unserem hochverehrten Stättmeister Junker Gilg Senft!«

»Oh! Daran habe ich nicht gedacht.«

Der alte Mann tastete nach seiner Enkelin, die nachdenklich die faltige Hand ergriff.

»Sie werden das Urteil nicht mildern?« Es war mehr eine Feststellung denn eine Frage.

»Nein!« Die Stimme des ehemaligen Richters klang fest. »Auch wenn für diesen Fall nicht das Blutgericht zuständig ist, sondern der Schultheiß, so hat dieser sicher kein Urteil über ein Mitglied des Hauses Senft verhängt, ohne sich vorher mit dem Stättmeister abzusprechen. Die Herren werden schon ihre Gründe haben, das Mädchen aus der Stadt zu jagen.«

»Und sie damit vielleicht zu töten«, flüsterte Anne Katharina bei diesem Gedanken erschaudernd. Beide schwiegen, als die Tür zu der kleinen Kammer aufgestoßen wurde und eine der Pflegerinnen des Heilig-Geist-Spitals mit dem Nachtmahl eintrat. Die Schwester aus dem dritten Orden des heiligen Franziskus stellte die abendliche Milchsuppe, eine Schüssel Kraut mit Grieben und einen kleinen Krug Kocherwein auf den schmalen Tisch unter das Fenster, welches jetzt im Winter mit Pergament bespannt und mit einem hölzernen Laden verschlossen war. Sanfte Hände griffen unter die Arme des greisen Herrn.

»Darf ich Euch an den Tisch führen, Herr Richter?«

»Habt Dank, Schwester, doch meine Enkelin wird den alten Knochen heute behilflich sein.«

Die Pflegerin senkte das mit einem weißen Schleier verhüllte Haupt, schob die Hände in die weiten Ärmel ihrer Ordenstracht und murmelte: »Gottes Segen mit Euch.« Dann verließ sie geräuschlos die Kammer.

Anne Katharina führte den blinden Mann zum Tisch und schob ihm dann schnell den mit weichen Kissen gepolsterten Stuhl heran. Geschäftig eilte sie zum Wandbord, holte den Rest groben Roggenbrots, der vom Morgenmahl übriggeblieben war, und stellte noch ein Schüsselchen Apfelmus auf den Tisch, das ihr Ursula für den Großvater mitgegeben hatte. Der alte Mann tastete mit der einen Hand nach dem Löffel an seinem Gürtel, mit der anderen zog er den Teller mit Milchsuppe näher. Nur mit Mühe konnte Anne Katharina das harte Brot zerbröseln, um es unter die Suppe zu rühren.

»Schon wieder dieses harte, dunkle Brot, das ich nicht mehr beißen kann«, seufzte der Alte. »Ich möchte mal wissen, was die mit den ganzen Gülten der Höfe machen, die sie für diese Herrenpfründe von mir bekommen haben, als ich so dumm war, mich in diesem vermaledeiten Spital vorzeitig begraben zu lassen.« Anne Katharina bekreuzigte sich schnell. »Die Kelter und das Stück Wald oben bei Gelbingen nicht zu vergessen.« Er war sichtlich erbost. »Und dafür bekomme ich ein Mahl, grad wie die Ärmsten im Siechenhaus: kein Fleisch, kein Schönbrot, keinen Neckarwein! Aber die Ratsherrn, die schmausen gar köstlich von meinem Geld, wann immer sie eine Gelegenheit dazu finden können!«

Anne Katharina unterdrückte die Bemerkung, daß er in seiner Zeit als Richter bei den zahlreichen Festessen des Spitals die Köstlichkeiten ja auch nicht zurückgewiesen hatte, und meinte statt dessen:

»Die Lage ist überall schwierig, liebster Großvater, viele in den Dörfern leiden Hunger, denn die Ernte war schlecht, und der Winter ist hart. Im Frühjahr wird das Essen bestimmt besser.«

Der Alte knurrte unwillig und schlürfte mißmutig einen Löffel Suppe.

»Riecht doch, Großvater, im Kraut ist viel Speck.« Anne Katharina strich ihm über die Wange.

»Ich bringe Euch morgen eine Fleischpastete und Schönbrot aus feinem Dinkelmehl mit.«

»Du kommst morgen wieder? Ich dachte, der Herr des Hauses möchte diese unnützen Besuche bei einem senilen Alten der Vergangenheit angehören lassen.«

»Unsinn!« log Anne Katharina mit fester Stimme. »Wenn ich meine Pflichten schnell und ordentlich erledige, bleibt mir noch Zeit genug, bei Euch vorbeizusehen.« Außerdem braucht es Ulrich ja nicht zu erfahren, fügte sie in Gedanken hinzu.

Die Glocken von St. Jakob läuteten zum Ave Maria, im Spital wurden die Talglichter entzündet, und die Schwestern huschten durch die Säle, um die Schüsseln und Krüge wegzutragen und noch einmal nach den Kranken zu sehen. Lauschend hob Peter Schweycker den Kopf.

»Es ist spät, sicher schon dunkel draußen. Du mußt gehen, wenn du deinen Bruder nicht erzürnen willst. Frag einen der Knechte, ob er dich nach Hause begleitet.«

»Ach was!« wehrte Anne Katharina ab. »Ich werde den Weg schon allein finden.«

»Eine Jungfrau deines Alters hat im Dunkeln draußen allein nichts zu suchen«, brauste der Großvater auf. »Hat dir dein Bruder keinen Anstand beigebracht?«

»Doch, mehr als genug«, seufzte sie, gab ihrem Großvater einen Kuß auf die Wange und verließ die Kammer. Sie ging in den Stall, dann zur großen Scheune und in die Küche, doch keiner der Knechte hatte im Augenblick Zeit. Unschlüssig blieb sie in der von zwei Talglichtern kaum erhellten Halle stehen. Sollte sie warten? Wenn Ulrich bereits zu Hause war, dann konnte sie sich auf eine Strafpredigt gefaßt machen, die den Vergleich zum Jüngsten Gericht nicht zu scheuen brauchte. Mit jeder Minute, die sie hier herumstand, schwand die Chance, noch vor ihm heimzukommen. Also, dann los! Entschlossen band sie sich ihr dickes Wolltuch fest um den Kopf und trat beherzt in die eisige Winternacht hinaus. Der Himmel hatte sich aufgeklart, so daß der matte Sternenschein den Schnee in ein geheimnisvolles Licht tauchte. Eilig schritt Anne Katharina durch den knöcheltiefen Schnee bergauf. Der hartgefrorene Boden war gar nicht so unpraktisch, versank man doch auf den ungepflasterten Straßen der unteren Stadt und der Vorstädte bei nassem Wetter oft tief im Morast.

Anne Katharina folgte dem vereisten Schuppach, der an manchen Stellen fast bis zur Böschung hoch mit stinkendem Unrat gefüllt war. Auf einem schmalen Steg überquerte sie den Bach, den man treffender als ein Rinnsal bezeichnen müßte, und folgte dann der Sporengasse in Richtung Marktplatz. Trotz des langen, fellgefütterten Mantels, den sie eng um sich gewickelt hatte, kroch die Kälte unter ihre Röcke und ließ sie erschaudern. Einmal glitt das junge Mädchen aus und fiel auf die Knie. Ein großer, grauer Hund mit einem zerfetzten Ohr, der in einem Hauseingang geschlafen hatte, erhob sich knurrend. »Brauchst gar nicht deine Zähne so zu fletschen«, fauchte sie den Köter mit mehr Mut an, als sie empfand, »wenn du mich nicht beißt, dann beiße ich dich auch nicht.«
Ob das den Streuner überzeugt hatte, konnte sie nicht sagen. Jedenfalls rollte er sich wieder zusammen und legte mit einem Gähnen den Kopf auf die Pfoten. Energisch schüttelte sich Anne Katharina den Schnee aus den Röcken und setzte ihren Weg fort. Schwarz ragte die Klosterkirche St. Jakob zu ihrer Rechten in den Himmel, als sie den leeren Marktplatz betrat. Das flimmernde Sternenlicht beleuchtete den verwaisten Pranger nur matt, ein offenes Halseisen schlug leise klirrend an die kalte Steinsäule. Marie lag jetzt in ihrem eisigen, finsteren Verlies unter dem Hezennest. Ob Els ihr warme Kleider gebracht hatte? Anne Katharina bewunderte die energische kleine Frau, die nicht davor zurückschreckte, sich mit Ratsherren oder Stadtknechten anzulegen, um das, was in ihren Augen richtig war, durchzusetzen.
Und ich schaffe es nicht einmal, mich gegen meinen eigenen Bruder zu behaupten, dachte Anne Katharina verbittert. Nun ja, ich sage zwar oft, was ich denke, und streite mich mit ihm – trotzdem schaffe ich es nicht, mich an die-

se vielen Regeln, die für eine bürgerliche Jungfrau gelten, zu gewöhnen, noch traue ich mich, gegen diese zu verstoßen. Ursula hat es gut. Sie ist einfach ruhig und tugendsam und muß nicht ständig gegen ihren eigenen Willen ankämpfen. Sie stellt die Befehle ihres Gatten nie in Frage und grübelt nicht darüber nach, ob diese nun gut und rechtens sind.

Plötzlich wurde Anne Katharina bewußt, daß sie noch immer allein auf dem nächtlichen Marktplatz vor dem Pranger stand und gerade gegen alle Regeln und Gebote des Anstands verstieß. Mit einem Ruck wandte sie sich ab und eilte mit großen Schritten weiter, ein trotziges Lächeln auf den Lippen.

* * *

So leise wie möglich öffnete Anne Katharina die Haustür und schlich auf Zehenspitzen die Treppe hinauf. Ob Ulrich schon zurück war? Sie preßte ihr Ohr an die Stubentür. O je, ganz deutlich drang seine Stimme durch das dicke Holz – und sie klang ziemlich ärgerlich. Unschlüssig blieb Anne Katharina stehen. Einerseits lockten sie die Wärme und ein Nachtmahl, andererseits hatte sie nicht die geringste Lust, sich dem Gewittersturm auszusetzen, der unweigerlich folgen würde. Seufzend legte sie die Hand auf die geschwungene, schmiedeeiserne Klinke, als ein Schatten heranhuschte und nach ihrer Hand griff.

»Nicht, Anne Katharina, geht nicht in die Stube«, flüsterte die Magd aufgeregt. »Ich habe dem Herrn erzählt, daß Ihr Euch nicht wohl fühlt und bereits in Eurer Kammer zu Bett liegt.«

Das junge Mädchen hauchte der Magd dankbar einen Kuß auf die Wange. »Ich danke dir, du bist ein Schatz!«

Mit gerafften Röcken eilte Anne Katharina die Treppe zu ihrer Kammer hoch und schloß leise die Tür hinter sich.

»Heilige Jungfrau, ich danke dir«, seufzte sie und lehnte sich einige Augenblicke an die rauhe Wand. Obwohl das Fenster mit einer dünnen Haut und einem hölzernen Laden verschlossen war, zog es empfindlich und war, da Ulrich den Luxus von Kohlepfannen in den Schlafkammern entschieden ablehnte, eisig kalt. Ohne ein Licht zu entzünden, zog Anne Katharina sich aus, band sich eine Nachthaube über das zu einem Zopf geflochtene Haar und schlüpfte unter die dicke Daunendecke. Das Stroh in der Matratze raschelte leise, und irgendwo hörte sie die trippelnden Pfoten einer Maus, die sich bei ihrer nächtlichen Suche nach etwas Eßbarem gestört fühlte und zu einem sicheren Versteck flüchtete.

Schlaflos wälzte sich Anne Katharina in ihrem schmalen Bett herum. Ihr war kalt, und ihr Magen meldete deutlich, wie viele lange Stunden seit dem Mittagsmahl schon verstrichen waren. Zu dumm, daß sie nicht daran gedacht hatte, etwas aus der Küche mitzunehmen.

Wenn alle zu Bett gegangen sind, dann kann ich mich ja immer noch hinunterschleichen, dachte sie. Sie lauschte auf die Geräusche im Haus. Gedämpft hörte sie das Quietschen der Stubentür, dann die schweren Schritte ihres älteren Bruders und die leise Stimme ihrer Schwägerin. Von Peter fehlte bisher jede Spur. Sicher trieb er sich wieder mit den Siederburschen im »Wilden Mann« oder in einer anderen Schenke herum. Meist kam er von diesen Ausflügen völlig betrunken nach Hause und war am anderen Tag schrecklich übellaunig. Die arme Agnes mußte dann jedesmal die stinkenden Überreste aufwischen, wenn Peter es mal wieder nicht zum heimlichen Gemach in den Hof geschafft oder sein Nachtgeschirr verfehlt hatte. Die Schelte, die er dafür am Morgen von Ulrich anhören mußte, war selbst für einen schweren Brummschädel erträglich. Die jungen Burschen müssen sich die Hörner abstoßen – das war die übliche Entschuldigung, die mit einem gleichgültigen Schulterzucken vorgebracht wurde. Wenn man bedenkt, was für ein Aufhebens gemacht wurde, wenn der Rock einer Jungfrau um ein paar Fingerbreit zu kurz oder ihr Ausschnitt zu tief war, wenn eine Ehefrau ohne Haube auf die Straße ging oder ihrem Ehemann in der Öffentlichkeit zu widersprechen wagte … Diese Ungerechtigkeit schmeckte bitter und ließ sich nur schwer hinunterschlucken.

Anne Katharina lag wach auf dem Rücken, bis die Stimmen und Schritte allmählich verstummten. Aus dem winzigen Verschlag im Hof erklang das verschlafene Grunzen des letzten Schweines, dem noch ein paar Tage bei köstlichen Küchenabfällen gegönnt wurden, bevor es wie seine Vorgänger mit den scharfen Messern eines Metzgers in viele wohlschmeckende Bratenstücke verwandelt werden würde. Dann war alles ruhig.

Mit einem Ruck schlug Anne Katharina ihre Decke zur Seite. Gierig griff die Winterskälte in der Kammer nach dem nackten Körper, so daß sich all die feinen Härchen auf der jungen glatten Haut aufstellten. Rasch wickelte sich Anne Katharina in einen dicken Wollumhang und tastete im Dunkeln nach ihren weichen Fellschuhen, dann schlich sie in die Küche hinunter. Die Glut im Herd würde sicher reichen, einen Becher Wein zu erhitzen, und der Ofen in der Stube war bestimmt auch noch warm. Gierig dachte Anne Katharina an ein Stück weißes Brot und etwas Käse, als sie sich dem glutroten Schein näherte, der aus der Küche drang.

»Welch üble Nachlässigkeit!« entfuhr es Anne Katharina,

als sie die beiden brennenden Talglichter auf dem kleinen, wackeligen Tisch in der Ecke sah, und sie trat heran, um sie zu löschen. Erst jetzt bemerkte sie den Weinkrug, zwei hohe Becher und ein Brett mit Resten von Brot, Käse, geräuchertem Speck und Schinken. Die Krümel und Rindenstückchen zeugten davon, daß noch einer auf die Idee gekommen war, ein spätes Nachtmahl einzunehmen.

Nicht einer, zwei! verbesserte sich Anne Katharina mit einem Blick auf die fast leeren Becher und schob sich ein Stück Speck in den Mund. Wer hat hier wohl gegessen? überlegte sie kauend und schob noch etwas Käse nach, als Stimmengemurmel in der unteren Halle die Antwort zu geben schien. Die Haustür öffnete sich mit dem gewohnten leisen Quietschen. Rasch griff Anne Katharina nach Brot und Schinken und eilte in die Stube, öffnete leise das Fenster und beugte sich vorsichtig hinaus. Zwei dunkle Gestalten hoben sich gegen den Schnee ab, eng umschlungen standen sie in der Eiseskälte, anscheinend in einen innigen Kuß vertieft, dann löste sich einer der Schatten und trat ins Haus. Nachdenklich sah Anne Katharina der anderen Gestalt nach, wie sie die Herrengasse in Richtung Marktplatz hinunterstapfte. Der breitkrempige Hut und der fast bodenlange Mantel verbargen den Körper völlig, doch der forsche Schritt schien der eines Mannes zu sein, aber ganz sicher war sich Anne Katharina nicht. Wer mochte das sein, und was hatte er oder sie nachts hier zu suchen? Und mit wem hatte er oder sie sich getroffen? Die leisen Geräusche in der Küche verstummten, eine Treppenstufe knarrte. Anne Katharina huschte zur Tür, öffnete sie leise und lauschte, doch alles, was sie noch vernahm, war das Schließen einer Tür im oberen Stock, dann kehrte die nächtliche Stille wieder ein. Zu spät, den herumschleichenden Hausbewohner zu entlarven. Fast hätte sie geflucht, doch zum Glück war ihre Erziehung so streng verlaufen, daß sie diese Sünde nicht auf sich lud. Trotzdem war sie mit sich und der Welt höchst unzufrieden, als sie – das Brot in der einen, den Schinken in der anderen Hand – zu ihrer Kammer zurückkehrte.

KAPITEL 3

Tag des heiligen Hrabanus Maurus,
Montag, der 4. Februar
im Jahr des Herrn 1510

*E*s war noch dunkel, doch der neue Wintertag kündig-
te sich bereits durch einen milchigen Streifen am
östlichen Horizont an, welcher sich schon bald zu flammendem Rot wandeln würde. Trotz der frühen Stunde
herrschte in der Stadt schon emsige Geschäftigkeit. Im
Schein von Laternen und Kienspänen begannen die
Handwerker ihr Tagewerk, Mägde hantierten in den Kü-
chen, schürten die Feuer oder trugen schwatzend und lachend schwere Körbe zum Marktplatz hinauf, Knechte
spalteten Brennholz, und die ersten Bauern von den umliegenden Höfen warteten mit Waren und Vieh bereits geduldig vor den Stadttoren, bis diese geöffnet wurden und
sie in die Stadt ziehen konnten.

Gähnend schob Anne Katharina Vogelmann das warme
Federbett beiseite und entzündete ein Talglicht. Schnell
zog sie sich ihre Stümpfe an und band sie unter dem Knie
fest. Sie schlüpfte in einen warmen, wollenen Leibrock,
ein weißes Leinenhemd und einen einfachen, graublauen
Rock mit langen, schmalen Ärmeln, dessen einziger
Schmuck aus einer feinen Silberstickerei um den Halsaus-
schnitt und die Handgelenke bestand. Den edlen, mit ei-

ner breiten Brokatborte besetzten grünen Surcot, den sie
am Vortag getragen hatte, legte sie sorgfältig in die reich
mit Schnitzereien versehene Eichentruhe, die neben ihrem schmalen Bett stand. Hastig bürstete sie ihr langes
Haar, das im Kerzenlicht rötlich schimmerte, flocht es zu
zwei Zöpfen, rollte diese wie zwei Schnecken auf und
schob sie in ein Haarnetz aus feinen Siberfäden, die von
einem breiten Samtband zusammengehalten wurden. Die
Röcke gerafft und zwei Stufen auf einmal nehmend, eilte
Anne Katharina die Treppe hinunter. Wohlige Wärme
empfing sie, als sie die Stubentür öffnete und am großen
Nußbaumtisch Platz nahm, wo sich die anderen Familienmitglieder schon zu einem einfachen, frühen Mahl versammelt hatten.

»Du wirst es nicht glauben!« ereiferte sich der Hausherr
gerade und fuchtelte mit seinem Löffel vor Peters Nase in
der Luft herum. »Haben die Junker im letzten Jahr die
Frechheit besessen, unserem ehrenwerten Stättmeister
Büschler die Aufnahme in ihre Trinkstube zu verwehren,
obwohl seine Frau von adeligem Blut ist!«

»Ja, ich weiß«, brummte Peter mißmutig und barg den
Kopf in seinen Händen, als könne er sich dadurch in dieser frühen Stunde vor der lauten Stimme seines Bruders
schützen. Die ganze Politik des Stadtrates, das Gerangel
um Posten, Pfründe und andere Vorteile, interessierte ihn
nicht. Solange er genug Münzen in seinem Beutel hatte
und sich ungestört mit seinen Freunden im Wirtshaus,
zum Hahnenkampf oder zu einem wilden Ritt treffen
konnte, war ihm alles andere nur eine Last.

Ulrich übersah den Unmut des Jüngern geflissentlich,
tauchte seinen Löffel in den dicken Haferbrei, schob ihn
in den Mund und fuhr dann mit erregter Stimme fort.

»Sollen denn die anderen Ratsherren auf dem Kirchhof

im Regen oder Schnee stehen und die Entscheidungen abwarten, derweilen es sich die Junker in ihrer Ratsstube mit süßem Wein wohl sein lassen?«

»Das ist doch eine alte Geschichte«, maulte Peter. »Unzählbar viele Monate dauert der Streit nun schon an. Schließlich hat der Büschler mit seiner Abstimmung gewonnen, und seit Wochen wird im Haus des Spitals am Markt gebaut, um eine bürgerliche Trinkstube einzurichten. Worüber also regst du dich so auf?«

»Deshalb ist es ja so verwerflich, daß sich die Junker nun eine neue List erdacht haben, um das Ganze doch noch zu verhindern. Der Spitalmeister hat den Rat um eine Fuhre Holz ersucht, damit der Ausbau voranschreite. Veit von Rinderbach hat sie verweigert und will die Sache nun noch einmal zur Abstimmung vor den Rat bringen.«

Mit grimmiger Miene schnitt Ulrich ein Stück Brot von dem großen Laib, der in einer flachen Holzschale auf dem Tisch lag. Er fuhr mit der scharfen Schneide durch die dunkelbraune Kruste, als hätte er seinen ärgsten Feind vor sich.

Peter, Ursula und Anne Katharina löffelten schweigend ihren Haferbrei, denn es war dem Hausherrn anzusehen, daß er noch nicht fertig war. Und richtig, er biß kräftig in das frische Brot und fuhr dann mit vollem Mund fort.

»Das hat sich sicher der vermaledeite Rudolf Nagel ausgedacht, denn er kann es immer noch nicht verwinden, daß die Abstimmung zu unseren Gunsten verlaufen ist. Es ist ihm ein arger Dorn im Auge, daß nicht nur Junker im Rat sitzen und der Büschler im letzten Jahr gar Stättmeister war.«

Agnes unterbrach seine Rede, als sie mit einem Krug warmen, gewürzten Bieres eintrat, dem Ulrich gerne und reichlich zusprach. Die Magd hielt den Krug auch Peter hin, doch der schüttelte den Kopf. Er war an diesem Morgen ein wenig bleich im Gesicht, die Augen zeigten tiefe Ringe, und ein paarmal konnte er sein Gähnen nur sehr unzureichend verbergen. Seine Schwester konnte sich ein spöttisches Lächeln nicht verkneifen.

»Hattest du einen schönen Abend? Der ›Wilde Mann‹?«

Peter nickte gequält. »Ich weiß gar nicht mehr genau, wie ich heimgekommen bin. Die anderen müssen mich wohl vorbeigebracht haben.« Seine Miene wurde grimmig. »Und außerdem geht dich das gar nichts an, Weib!«

Solche Reden gewöhnt, spendete sie ihm halbherzig Trost für seinen schmerzenden Kopf und empfahl einen Eimer kaltes Wasser, als ihr plötzlich ihr dringendes Anliegen des gestrigen Tages wieder einfiel.

»Bruder, da du gestern beim ehrenwerten Hermann Büschler warst, hast du mit ihm auch über die Magd Marie geredet?« begann sie mit leiser Stimme und gesenktem Blick, um Ulrich nicht unnötig zu erzürnen.

Dieser sah seine Schwester verständnislos an. »Was hätte ich ihm denn sagen sollen?«

Alle Vorsätze waren vergessen. Anne Katharina brauste auf.

»Du hast es doch versprochen! Sie soll nicht im Hezennest bleiben bei dieser Kälte. Das könnte sie umbringen!«

»Ach, du meinst die Magd mit ihrem ungeborenen Bastard. Das habe ich bei diesen wichtigen Neuigkeiten völlig vergessen.«

Damit schien das Thema für ihn erledigt zu sein. Wütend knallte Anne Katharina ihre Tonschale auf den Tisch.

»Für mich ist die Sache aber nicht erledigt!«

»Mäßige deinen Tonfall und widersprich mir nicht!« schrie Ulrich. »Du wirst das Haus heute nicht verlassen und bei deinen Näharbeiten über züchtiges Verhalten nachdenken!«

»Aber ich habe Großvater versprochen, daß ich komme!«

45

»Dann kannst du dein Versprechen eben nicht halten. Für meinen Geschmack gibst du dich eh zuviel mit dem senilen Alten ab. Du wirst deine Besuche im Spital also einschränken!«

»Ich bin kein Kind mehr, das du herumkommandieren kannst!« Tränen des Zorns traten in ihre Augen.

»Wenn ich dich so ansehe, bin ich mir da nicht sicher. Außerdem hast du so lange das zu tun, was ich dir sage, bis dein Ehemann diese undankbare Pflicht übernimmt.«

Anne Katharina sprang auf und stürmte, ohne auf die Rufe hinter sich zu achten, aus der Stube.

»Und du, verschwinde endlich in die Schule, damit die Mönche dir was beibringen können. Ich möchte, daß du irgendwann mal ein paar Gulden einbringst und nicht nur meine Münzen über schmierige Theken schiebst.«

»Ich soll mein Geld verdienen?« nahm Peter das Thema begierig auf und wählte diesen überaus ungünstigen Augenblick, Ulrich von seinen Plänen zu berichten, als Siederbursche zu arbeiten, statt länger Latein zu pauken.

Für einen Augenblick war der Hausherr sprachlos, doch als er antwortete, konnte seine Gattin nur mühsam dem Drang widerstehen, sich beide Hände auf die Ohren zu pressen.

Anne Katharina war in ihre Kammer gelaufen und hatte sich weinend auf ihr Bett geworfen, doch die Tränen versiegten schnell. Mit untergeschlagenen Beinen setzte sie sich auf das Deckbett, kaute auf ihrer Unterlippe und dachte nach. So fand sie ihre Schwägerin immer noch vor, als sie nach einiger Zeit kam, um nach Anne Katharina zu sehen.

»Ich werde zum Hezennest gehen und Marie besuchen!« sagte sie tonlos.

Entsetzt griff Ursula nach ihrer Hand.

»Das darfst du nicht tun. Ulrich hat dir ausdrücklich verboten, das Haus heute zu verlassen. Ich zittere bei dem Gedanken, was passieren würde, wenn du dagegen verstößt und er es erfährt. Außerdem ist es undenkbar, daß du zum Turm gehst und dort mit einem der Wächter sprichst. Das wäre ein Skandal!«

»Und wenn du mitkommst?«

Allein bei diesem Gedanken wurde Ursula schon bleich.

»Nicht für alle Schätze dieser Welt.«

»Dann muß Peter eben gehen«, entschied Anne Katharina trotzig. »Ich werde ihn gleich fragen.«

Mit neuem Tatendrang rutschte sie vom Bett und lief in die große Halle hinunter, wo Peter in überaus gefährlicher Stimmung die Geräte aussortierte, die noch vor dem Frühling zur Ausbesserung zum Schmied gebracht werden mußten.

»Bitte, tu es doch für mich«, bettelte sie, als er sich desinteressiert gab und nur über die Ungerechtigkeit klagte, die ihm widerfahren war.

Mit Schwung schleuderte er eine stumpfe Axt auf den Lehmboden und fuhr seine Schwester an:

»Halte mit solchen Nichtigkeiten einen Mann nicht von seiner Arbeit ab. Sobald ich hier fertig bin, reite ich mit Michel und den anderen nach Tullau in die Wälder, um nach den Stämmen zu sehen. Es soll Holz verschwunden sein. Das ist wirklich wichtig! Also laß mich mit deinem Kram in Ruhe und geh zu deinen Stickereien, wo du hingehörst, Weib!«

Anne Katharina juckte es in den Fingern, ihm eine Ohrfeige zu verpassen, doch die Zeiten waren leider vorüber, wie sie feststellte, wenn sie ihren kleinen Bruder so ansah, der sie um eine Haupteslänge überragte. Enttäuscht ging sie in die Küche, um Agnes ihr Leid zu klagen.

»Weißt du, er ist eigentlich gar nicht so – so wie Ulrich. Er hat nur jemanden gebraucht, an dem er seine Wut auslassen kann. Sonst ist er manchmal ein ganz reizender Bursche …«

Die Magd hörte zu und nickte, während sie mit einem langen, scharfen Messer Zwiebeln, Kohl und Rüben für das Nachtmahl kleinschnitt.

* * *

Die Magd Agnes hatte den Marktplatz hinter sich gelassen und folgte der steilen Straße zwischen St. Michael und dem Büschlerhaus bis an die Stadtmauer. Ihr Atem stieg in weißen Wolken in die klare Luft, die eisig über ihre roten Wangen strich. Sie ging so schnell, wie es das rutschige Pflaster erlaubte, denn sie fühlte sich nicht sehr wohl in ihrer Haut und wollte diesen Auftrag hinter sich bringen. In dem großen Korb, den sie unter dem Arm trug, ruhten unter der warmen Decke ein Topf Honig, kaltes Huhn, ein ganzer Leib weißes Brot und ein halber Käse. Die Magd folgte der Stadtmauer nach Norden, bis sie schwer atmend unter dem quadratischen Turm mit dem steilen Walmdach stehenblieb. Die kalten Finger reibend, sah sie sich nach einem Wächter um.

»He, du da, komm runter. Ich muß mit der Gefangenen sprechen!« rief sie in barschem Ton einem jungen Mann zu, der gemächlich über den Wehrgang herangeschlendert kam, die Hellebarde lässig im Arm.

Der Angesprochene lehnte sich über die hölzerne Brüstung und betrachtete Agnes ungeniert.

»Wer bist du, Mädchen, daß du so mit mir redest, und was gibst du mir, wenn ich über deinen Wunsch nachdenke?«

Ein anzügliches Grinsen erschien auf dem pausbäckigen Gesicht. Die Magd reckte sich ein wenig, um größer zu erscheinen, und schlug einen hochmütigen Ton an.

»Überlege dir gut, was du sagst, denn mich hat der ehrenwerte Ratsherr Ulrich Vogelmann geschickt, und ich verlange in seinem Auftrag, daß du sofort hier herunterkommst und mir zu Diensten stehst!«

Der junge Wächter wurde blaß und beeilte sich, ihren Forderungen Folge zu leisten.

»Ich bitte um Verzeihung, gute Frau«, stieß er atemlos hervor und verbeugte sich linkisch. »Ich wußte ja nicht, daß …«

Großzügig winkte Agnes ab und freute sich heimlich über ihren Erfolg. Das würde sie sich merken!

»Bring mich jetzt zu der Gefangenen Marie Wagner. Ich möche mit ihr sprechen und einige Dinge zu ihr ins Verlies bringen.«

Der Wachposten trat nervös von einem Fuß auf den anderen.

»Aber das kann ich nicht. Die ist gar nicht mehr da. Die Büttel haben sie heute nacht geholt.« Plötzlich flammte Mißtrauen in ihm auf. »Das müßte der Herr Ratsherr doch wissen!«

Agnes wandte sich brüsk ab, damit der Posten ihre Unsicherheit nicht bemerke. Fast war sie ein wenig ärgerlich über die junge Herrin, die sie in eine solch dumme Lage gebracht hatte. Unschlüssig, was sie nun tun sollte, murmelte die Magd leise einen Gruß und stapfte eilig durch den Schnee davon. Zurück blieb ein völlig verwirrter Wächter.

*　*　*

Der alte Mann wartete an diesem Tag vergeblich auf den versprochenen Besuch seiner Enkelin. Mit bedächtigem Schritt, den knorrigen Eichenstock fest in der faltigen Hand, tastete er sich durch die Gänge und Krankensäle, um hier und dort ein wenig Klatsch oder eine herzzerreißende Krankengeschichte mit anzuhören. Dann saß er wieder stundenlang in seiner Kammer, sah die Bilder längst vergangener Tage und dachte über die Probleme und Kümmernisse von heute nach.

Auch Anne Katharinas Gedanken waren den ganzen Tag so emsig auf Wanderschaft wie die Nadel, die flink durch den Stoff glitt. Äußerlich ruhig und in ihr Schicksal ergeben, sehnte sie sich doch nach einem Menschen, mit dem sie ernste Gespräche führen und an den sie sich mit ihren Sorgen, Fragen und Nöten wenden könnte. Die Nachricht, die Agnes gebracht hatte, war beunruhigend, doch mit wem sollte sie darüber sprechen? Wer würde für das Schicksal der in Ungnade gefallenen Magd auch nur ein Fünkchen Interesse hegen? Sie wußte nicht einmal genau, warum ihr soviel daran lag. Vielleicht, um gegen die Zwänge aufzubegehren? Oder war es eine dieser Vorahnungen, die man manchmal hat und doch meist mit einer Handbewegung beiseite wischt, dieses plötzliche, so eindringliche Gefühl, daß etwas ganz Ungeheuerliches geschehen wird?

Ach Großvater, seufzte sie in Gedanken. Ich brauche Euer Ohr und Eure Klugheit, Euer Herz und Eure Wärme.

KAPITEL 4

Tag der heiligen Agatha,
Dienstag, der 5. Februar
im Jahr des Herrn 1510

A m nächsten Morgen übte sich Anne Katharina in jungfräulicher Bescheidenheit. Sie schlug die Augen nieder, aß in kleinen Bissen, sprach nicht unaufgefordert und nur in leisem, zurückhaltendem Ton. Ulrich war überrascht und dankbar über einen Morgen ohne Zank und viel zu sehr in seine Gedanken und Probleme vertieft, um sich über diese übertriebene Wandlung zu wundern. Gleich nach dem morgendlichen Mahl machte er sich zu den Junkern Senft auf, um die letzte Lieferung süßen Weins von den warmen Hängen der Mosel abzurechnen. Kaum hatte sich Ursula, die sich mit jedem Tag schlechter fühlte, wieder in die eheliche Kammer zurückgezogen, ließ Anne Katharina ihre Näharbeiten in einer Truhe verschwinden, füllte ihren Korb mit den versprochenen Leckereien, hüllte sich in einen pelzgefütterten Mantel, schlang ein wollenes Tuch um den Kopf und machte sich zum Spital auf, um den Großvater um Rat zu fragen.

»Ich mache mir Sorgen«, schloß Anne Katharina ihren Bericht, »und ich weiß nicht, wen ich fragen soll, um sie zu finden.«

Der alte Mann, der mit schiefgelegtem Kopf aufmerksam

der Stimme seiner Enkelin gelauscht hatte, lächelte geheimnisvoll. Er suchte nach ihrer Hand und ließ sich von ihr aufhelfen. In quälender Langsamkeit tastete er sich durch das Spital, die knochige Hand fest auf ihren Arm gestützt. Endlich blieb er stehen.

»Hier, klopfe an diese Tür« sagte er, lächelte, strich Anne Katharina über das weiche Haar und ließ sich von einer der Schwestern zu seiner Kammer zurückgeleiten.

* * *

»Ja, und da fand ich sie«, erzählte Anne Katharina ein paar Stunden später, als sie ihre leidende Schwägerin in der ehemaligen Schreibstube, die jetzt für den erwarteten Erben hergerichtet war, warm eingewickelt auf dem Ruhebett vor dem Ofen fand.

»Marie hat in der Nacht zu Hrabanus Maurus einen kräftigen, gesunden Knaben geboren. Die Wehen hatten schon eingesetzt, als Els am Abend noch einmal nach ihr sehen wollte. Da lief sie zum Stättmeister und redete so lange auf ihn ein, bis der die Büttel losschickte, um Marie ins Spital zu bringen. Gerade noch rechtzeitig kamen sie an, um dem Knaben auf die Welt zu helfen.«

Die Freude in ihrer Stimme erlosch so plötzlich, als habe man eine Kerze ausgeblasen.

»Und jetzt hat sie nur noch acht Tage Wärme, Brot und Sicherheit. Was soll nur aus ihr werden? Sie hat niemanden, zu dem sie gehen könnte!«

Anne Katharina runzelte besorgt die Stirn.

»Sie weiß nicht, wie es mit ihr weitergehen soll, und sie fürchtet um das Leben des Kleinen, wenn sie erst einmal mit ihm auf der eisigen Straße unterwegs ist.«

»Kennt man den Erzeuger?«

»Sie wollte es mir nicht sagen.« Anne Katharina zuckte die Schultern. »Wohl ein armer Knecht, sonst würde er sicher helfen.«

Ursula schürzte verächtlich die Lippen.

»Da täuschst du dich. Die Edlen und ehrenwerten Bürgersmänner wollen wohl ihre Lust, doch keinen Ärger wegen eines Bastards. Vor allem nicht, da die Prediger wieder durchs Land ziehen und die Sünde der Wollust und des Ehebruchs anklagen.«

»Du hast sicher recht. Trotzdem wüßte ich gerne einen Weg, ihr und dem Kleinen zu helfen.« Anne Katharina versank in finsteres Brüten.

»Der Knabe sieht gesund aus. Woher weiß man, ob ihre Milch gut und reichlich ist?«

Ursula zuckte die Schultern.

»Wenn sie schwere, volle Brüste hat, der Kleine friedlich saugt und wenig weint.«

»Wenn nun eine nicht unbedeutende Person ihre Hand schützend über sie halten und sie als Amme gebrauchen würde, dann könnte ich mir vorstellen, daß die Herren des Rats nicht darauf bestehen, sie fortzujagen«, murmelte Anne Katharina.

Ursula dachte an die hochschwangere Gattin des jungen Gabriel Senft.

»Warum sollte die Berlerin das tun?« fragte sie erstaunt.

»Ich spreche nicht von der Berlerin, ich spreche von dir!«

Das verschlug der Gattin des jungen Ratsherrn erst einmal die Sprache, und sie brauchte einige Zeit, ihre Gedanken zu ordnen.

»Das würde Ulrich nie erlauben!« stieß sie hervor. »Eine Verbannte als Amme in seinem Haus! Wenn das die Junker im Rat erfahren würden, dann hätten sie einen Grund mehr, gegen die Bürger vorzugehen, es gäbe ihnen Nahrung für ihren Streit um die Trinkstube und ... Nein, ganz unmöglich!«

Anne Katharina nagte an ihrer Lippe.

»Er wird sicher nicht begeistert sein, deshalb sollten wir ihm vorher auch nichts sagen. Wenn Marie erst mal da ist, dann sehen wir weiter. Du mußt es wollen! Gemeinsam können wir ihn bestimmt überzeugen und ...«

Plötzlich verstummte sie mitten im Satz und sah ihre Schwägerin erstaunt an, als diese unter Schmerzen das Gesicht verzog. Ursula schlang die Arme um ihren Leib und wurde abwechselnd rot und blaß. Verunsichert sahen sich die beiden Frauen an.

»Was ist?« Anne Katharinas Frage blieb in der Luft hängen, als ein erneuter Schmerz ihre Schwägerin aufstöhnen ließ.

»Es kommt! Du mußt rasch in die Zollhüttengasse laufen und Els holen.« Schwankend erhob sich die junge Frau. »Und bring mich vorher in die kleine Kammer neben der Treppe.«

Anne Katharina schüttelte energisch den Kopf.

»Die ist eiskalt. Selbst wenn ich Kohlepfannen aufstelle, wirst du jämmerlich frieren. Du bleibst hier auf dem Lotterbett liegen, bis ich mit Els zurückkomme. Ich werde Agnes sagen, daß sie noch Holz nachlegen soll. Wir werden dir richtig einheizen!«

Ursula stöhnte unter einer weiteren Wehe auf. Flink eilte die Magd herbei, hantierte mit dicken Holzscheiten vor dem altmodischen, gemauerten Ofen und schürte das schon beinahe herabgebrannte Feuer, bis die Flammen wieder hell aufloderten. Anne Katharina brachte der Schwägerin noch ein warmes Fell, ehe sie ihren Mantel überwarf und sich aufmachte, um jenseits des Kochers in St. Katharina die Hebamme zu holen.

Das Mädchen raffte die Röcke und eilte die kaum einen

Schritt breite, steile Treppe, vorbei am hohen steinernen Wohnturm der Junkerfamilie Keck, zum Unterwöhrdtor hinunter. Die Trippen klapperten dumpf auf den dicken, von Eis und Schnee befreiten Bohlen der Zugbrücke über den Mühlgraben. So schnell wie möglich schritt und schlitterte Anne Katharina über die mit Steinen gepflasterte Brücke, die sich in zahlreichen, wuchtigen Bogen über die zwei Kocherarme und das Grasbödele, der kleinen Insel in der Mitte, spannte.

Die große Kocherinsel Unterwöhrd lag in tief verschneiter Ruhe da. Nur vereinzelt strebten gegen die Kälte dick vermummte Gestalten durch das winterliche Weiß. Welch heftiger Gegensatz zu der regen Geschäftigkeit im Frühjahr und Sommer, wenn Tausende von Stämmen den Kocher heruntergeflößt wurden und sich hier und am Haal riesige Holzstapel in die Höhe reckten; wenn Flößer und Siedersknechte arbeitsam umhereilten, Stämme spalteten und Holzscheite schleppten, um die Feuer zu nähren; wenn auf dem Haal die hungrigen Flammen die Sole verdampfen ließen, um nur das Salz in den eisernen Pfannen zurückzulassen, das Salz, weißes Gold der Stadt, das nicht nur den Vogelmanns ihren Wohlstand sicherte.

Die hölzerne Arche des Roten Steges führte Anne Katharina über den dritten Kocherarm. Endlich erreichte sie in der Zollhüttengasse das schmale Häuschen, das die Hebamme Els bewohnte, und klopfte stürmisch an die schief in ihren rostigen Angeln hängende Tür.

»Die Alte ist net daheim«, rief die Nachbarin herüber. Margarete Schloßstein saß, eine Schüssel Kraut auf dem Schoß, auf einem Holzklotz vor dem Haus, schnitt die fauligen Teile aus und ließ sie in den Schnee fallen.

»Weißt du, wo sie hingegangen ist? Es ist sehr dringend, daß ich sie finde!«

Anne Katharina schritt auf die kräftig gebaute Frau zu, deren rauhe, rote Hände emsig weiter Kohl schnitten. Der grobe, graue Wollstoff ihres Rockes war an zahlreichen Stellen geflickt, die einfache Haube und das Hemd, das unter den hochgeschobenen Ärmeln des Rockes hervorlugte, waren verschlissen und eher schmutzig grau als weiß. Grünliche Augen musterten Anne Katharina neugierig.

»Du siehst net aus, als wär's bei dir mit der Hebamm' eilig. Oder ist der kleine Bastard unter deinem Mieder eingeschnürt?«

Anne Katharina kannte die Frau des Baders Hans, der am Unterwöhrdbad arbeitete. Ihre scharfe Zunge war überall gefürchtet, trotzdem lief das Mädchen rot an.

»Nicht ich benötige Els' Hilfe, meine Schwägerin Ursula, die Frau des Ratsherrn Ulrich Vogelmann, liegt in den Wehen.«

Das Weib verzog ihr fleischiges Gesicht zu einem boshaften Grinsen.

»Nur weil sie die Frau von 'nem Ratsherrn ist, ist ihr Lebenslicht auch net mehr wert, wenn sie im Kindbett abkratzt wie so viele in uns're armseligen Hütten hier auf der and'ren Kocherseite.«

»Weib, halt endlich dein dreckiges Maul!« ertönte eine Stimme aus dem Haus, und sogleich trat ein großer, rothaariger Mann vor die Tür, in dem Anne Katharina den Bader erkannte. Sie nickte ihm zu und wiederholte ihre Frage in der Hoffnung, bei ihm mehr Glück zu haben.

»Bader Hans, weißt du denn, wo die Hebamme Els hingegangen ist?«

Der Bader knuffte sein Weib unsanft in den Oberarm.

»Wo ist die Els?«

»Die hilft gerade der nächsten hochnäsigen Senftenrotznas auf die Welt!«

Anne Katharina knickste spöttisch.

»Gottes Segen mit Euch für diese Auskunft.«

Der Bader knuffte seine Angetraute noch einmal. Ihm war ihr Betragen sichtlich unangenehm.

»Nehmt es ihr net übel, Jungfrau, sie hat halt ein böses Maul!«

Doch Anne Katharina hatte sich bereits abgewandt und lief in die Stadt zurück zum Haus der Senftens, um der Hebamme Bescheid zu geben.

*　*　*

Als Anne Katharina in heller Aufregung unverrichteter Dinge wieder nach Hause kam, war sie erstaunt, die Hebamme an Ursulas Seite vorzufinden.

Wie üblich hatten sich Neuigkeiten im vornehmen Stadtviertel beim Barfüßerkloster schnell herumgesprochen, und so war die Hebamme, nachdem sie bei den Senftens nicht mehr gebraucht wurde, schnell zum Vogelmannshaus geeilt.

»Die Berlerin hat einem kräftigen Knaben das Leben geschenkt«, berichtete Agnes, als sie hinter Anne Katharina die Treppe hinaufeilte. Mutter und Kind sind erschöpft, aber wohlauf. Junker Gabriel feiert seinen Erben mit dem besten Wein, den er in seinem Keller hat.«

So entspannt war die Stimmung im Vogelmannshaus nicht. Mit grimmiger Miene gab Els kurze, barsche Befehle und scheuchte die Magd bald hierhin, bald dorthin, während sie selbst, die Ärmel geschäftig hochgerollt, behutsam den aufgetriebenen Leib abtastete.

»Es liegt nicht richtig, verfl…, äh heilige Mutter Gottes!« murmelte sie so leise, daß die Schwangere ihre Worte nicht vernehmen konnte.

Nachdem Anne Katharina ihrer Schwägerin tröstend die Hand gedrückt hatte, lief sie in ihre Kammer, kam jedoch gleich wieder in die hintere Stube zurück und kniete sich neben das Lotterbett.

»Ich habe ein Geschenk für dich.«

Sie machte ein geheimnisvolles Gesicht und holte dann mit großer Geste ein handgroßes Pergament in einem silbernen Rahmen hinter dem Rücken hervor. Der feine Holzschnitt zeigte die heilige Dorothea mit einem Blumenkranz auf dem herabwallenden Haar und einem Körbchen voll von Blumen und Äpfeln unter dem Arm.

»Sie wird dich beschützen und dir einen gesunden Sohn schenken.«

Dankbar drückte Ursula das Heiligenbild auf ihren schmerzenden Leib.

»Ja, Dorothea wird mir beistehen«, seufzte sie, doch dann glitt ein schlaues Lächeln über ihr Gesicht. »Dieses Mal habe ich an alles gedacht: Dill unter dem Kopfkissen für eine leichte Geburt, Eichenzweige an der Tür gegen Schadenszauber und das hier.« Sie zog eine knorrige, entfernt menschenähnliche Wurzel, die mit einem samtenen Kittel bekleidet war, unter der wärmenden Decke hervor.

»Ein Alraunemännchen!« stieß Anne Katharina ehrfürchtig aus und berührte es scheu mit den Fingerspitzen. So viele Geschichten hatte sie schon über diese Wurzel mit den mächtigen Zauberkräften gehört, jedoch noch nie eine zu Gesicht bekommen.

»Wo hast du das her?«

»Von Sara, der Magd unseres Nachbarn Baumann – aber sprich nicht darüber«, raunte die Schwangere leise.

Anne Katharina sah das Gebilde noch einmal genauer an, und es schien ihr, als grinse die Wurzel höhnisch und böse. Das Ding roch geradezu nach Magie und Hexerei, so daß dem jungen Mädchen ein kalter Schauder über den Rücken rann und sie seinen Blick rasch abwandte.

»Vielleicht bittest du doch besser die großen Jungfrauen um Hilfe«, riet Anne Katharina ihrer Schwägerin nach einer Weile.

Eine Welle des Schmerzes durchlief Ursulas Körper. Behutsam tupfte das Mädchen mit einem kühlen Tuch die Schweißtropfen von der Stirn und versuchte, die Schwägerin abzulenken und aufzuheitern.

Der Tag verstrich, Els machte ein besorgtes Gesicht, hörte jedoch nicht auf, Ursula Mut zuzusprechen und den aufgedunsenen Leib zu massieren. Auch Anne Katharina und die Magd wichen die ganze Nacht nicht von ihrer Seite. Der Hausherr schaute kurz in die Stube, als er von einer langen Ratssitzung zurückkehrte, war aber sichtlich erleichtert, daß ihn die Hebamme gleich wieder zur Tür hinausschob. Peter ließ sich nicht blicken. Auch am nächsten Morgen änderte sich nicht viel. Ursula litt, die Hebamme gab ihr heißen Wein mit Kräutern und versuchte immer wieder, das Kind in die richtige Lage zu drehen. Von St. Jakob hatte es schon zur *hora tertia* geläutet, als Els Anne Katharina und Agnes zu Bett schickte, denn es war ihnen anzusehen, daß sie sich kaum noch auf den Beinen halten konnten. Der Ton der Hebamme ließ keine Widerrede zu, also wankte Anne Katharina zu ihrer Kammer hinüber, fiel bekleidet auf das Bett und schlief bis zur *nona*, ohne sich zu rühren. Vom schlechten Gewissen geplagt, fuhr sie beim Klang der Glocken in die Höhe und eilte, ohne sich vorher die Haare zu richten oder die Kleidung zu glätten, zur hinteren Stube. An der Tür stieß sie mit Ulrich zusammen, dem sie nur widerwillig den Vortritt ließ. Auch Peter kam die Treppe hochgepoltert.

»Agnes sagt, es ist da! Ich habe sie unten mit einem Korb

schrecklich blutiger Wäsche getroffen.« Er schüttelte sich angeekelt. »Sie geht runter zum Waschhaus.«

Dann stand die ganze Familie vor dem schmalen Lotterbett, auf dem Ursula bleich und abgespannt ruhte, das Kleine in seinen Windeln auf ihrer Brust, so daß man nur ein winziges, rotes Gesichtchen sehen konnte.

»Dein Sohn soll David Maria heißen«, verkündete Ursula ihrem Gatten mit einem trotzigen Unterton in ihrer Stimme. Ulrich nickte. Er wirkte irgendwie abwesend und nervös und trat ungeduldig von einem Fuß auf den anderen. Els sah stirnrunzelnd von einem zum anderen.

»Außerdem möchte ich, daß der Pfarrer sogleich gerufen wird, um es zu taufen, denn …«

Als die Hebamme den entsetzten Zug in Ulrichs Gesicht sah, unterbrach sie die junge Mutter beschwichtigend.

»Trotz der schweren Geburt ist das Würmchen gesund. Ihr braucht Euch keine Sorgen um sein Leben zu machen, meine Liebe.«

Ursula schickte die Männer aus dem Zimmer und wartete, bis sich die Tür hinter ihnen geschlossen hatte, ehe sie weitersprach.

»Ich habe schon zwei Kinder verloren und möchte daher, daß das Kind noch heute getauft wird! Anne Katharina, lauf bitte sogleich zu deinem Oheim Hochwürden Bernhart. Morgen könnt ihr mir die Senftenmarie aus dem Spital bringen. Sagt ihr am besten noch heute Bescheid, denn wenn Els recht hat, dann wird mein Sohn leben und eine Amme brauchen! Geht nun, nur Els soll bleiben.«

Ihre Stimme war zwar leise, doch erstaunlich fest.

Anne Katharina eilte davon, um ihren Oheim zu holen. Sie mußte nicht weit laufen, denn vor dem Haus der Senftens traf sie den Pfarrer und forderte ihn atemlos auf, ihr sogleich zu folgen. Der traurige Blick in seinem faltigen Gesicht verstärkte sich.

»O Herr, Deine Wege sind für uns unwürdige Büßer so unbegreiflich. Willst Du heute noch ein Kind von uns nehmen?«

Anne Katharina sah ihn fragend an. Pfarrer Bernhart Vogelmann nickte langsam, als läge eine schwere Last auf seinem Haupt und seinen Schultern.

»Ja, der Sohn des Gabriel Senft und der Barbara Berler ist ganz plötzlich von uns genommen worden.« Tränen schimmerten in seinen hellgrauen Augen.

»Dabei schien es mir ein kräftiges Kind, als ich es gestern sah, da ich mit der Familie die Tauffeierlichkeiten für den Sonntag besprach.«

Plötzlich verstand das Mädchen, und ein eiskalter Schauder rann über seinen Rücken.

»Keine Erlösung?«

Der Pfarrer nickte matt.

»Ja, es wird nicht in geweihter Erde ruhen.«

Das war schlimm. Ungetauft zu sterben, hieß, den ewigen Qualen der Hölle ausgesetzt zu sein, ohne die Hoffnung, je das Antlitz des Herrn schauen zu dürfen. Wie schon so oft begehrte Anne Katharina innerlich auf, denn diese Ungerechtigkeit schmerzte sie. War es denn die Schuld des Säuglings, daß er die Taufe noch nicht empfangen hatte? Konnte denn ein hilfloses Wesen in den wenigen Stunden überhaupt schon eine Schuld auf sich geladen haben, für die es ewig schmoren sollte? Ihrem kleinen Neffen würde das Schicksal jedenfalls erspart bleiben, egal, wann Gott ihn zu sich rief. Anne Katharina beschloß, den Rest des Tages vor dem Altar der großen Jungfrauen für den eben erst geborenen Knaben und seine Mutter zu beten.

* * *

Es wurde schon dunkel, als die Vogelmannstochter von St. Katharina zurückkehrte. Sie mußte sich beeilen, das Tor an der Ritterbrücke noch zu erreichen, bevor es für die Nacht geschlossen wurde. Ihr war schrecklich kalt, und die Knie schmerzten von den langen Gebeten vor dem kleinen Altar, doch ihr Herz war seltsam beruhigt.

Sie nahm nicht den kürzeren Weg über die Kocherinsel und den Steinernen Steg, denn sie wollte dem Großvater von der Geburt seines Urenkels berichten.

Auf diesen Gedanken kommt so schnell sicher sonst keiner dieser ehrenwerten Familie, dachte sie bitter.

Sie wollte heute nur ganz kurz verweilen, denn es trieb sie nach Hause, um zu sehen, ob alles in Ordnung sei. Auch war es nicht ratsam, schon wieder einen großen Streit mit ihrem Bruder zu riskieren.

Vielleicht gehe ich noch auf ein paar Augenblicke bei Marie vorbei. Womöglich hat ihr noch niemand die frohe Botschaft überbracht, und sie zittert noch immer vor der drohenden Verbannung.

Der Schnee auf dem Spitalhof war von den unzähligen geschäftig hin und her eilenden Füßen festgetreten und fror in dem kälter werdenden Abend zu Eis. Die fast völlige Dunkelheit trug das Ihrige dazu bei, daß Anne Katharina mehr schlitterte als ging.

Was Ulrich dazu sagen wird? Ihr war fast, als könne sie ihn jetzt schon wütend brüllen und toben hören. Was, wenn er die Amme einfach vor die Tür setzen oder dem Schultheiß übergeben würde?

Unvermittelt blieb Anne Katharina stehen, um den Gedanken abzuschütteln. Da schlug ein kräftiger Körper so hart von der Seite gegen sie, daß sie das Gleichgewicht verlor und in den gefrorenen Schnee stürzte. Der Mann, der sie gestoßen hatte, riß die Arme hoch und ließ das kleine Bündel, das er getragen hatte, in Anne Katharinas Schoß fallen. Dann schlug auch er auf dem eisigen Boden auf. Er fluchte gotteslästerlich und griff hastig nach dem Stoffknäuel, doch dabei verrutschte das Leinentuch. Anne Katharina war, als hätte sie trotz der Dunkelheit die Form eines winzigen Fußes erkannt. Sie schrie auf und griff nach dem Bündel, doch der Fremde entriß es ihr grob. Schon war er wieder auf den Beinen und wollte weiterhasten, doch Anne Katharina krallte sich an seinem Mantel fest und rief laut:

»Wer seid Ihr, und was macht Ihr mit dem Kind?«

Er gab einen wütend knurrenden Laut von sich, dennoch blieb er stehen und half Anne Katharina sogar auf die Beine.

»Das ist das Kind von der Senftenmagd. Es ist ganz plötzlich krank geworden. Ich wollte es zum Kaplan bringen, weil es ja noch nicht getauft ist.«

»Ist es tot?« fragte Anne Katharina atemlos und schlug das Tuch zur Seite.

Der Unbekannte nickte, doch da regte sich das kleine Bündel und gab einen schwachen, wimmernden Ton von sich. Anne Katharina griff beherzt nach dem Kind und barg es unter ihrem warmen Mantel.

»Dann kommt schnell! Es ist noch nicht zu spät.«

Sie rannte los, ihre Gedanken überschlugen sich. Welch schrecklicher Tag. Hatte sich die Menschheit so versündigt, daß Gottes Strafe über sie kam? Wollte der Herr all die Erstgeborenen rauben, so wie einst in Ägypten?

Zum Glück fand das Mädchen den Kaplan in der kleinen Kapelle vor, und er taufte das arme Wesen, ehe es den letzten Atemzug aushauchte. Es überließ den toten Körper, eingewickelt in edles weiches Tuch, der Obhut einer Schwester, die ihn waschen und für das Begräbnis vorbereiten sollte. Nachdenklich und traurig stand Anne Katharina allein in der nur von wenigen Kerzen erhellten Kapelle, denn der Kaplan war nach der Taufe ganz schnell in seinen Gemächern verschwunden. Erst jetzt fiel ihr auf, daß der geheimnisvolle Mann gar nicht mitgekommen war. Irgend etwas war an der Sache merkwürdig. Der Sprache nach zu schließen war er kein Junker oder reicher Bürger, auch war sein Mantel von billigem Stoff – also eher ein Handwerker oder Knecht. Sie beschloß, zu Marie zu gehen. Vielleicht konnte die Magd Licht in dieses Geheimnis bringen – und sicher benötigte sie jetzt Trost!

Oder ist es für sie ein Segen, daß sie die Sorgen um das Kind los ist?

Unschlüssig blieb Anne Katharina schließlich vor dem kleinen Gelaß stehen, in dem die Magd das Kind zur Welt gebracht hatte.

Gab es nicht immer wieder ledige Mütter, die aus lauter Verzweiflung ihr Kind umbrachten? Doch meist taten sie es, wenn es ihnen gelungen war, die Schwangerschaft geheimzuhalten, so daß sie der Schande entgingen. Marie dagegen hatte den Pranger und das Hezennest ertragen – und der Tod des Kindes würde sie nicht vor der Vertreibung schützen. Außerdem riskierte sie die Todesstrafe, Ertränken oder Schlimmeres, wenn sie in den Verdacht des Kindsmordes kam. Die üblen Gedanken als Unsinn verdrängend, trat Anne Katharina ein.

»Sei gegrüßt, Marie.«

Die Magd saß zusammengekauert auf ihrem Strohsack, die Knie mit den Armen umschlungen, und starrte die Besucherin wortlos und verwundert an. Ihre Wangen zeigten die Spuren von Tränen, das leere Körbchen stand noch neben dem einfachen Lager.

»Dein Sohn hat noch lange genug gelebt, um die heilige Taufe zu empfangen«, sagte Anne Katharina, um ihre Trauer ein wenig zu mildern, und ließ sich neben Marie auf die rauhe Matratze sinken. Marie sah das junge Mädchen verwundert, ja beinahe fassungslos an.

»Ja, ich stieß im Hof mit dem Mann zusammen, der das Kind zum Kaplan bringen sollte. Er dachte, es sei tot, doch es bewegte sich noch, und so trug ich es schnell in die Kapelle. Wenn du es noch einmal sehen willst, bevor es begraben wird, dann mußt du Schwester Dorothea fragen.«

Marie nickte langsam, sagte jedoch immer noch nichts. Sie schien mit ihren Gedanken weit weg.

»Er war sicher der Vater?« fragte Anne Katharina beiläufig, denn die Neugier brannte heiß in ihr, so daß sie sie nicht mehr zügeln konnte.

Marie schüttelte langsam den Kopf, aber Anne Katharina war sich nicht sicher, ob sie die Frage überhaupt vernommen hatte. Zu gern hätte sie herausbekommen, wer der Fremde war, doch ein Blick auf Maries weit aufgerissene, starre Augen sagte ihr, daß sie jetzt nichts erreichen würde.

Behutsam griff Anne Katharina nach Maries Ellenbogen und zog die Magd von ihrem Lager hoch.

»Komm mit. Du kannst heute bei Agnes in der kleinen Kammer hinter der Küche schlafen, und morgen richten wir dir ein Lager bei dem kleinen David. Du weißt doch schon, daß du Ursulas Amme werden darfst?«

Marie nickte wieder kaum merklich, griff wie im Schlaf nach ihrem zerschlissenen Umhang und der ausgefransten Windel im Körbchen und ließ sich dann von Anne Katharina hinausführen.

»Ich würde sie sofort wieder in den Turm werfen!« drang

eine aufgeregte Frauenstimme aus einer der Pfründner-
kammern.

»Der kleine Wurm, so plötzlich gestorben? Noch vor ein
paar Stunden habe ich sein Geplärr gehört, und glaubt
mir, Schwester, es klang kräftig und sehr gesund! Sie wird
ihm ein Kissen ins Gesicht gedrückt oder ihre Hände um
den kleinen Hals gelegt haben!«

»Schwester Dorothea hat den Leichnam gewaschen und
nichts Auffälliges bemerkt«, erwiderte die sanfte Stimme
der Schwester.

»Schwester Dorothea? Die ist doch blind wie eine Eule!
Ihr müßt nach dem Medicus schicken, daß er ihn sich an-
sieht.«

»Wer soll denn dafür bezahlen? Der Herr Doktor würde
sicher mehr als einen Gulden dafür nehmen.«

»Dann holt wenigstens die Hebamme. Sie hat das Kind
auf die Welt gebracht und kennt sich aus.«

»Ja, Gnädigste, ich werde dafür Sorge tragen.«

Da war er wieder, der schlechte Geschmack in Anne Katharinas Mund, doch sie schob die Verdächtigungen energisch beiseite. Das Gespräch schien zu Ende zu sein, und
so zog sie Marie, deren Miene immer noch wie versteinert
war, schnell mit sich fort.

*   *   *

Ulrich war in bester Stimmung, als er sich zum Nachtmahl
setzte. Nicht nur, daß er endlich einen Sohn hatte, nachdem seine Gattin in dieser Hinsicht bisher eine Enttäuschung gewesen war, auch die Ratssitzung war zu seiner
Zufriedenheit verlaufen, und er konnte es gar nicht abwarten, seinem jüngeren Bruder davon zu berichten.

Agnes hatte zur Feier des Tages zwei Hühner geschlachtet

und, mit Kräuterpaste und Honig bestrichen, über dem Feuer gebraten. Dazu gab es Bohnen, Kraut und Zwiebeln und herrliches, weißes Brot. Ulrich betrachtete die vier knusprigen Hälften, ohne auf Peters gierigen Blick zu achten, und nahm sich dann zielsicher das größte Stück. Schnell griff sein jüngerer Bruder nach der anderen Hälfte des größeren Tieres und ließ es mit Schwung auf seinen Teller fallen, daß ihm das Fett auf das Wams spritzte. Ulrichs Zähne gruben sich in das weiße Fleisch, und mit vollen Backen begann er von der Ratssitzung zu berichten.

»Der ehrenwerte Junker Rudolf Nagel«, seine Stimme troff geradezu vor Spott, »hat die Sache mit der bürgerlichen Trinkstube doch tatsächlich dem Rat noch einmal zur Abstimmung aufgedrängt. Die Belange des Spitals würden unnötig geschädigt, waren Junker von Rinderbachs Worte, auf die sich Nagel gestürzt hat wie ein hungriger Wolf. Den halben Tag lang wurde wieder gestritten, doch dann kam die Abstimmung!«

Der Hausherr machte eine bedeutungsvolle Pause, biß herzhaft in den knusprigen Vogel und sah triumphierend in die Runde. Peter, der offensichtlich seine Aufmerksamkeit ausschließlich dem Federvieh widmete, verpaßte seinen Einsatz. Da ihr an Ulrichs guter Laune viel gelegen war, versuchte Anne Katharina die Situation zu retten, heuchelte lächelnd Interesse und fragte:

»Und, wie ging die Abstimmung aus?«

Ulrich übersah ausnahmsweise großzügig, daß seine Schwester sich in Männerpolitik einmischte, und fühlte sich sogar ein wenig wegen des so völlig unweiblichen Interesses geschmeichelt.

»Ha!« rief er triumphierend aus und stieß mit seinem Hühnerbein wie mit einem Schwert auf einen unsichtbaren Gegner ein. »Neunzehn Stimmen für die bürgerliche

Trinkstube!« Zur Bekräftigung des großen Sieges trank er einen Becher süßen Neckarweins in einem Zug leer und füllte dann gleich nach.

Nun war Anne Katharina wirklich interessiert. »Neunzehn? Dann haben auch zwei der Junker für euch gestimmt?«

»Jawohl! Der alte Berler und Engelhart von Morstein haben für Büschler gestimmt. Ihr hättet das Gesicht vom Nagel sehen sollen!« Ulrich lachte dröhnend, seine Gesichtsfarbe vertiefte sich.

»Ich schätze, der Haussegen bei den Senftens hängt jetzt schief und die Berlerin bekommt was zu hören«, warf da Peter plötzlich ein und ließ für einen Augenblick von seinem Braten ab. Anscheinend hatte er doch zugehört.

»Als ob sie etwas dafür kann, wie ihr Vater im Rat abstimmt«, murmelte seine Schwester mehr zu sich selbst, obwohl ihr klar war, daß Peter recht hatte und die Senftens das als eine Art Verrat der Familie Berler am ganzen Stadtadel ansahen. Schließlich ging es nicht darum, wer wo seinen Schoppen Wein trank. Dies war nur der sichtbare Teil der Machtprobe zwischen den Junkern und den Bürgern.

Nur mit einem halben Ohr hörte sie noch zu, als Ulrich aufzählte, daß die Schar um Nagel nun auf sieben zusammengeschrumpft war.

»Senft, zweimal von Rinderbach, Schultheiß, von Roßdorf, Keck und natürlich der Nagel«, zählte er an den Fingern ab, als sich die Stubentür öffnete und Marie mit dem Kind in den Armen eintrat.

»Herrin«, begann sie, verstummte aber, als sie den Hausherrn erblickte. Ihr Gesicht verlor jede Farbe. Unschlüssig blieb sie unter der Tür stehen.

Ulrich starrte sie an, als sähe er einen gehörnten Dämon,

und wahrscheinlich war das für ihn auch kein großer Unterschied.

»Was ist denn das?« fuhr er sein Weib an.

»Das ist die Magd Marie Wagner, wie du weißt, und sie ist seit heute meine Amme«, antwortete Ursula würdevoll, obwohl ihre Stimme zitterte. Anne Katharina konnte nur vermuten, wie schwer es für die sanfte Ursula war, so mit ihrem Gatten zu sprechen, und sie kam nicht umhin, ihre Schwägerin dafür zu bewundern.

»Sie hat Unzucht betrieben und ist rechtmäßig verurteilt, mit ihrem Bastard in acht Tagen aus der Stadt gepeitscht zu werden!«

Anklagend zeigte er auf die junge Frau, die immer noch reglos in der offenen Tür stand.

»Ihr Kind ist tot, und Ursula brauche eine Amme. Es ist in diesen Zeiten sogar schwierig, Mägde zu bekommen – eine Amme fast unmöglich«, mischte sich nun Anne Katharina ein, denn sie fürchtete, daß ihre Schwägerin schon wieder auf dem Rückzug sein könnte.

Ulrich mäßigte seine Stimme.

»Brauchst du unbedingt eine Amme, Weib? Sprich und schau mich nicht an wie ein aufgescheuchtes Kaninchen!«

»Wenn du sicher sein willst, daß dein Sohn kräftig wird und gesund bleibt und …« Ihre Stimme versagte, doch sie sah so flehentlich zu ihrem Gatten hinüber, daß dieser den Blick abwandte.

Der Widerstreit in seinem Innern war deutlich auf seiner Stirn zu lesen. Ein solch freches Aufbegehren gegen ein richterliches Urteil war eine fast ebenso schlimme Sünde wie Gotteslästerung, andererseits wollte er um nichts auf der Welt den Knaben verlieren – seinen Sohn, auf den er so viele Jahre hatte warten müssen.

»Du kannst eine Amme haben. Es wird in Hall sicher auch eine ehrliche Frau geben, die das gerne übernehmen möchte.«

Ursula schlug die Augen nieder und flüsterte kaum hörbar:

»Es ist mir keine bekannt.«

»Dann müssen Anne Katharina und Agnes sich eben umhören!«

»Aber wenn du nun für Marie eintrittst und sie sich nichts mehr zuschulden kommen läßt, dann müßte der Rat doch einwilligen. Schließlich jagt auch keiner die Michelbacherin davon, obwohl jeder weiß, daß sie nicht nur Köchin für unseren ehrenwerten Oheim Bernhart Vogelmann ist, sondern auch seinen Sohn Jörg geboren hat. Oder Pfarrer Fabri, der mit der Baumeisterin einen Sohn hat …«

Anne Katharinas Wangen röteten sich vor Eifer, und in ihrer Begeisterung über diese unumstößlichen Argumente übersah sie die finsteren Gewitterwolken, die auf der anderen Seite des Tisches schon wieder aufzogen.

»Hör auf, solch unzüchtige Reden zu führen, das ist nicht das gleiche!«

Sie konnte nicht anders, sie mußte weiterreden.

»Ist es das nicht? Heißt es nicht, daß Pfarrkonkubinen wie die freien Weiber sich mit gelbem Schleier zu zeigen hätten? Und doch leben sie wie ehrbare Frauen unter uns, weil ein paar Männer schützend ihre Hand über sie halten?«

»Anne Katharina, schweig!« brüllte er in höchstem Zorn, mit dem er stets ein ungutes Gefühl verbarg. Ursula brach in Tränen aus.

»Es ist meine Schuld. Ich wollte dich aufsuchen und um deinen Rat bitten, weil ich dachte, daß selbst unser Herr der Sünderin die Hand gereicht hat, und wenn wir gute Taten vollbringen, werden wir belohnt. Für deinen Sohn wollte ich das Wohlwollen des Herrn erringen, doch ich habe alles falsch gemacht. Jetzt wird er mich dafür strafen, daß ich eigenmächtig, ohne die Erlaubnis meines Gatten gehandelt habe …« Der Rest ging in heftigem Schluchzen unter.

Ulrich zog unangenehm berührt die Schultern hoch, doch dann tätschelte er unbeholfen die schmale Hand seiner Gattin.

»Du hast ja in guter Absicht gehandelt, und ich verzeihe dir – wenn du in Zukunft erst meinen Rat einholst.«

Ursula nickte unter Tränen. Er sah zur Tür, wo Marie sich nicht von der Stelle gerührt hatte, und ließ seinen Blick langsam über sie gleiten.

»Vielleicht ist es gar keine so schlechte Idee, die Sünderin – unter strenger Hand – auf den rechten Weg zurückzuführen. Wenn sie schwört, sich so zu betragen, daß nicht der leiseste Anlaß zur Klage besteht, werde ich mit dem Stättmeister reden. Aber wehe ihr, wenn sie auch nur gegen die kleinste Regel verstößt, dann peitsche ich sie eigenhändig aus der Stadt!«

Er hob drohend die Faust, doch Anne Katharina ahnte, daß das nur noch eine Gebärde war, um vor den Frauen seinen Stolz zu wahren. Leise zog sich Marie mit dem Kind wieder zurück, und alle aßen schweigend weiter, außer Ursula, die ihre rotgeränderten Augen betupfte. Und doch schien es Anne Katharina, als habe sie ganz kurz ein triumphierendes Lächeln aufblitzen sehen.

KAPITEL 5

Tag des heiligen Dionysius,
Dienstag, der 26. Februar
im Jahr des Herrn 1510

*D*er Tag Cathera Petri nahte und verstrich, ohne daß
das Frühlingshochwasser einsetzte. In den Wäldern
flußaufwärts von Hall warteten unzählige Stämme darauf,
in die braunen Fluten geworfen zu werden. Nervös schritten die Bauern, meist Pächter der Schenken von Limpurg, auf und ab, sahen auf die dicke Eisschicht hinab
und warteten ungeduldig, daß endlich etwas geschehen
würde, doch der Frühling ließ auf sich warten.
Die Grafschaft lebte zum größten Teil vom Holzhandel
mit der Salzstadt, und nun wurde es Zeit, die Stämme auf
ihren Weg zu schicken, auf daß die Glut in den Öfen sie
verzehren mochte, um der Sole das weiße Gold zu entrei-
ßen.
Schon zum dritten Mal an diesem Tag ging der Mann aus
dem kleinen, heruntergekommenen Hof in den Wald. Es
war sein Wald – wenn auch nur gepachtet, dennoch sein
ganzer Stolz. Beinahe zärtlich berührte er die dicken ge-
raden Stämme, die einen guten Preis versprachen und
ihm, seiner Frau und den vier Kindern in den nächsten
Jahren das Überleben im Winter sichern würde, wenn, ja
wenn alles gutging. Er stemmte die schwielenbedeckten

Hände in die Hüften und betrachtete den hohen Holzstapel, der geduldig unter einer dünnen Schneeschicht wartete. Mit seinem Sohn, der trotz seiner dreizehn Jahre schon ordentlich zupacken konnte, hatte er sie im letzten Frühjahr gefällt, Stück für Stück, während des Sommers trocknen lassen und dann im Dezember, als der morastige Boden hart fror, zur Wölze geschleift, der steilen Schneise im Abhang zum Kocher. Der Linderhannes hatte ihnen sein kräftiges Maultier geliehen, sonst hätten sie es wahrscheinlich nicht geschafft. Seitdem lagen sie da, die Hölzer, das Brot seiner Familie, jedes sorgfältig mit einem Mal versehen. Nachdenklich strich er über die vier tief in das Holz gehauenen Drei- und Vierecke. Veilkraut hieß sein Zeichen, einmal Halbspan, zweimal Schild und noch einmal Halbspan. Diese Male entschieden darüber, in welchem Beutel die Batzen- und Hellerstücke klirrten, wer weißes Brot und wer alten Kohl und Rüben aß.

Die kalten Hände tief in den Ärmeln seines abgetragenen Mantels aus billiger Kotze vergraben, schritt er auf die grasige Anhöhe zu, sah hinunter zum Wasser, das verborgen unter seiner eisigen Decke floß. Wie viele Tage würde es noch dauern, bis er die Stämme die wannenförmige Schneise ins Wasser hinunterschleppen konnte?

Sein Blick wanderte zu dem kleinen Wohnhaus hinüber, das nur aus Küche, Stube und einer Kammer bestand. An allen Ecken und Enden muß repariert werden. Das Dach war undicht, der Wind hatte so manchen altersschwachen Ziegel hinuntergeworfen und die Lehmschicht zwischen den Fachwerkbalken sollte erneuert werden. Der windschiefe Stall, in dem nur noch die Ziege Nelli wohnte, bot ein trauriges Bild, und die Scheune konnte jeden Augenblick zusammenbrechen.

»Maria«, hatte er letztes Jahr voller Zuversicht zu seiner

Frau gesagt, »wenn die Stämme in Hall sind, dann haben wir genug Geld für diesen Winter. Ich werde die Pacht bezahlen und uns ein Dutzend Ferkel kaufen, die wir bis zum Herbst mästen. Vielleicht reicht es sogar noch für eine Ziege. Nelli wird alt und gibt kaum noch Milch. Im Herbst repariere ich dann das Haus und die Scheune.«

Doch es war anders gekommen: Kaum die Hälfte seiner Stämme hatten den Haal erreicht. Eine wilde Verzweiflung hatte ihn gepackt, als der Bote ihm das Säckchen mit den wenigen Münzen überreicht hatte. Voller Wut war er den weiten Weg in die Stadt gewandert, hatte sich mit dem Haalschreiber und den Viermeistern gestritten, ohne Erfolg. Sie könnten nur das bezahlen, was am Pferrich ankomme und von den Siedersknechten herausgezogen werde, lautete die Antwort voller Bedauern zwar, doch dies füllte seinen Beutel nicht. Die Tränen auf Marias schönem Antlitz verfolgten ihn, die mageren Gesichter seiner Kinder, in deren großen Augen der Hunger stand, obwohl er den ganzen Herbst als Tagelöhner von Sonnenaufgang bis -untergang geschuftet hatte, um die Pacht zu bezahlen und das Wenige aus Feld und Garten nicht auch noch verkaufen zu müssen.

»Dieses Jahr wird alles besser«, versprach er immer wieder und lächelte voller Zuversicht, doch nun packte ihn die Furcht. Was würde passieren, wenn die Stämme wieder nicht ankamen? Konnte er dies verhindern? Tief in Gedanken versunken schritt er auf das verwahrloste, kleine Gut zu, grübelte darüber nach, was mit seinem Holz geschehen sein konnte. Die Dämmerung senkte sich über die frierenden, kahlen Bäume, ein Schwarm Krähen ließ sich mit heiserem Krächzen auf den überzuckerten Feldern nieder und suchte im harten Erdreich vergeblich nach etwas Eßbarem.

»Hexen, Unholde«, schrie er plötzlich und warf einen Stein nach dem Federvieh, das sich höhnisch lachend in die Lüfte erhob.

»Georg, haben die Hexen unser Holz gestohlen?« fragte seine Frau leise, die ihn an der wackeligen Gartentür empfing.

»Ich weiß es nicht«, seufzte er und küßte das dunkle Haar, in dem sich die ersten Silberfäden zeigten.

KAPITEL 6

Tag der heiligen Elisabeth,
Donnerstag, der 28. Februar
im Jahr des Herrn 1510

*T*auwetter hatte eingesetzt. Schon seit einigen Tagen wehte ein milder Wind aus Westen, fraß gierig an dem schon lange nicht mehr blütenweißen Schnee und leckte an den schimmernden Eiszapfen. Die Haller Bürger mußten in der Stadt vorsichtig sein, wenn sie nicht unversehens begraben werden wollten, denn immer wieder löste sich ein Teil der aufgeweichten Eis- und Schneemassen von den Dächern und stürzte mit einem Seufzer auf die Gassen herab. Die nicht gepflasterten Straßen der unteren Stadt und der Vorstädte verwandelten sich in knöcheltiefen Morast, in dem die Karren und Fuhrwerke kaum vorankamen. Noch schlimmer wurde das Ganze durch die zahlreichen Schweine, die, trotz strengen Verbots, sich überall in den Gassen im ersten Frühlingsschlamm wälzten. Nach dem langen Winter in ihren engen Ställen und Verschlägen waren sie außer Rand und Band, und man mußte acht geben, nicht von ihnen zu Boden gerissen zu werden, wenn sie übermütig mit den räudigen Straßenkötern durch die Gassen um die Wette jagten. Eigentlich war es jedem Bürger gestattet, lediglich zwei Schweine zu halten, den Bäckern drei, doch auch dieses Gebot wurde häufig übertreten.

Zum ersten Mal in diesem Jahr tauschte Anne Katharina Vogelmann ihren pelzgefütterten Mantel gegen einen leichten Umhang ein, als sie zum Bäcker Kaspar Greter schlenderte, um Fleischpasteten und feines Brot zu kaufen. Der Sohn eines Müllers aus Oberscheffach, der nun schon fast fünfzehn Jahre das Haller Bürgerrecht besaß, grüßte sie freundlich. Ihm war an diesem herrlichen Tag nach einem Schwätzchen, während er ihr das Gewünschte in ihren Korb packte. Sie plauderten über den harten Winter und die Qualität des Weines, über die in die Höhe geschnellten Preise und das schöne Wetter. Sein rundliches Weib stemmte ihre kräftigen Arme in die Hüften.

»Also, ich kann die Sonne und den Wind nicht loben, kann man doch selbst mit den Trippen unter den Schuhen die Straße kaum mehr überqueren, ohne sich die Röcke zu ruinieren.«

Seufzend sah Anne Katharina zu ihrem schlammigen und kotigen Rocksaum hinunter und nickte.

»Doch das ist alles halb so schlimm. Ein großes Unglück bahnt sich an!« rief die Bäckersfrau mit klagender Stimme und rang die Hände, um den Eindruck zu verstärken. Ihr Mann schüttelte in komischer Verzweiflung den Kopf.

»Wart Ihr heute schon an der Dorfmühle unten?«

Anne Katharina schüttelte den Kopf.

»Die mächtige Eisschicht auf dem Kocher ist durch die zarte Frühlingsluft aufgebrochen, und dicke Eisschollen schieben sich vor der Dorfmühle zu einer immer höher werdenden Wand auf.« Sie gestikulierte wild. »Bei den Dreimühlen ist es nicht besser. Die Mühlen stehen, und es gibt seit gestern kein frisches Mehl mehr.«

»Ja, Jungfrau Anne Katharina«, übernahm der Bäcker das Gespräch wieder, »deshalb hat der Rat angeordnet, daß all die Siederburschen, die Knechte, Flößer und Feurer heute um die Mittagszeit auf das Eis müssen, um die Mühlen freizubekommen.«

»Oh«, sagte Anne Katharina nur, denn sie wunderte sich, daß ihr das noch niemand erzählt hatte. Ulrich mußte doch davon wissen, und auch Peter war meist unter den ersten Gaffern, wenn etwas Aufregung und Abwechslung versprach.

»Werdet Ihr an den Mühlendamm kommen?«

»Ja sicher«, nickte der Bäcker. »Wir werden heißen Met und gewürzten Wein ausschenken. Die halbe Stadt wird auf den Beinen sein.«

»Möge der Herr uns beistehen, daß es nicht wieder hoffnungsvollen jungen Burschen das Leben kosten möge!« fügte die Müllerstochter aus Hopfach hinzu, doch es kam Anne Katharina so vor, als hätte die Bäckerin gegen ein paar dramatische Szenen nichts einzuwenden.

Das Eisräumen war nicht ungefährlich. Vielleicht herrschte deshalb meist eine ähnlich seltsam ausgelassene Stimmung wie bei der Vollstreckung von Urteilen, wenn das Volk neugierig und nach Sühne fordernd auf dem Marktplatz, am Gelbinger Tor oder auf dem Galgenberg zusammenströmte. Es war nicht Rache oder Gier nach Blut, die die Richter ebenso wie das einfache Volk dazu trieb, die Sünder streng zu strafen. Denn nur so hatten die Gefallenen, die vom Satan verführt worden waren, noch eine Möglichkeit, ihre Seele zu retten, um irgendwann aus dem Fegefeuer erlöst zu werden – auch wenn es für ihre Körper auf dieser Welt keine Rettung gab. Doch was war schon der Körper im Vergleich zur Unsterblichkeit? So manchem Richter war eine Träne der Rührung ins Auge gestiegen, wenn ein Mörder oder Ketzer vor dem Pfarrer niederkniete und seine Sünden aufrichtig bereute, bevor die Schärfe des Schwertes den Kopf vom Körper abtrennt, sich die Schlinge um den Hals zuzog oder das Feuer entzündet wurde.

Anne Katharina hatte noch keiner Hinrichtung beigewohnt, denn die Todesstrafe zu verhängen war in Hall nur selten notwendig, allerdings hatte sie schon einige Male ihren jüngeren Bruder begleitet, wenn er einer Steupung oder Auspeitschung auf dem Marktplatz zusehen wollte. Ihr kam es so vor, als ob die Menge sich an verurteilten Frauen besonders berauschte. Vielleicht lag es daran, daß der Henker ihnen die Kleider vom Leib fetzte. Lautes Gejohle, ein Klatsch- und Pfeifkonzert der jungen Burschen war zumeist die Folge.

»Werdet Ihr auch kommen, Jungfrau Anne Katharina? Eure Schwägerin hat in den letzten Jahren doch immer Suppe verteilt.«

Sie hatte das Gefühl, er frage bereits zum zweiten Mal. Anne Katharina lächelte den Bäcker strahlend an, während sie überlegte, was sie dafür noch schnell besorgen mußte.

»Ja, sicher, die Burschen sollen sich auch in diesem Jahr nach der gefährlichen Arbeit wärmen und stärken können.«

»Wir geht es denn der gnädigen Frau Schwägerin? Ich höre, sie hat einen gesunden Knaben geboren? Welch Glück, nachdem die wunderbare Hochzeit mit Eurem Bruder nun schon fast fünf Jahre zurückliegt. Der armen Berlerin waren die Heiligen nicht so hold. So ein Unglück mit ihrem Kleinen!« Die Bäckerin lächelte freundlich, doch die Neugier und die Hoffnung auf ein bißchen Klatsch blitzten in ihren Augen.

Anne Katharina beschloß, auf die zweite Bemerkung nicht einzugehen, und erzählte nur, daß es Ursula und dem kleinen David prächtig gehe.

»Wir haben gar nicht mitbekommen, daß der kleine Vogelmann getauft wurde. Ihr wollt doch nicht etwa die sechs Wochen warten, bis seine Mutter wieder eingesegnet wird?«

»Nein, nein, der Kleine wurde schon am Tag seiner Geburt von unserem Oheim getauft. Ursula war überängstlich, hat sie doch schon zwei unschuldige Würmchen begraben müssen. Die Paten und Freunde werden am Sonntag nach der Messe zu einem Umtrunk erwartet.«

»Man sagt, daß Eure Schwägerin die Senftenmarie als Amme aufgenommen hat?«

Anne Katharina ließ die Frage nach der Amme unbeantwortet, schenkte den Bäckersleuten noch ein strahlendes Lächeln und verabschiedete sich mit dem Hinweis, für die Suppe noch einige Besorgungen machen zu müssen. Nach ein paar Schritten drehte sie sich noch einmal kurz um. Sie konnte sich das Lachen kaum verbeißen, so sehr war die Enttäuschung in das Gesicht der Bäckerin geschrieben. Ihre Vorliebe für deftige Klatschgeschichten war nicht unbekannt.

* * *

Mittag war schon längst vorüber, als Peter Vogelmann mit der Magd Agnes den großen Kessel zum Mühlendamm hinunterschleppte. Anne Katharina folgte mit einem Korb Brot und einigen Holzschüsseln.

»Und ich werde doch helfen! Der kann mir nichts verbieten! Ich bin doch kein Kind mehr!« schimpfte und maulte Peter vor sich hin, der nicht damit einverstanden war, zu dieser Weiberarbeit herangezogen zu werden, und das, nachdem er der Familie eröffnet hatte, daß er in diesem Jahr den Siederburschen auf dem Eis helfen werde. Die

Frauen des Hauses hatten mit allen Bitten, die ihnen einfielen, versucht, ihn von seinem Vorhaben abzubringen. Vor allem der Gedanke an das kalte Wasser schien ihn langsam weich zu machen, als Ursula den Fehler beging, auf die Gefahr und sein Alter hinzuweisen. Wie ungeschickt! Seitdem glich sein Verhalten mal einem jungen Ziegenbock, mal einem alten Esel, und nur Ulrichs höchster Zorn und sein strenges Verbot hielten ihn noch zurück, doch Anne Katharina wußte, daß er sich bei der ersten Gelegenheit davonmachen würde. Schließlich hatte er noch am Morgen vor seinen Siederfreunden geprahlt. Es war ihm also unmöglich, so einen Gesichtsverlust hinzunehmen; dann schon eher die Tracht Prügel, mit der Ulrich ihm gedroht hatte.

Auf dem Mühlendamm und dem Steinernen Steg hatte sich bereits ein buntes Völkchen eingefunden, um dem Spektakel beizuwohnen. Ob Junker oder Bürger, Handwerker oder Kaufmann, Magd oder Knecht – alle waren unterwegs, um den schönen Tag und ein wenig Aufregung zu genießen. So manche der edlen Damen nahm dieses Ereignis zum Anlaß, einen prächtigen Rock, ein neues Mieder mit goldenen oder silbernen, kunstvoll getriebenen Haken oder kostspieligen Schmuck zu präsentieren. Auch riskierten einige Damen mit ihren hochgetürmten Hauben, die mit Samtbändern, Goldstickereien oder Perlen besetzt waren, die Sünde der Hoffart zu begehen. Doch Anne Katharina war sich sicher, daß sie nach der nächsten Beichte lieber zahlreiche Rosenkränze beten wollten, als auf ihre Prunkstücke zu verzichten. Ganz frei davon war die Vogelmannstochter allerdings auch nicht, hatte sie es sich doch nicht verkneifen können, auf ihrem offen auf den Rücken herabfallenden Haar ein wundervoll gearbeitetes Schapel zu befestigen, dessen

winzige Edelsteine in der wärmenden Sonne in allen Farben blitzten.

Peter und Agnes stellten den Topf direkt bei der Dorfmühle ab, Anne Katharina verteilte die Schüsseln auf der
Mauer und legte in jede ein Stück des noch warm duftenden Brotes. Die ersten unfreiwillig im Eiswasser gebade-
ten Männer saßen schon zitternd und mit bläulich angelaufenen Lippen in ihren nassen Kleidern auf den rauhen
Steinen, einen Becher heißen Met in den klammen Händen. Der Müller und seine Frau kamen eilends mit Leinentüchern und Decken gelaufen, die genauso dankbar
angenommen wurden wie die Teller guter Gemüsesuppe
mit großen Fleischbrocken. Eine ganze Weile war Anne
Katharina damit beschäftigt, Suppe zu schöpfen und Brotstücke zu verteilen, als die Müllerstochter Grete sie am Ärmel zupfte.

»Das ist doch dein Bruder, der dort mit dem Hubheinz
auf dem Eis ist?«

Anne Katharina schreckte hoch und lehnte sich über die
Mauer. Richtig, dort unten turnte Peter gerade waghalsig
über eine Eisscholle, die gefährlich schwankte. Er taumelte und warf die Arme in die Höhe, rettete sich dann aber
gerade noch rechtzeitig auf einen Eis- und Schneehaufen,
bevor die Scholle umkippte und sich unter das noch feste
Eis am Ufer schob. Anne Katharina stöhnte leise und
überlegte hastig, welchen der Heiligen sie für seinen
Schutz anrufen sollte, doch tief in ihrem Innern war sie
auch ein wenig neidisch. Suppe auszuschenken war leider
nicht halb so aufregend, wie auf dem Eis herumzuturnen.
Wie sehnte sie sich manchmal nach der unbeschwerten
Kindheit zurück, als sie mit ihrem Bruder, schmutzig und
im kurzen Kittel, am Bach Wehre errichtet, Frösche gefan-
gen und mit Schlamm geworfen hatte, bis nur noch

durch ein Bad im Zuber wieder kenntlich gemacht werden konnte, wer Bruder und wer Schwester war. Anne Katharina seufzte leise. Welch undankbares Schicksal, als Mädchen geboren zu sein! Sie hütete sich, diese Gedanken mit ihrer Schwägerin zu teilen, die, wie immer bescheiden und korrekt gekleidet und das Haar unter einer strengen Haube verborgen, ein Muster an guter Erziehung bot. Ein freundliches Lächeln auf den Lippen, verteilte sie Suppe an die frierenden Männer, plauderte mit Nachbarn oder Bekannten und steckte den schmutzigen Kindern aus den Vorstädten Brotstücke zu.

Anne Katharina unterhielt sich mit Grete, ohne jedoch Peter aus den Augen zu lassen, der, welch Wunder, bisher nur nasse Schuhe und Hosenbeine von seinem Einsatz davongetragen hatte. Die Sieder und Flößer schufteten schwer, wuchteten Eisblöcke ans Ufer oder türmten sie auf dem Grasbödele, der kleinen Insel zwischen Mühlendamm und Unterwöhrd, auf. Inzwischen war die Eisdecke so unsicher geworden, daß sie sich mit Flößen an den Eisdamm vor der Mühle heranstakten, um die Blöcke zu entfernen. Das war bei der Strömung nicht leicht und auch nicht ungefährlich. Unzählige Augenpaare folgten ihnen gebannt.

»Ich will sehen, was ich für Euch tun kann, Herr«, drang ein Gesprächsfetzen an Anne Katharinas Ohr, doch es waren nicht die Worte, es war die Stimme, die sie herumfahren ließ. Der Unbekannte vom Spital! Sie war sich ganz sicher. Hastig suchte sie in der Menge nach dem Sprecher, ließ den Blick über die Menschen gleiten, bis er schließlich an dem Junker Rudolf Senft hängenblieb, der mit einem großen, kräftigen Kerl sprach. Leider wandte ihr der geheimnisvolle Unbekannte den Rücken zu, so daß sie sein Gesicht nicht sehen konnte.

»Du mußt behutsam vorgehen«, sagte der Junker gerade, als das junge Mädchen sich vorsichtig näher schob. Das Gesicht, sie mußte das Gesicht des Kerls sehen!

Die Männer schlenderten weiter, so daß Anne Katharina nur noch ein paar Wortfetzen verstehen konnte, obwohl sie sich wirklich bemühte, näher an die Männer heranzukommen.

»… der Schaden ist schon groß genug …«, »… wenn das Kaltliegen vorbei ist …«, »genau beobachten …«, vernahm sie und dann noch die merkwürdigen Worte: »Stürz den Degen« und »Weck von Aschen«.

Die Männer strebten dem Tor am Steinernen Steg zu, doch es gelang dem Mädchen nicht, sie in dem immer dichter werdenden Gedrängel einzuholen, ohne Aufmerksamkeit zu erregen. Plötzlich erscholl ein vielstimmiger Schrei, der sich in der Menschenmenge wie eine Welle fortsetzte. Alle schoben sich näher an die Mauer oder das Brückengeländer, um besser sehen zu können.

Einer der Flößer hatte das Gleichgewicht verloren und war in das trübe Wasser gestürzt. An dieser Stelle herrschte große Strömung, und so paddelte er verzweifelt zwischen den Eisschollen herum. Seine beiden Mitstreiter versuchten, ihn mit der Flößerstange herauszuziehen, doch er glitt immer wieder ab, tauchte kurz unter und kam dann prustend und strampelnd wieder an die Oberfläche. Da traf eine Eisscholle seine Schläfe, er stieß noch einen kurzen, spitzen Schrei aus und versank. Unweit der Mühle fielen sich zwei junge Frauen laut jammernd und weinend in die Arme, als der Körper des Unglücklichen unverhofft noch einmal nahe dem Ufer auftauchte. Drei Sieder, die dort gerade Eisschollen wegtrugen, sprangen, ohne zu zögern, beherzt in die gefährliche Flut, um den Flößer herauszuziehen. Die Menschen am Ufer faßten sich an den Händen, beteten lautlos oder hielten vor Spannung den Atem an. Die Männer schafften es! Triefnaß und voller Schlamm, schlotternd und halb erfroren, zogen die Sieder den augenscheinlich kaum Verletzten an Land. Nun kam Bewegung in die Menge. Viele stiegen einfach über das Brückengeländer und sprangen zum Grasbödele hinunter. Der Wirt vom »Wilden Mann« rannte mit zwei Weinkrügen in der Hand herbei, die Müllerin kam mit Decken, und die beiden jungen Frauen kämpften sich, laut »Michel, Michel« rufend, zu dem Bewußtlosen durch.

Erst jetzt fielen Anne Katharina der Junker und sein geheimnisvoller Begleiter wieder ein, doch die beiden waren natürlich längst in der Menge verschwunden. Fast wäre ihr ein Fluch entschlüpft, doch sie biß sich noch rechtzeitig auf die Lippen. Unzufrieden, diese Gelegenheit verpaßt zu haben, gesellte sie sich wieder zu ihrer Schwägerin, die gerade Agnes mit vier Schalen Suppe zum Vorderbad schickte, denn die edlen Retter und der arme Verunglückte hatten sich bereits im Bad hinter der Dorfmühle eingefunden, um sich im heißen Dampfbad aufzuwärmen. Der Bader Wüst behandelte die leichten Kopfwunden des Flößers, der das Bewußtsein bereits wiedererlangt hatte.

Die Sonne stand schon tief, als Peter auftauchte. Er strahlte über das schlammverschmierte Gesicht, seine Hosen und Hemdsärmel waren naß und schmutzig, sein Wams wies einen langen Riß auf, und aus einer Schramme an der rechten Hand sickerte ein wenig Blut, doch er war sichtlich mit sich und der Welt zufrieden.

»Wenn ihr wollt, dann trage ich euch den Kessel hoch, bevor ich zu den anderen ins Unterwöhrdbad gehe«, bot er den Frauen großzügig an. »Ich muß mir sowieso ein neues Gewand holen, denn anschließend wird im ›Wilden

Mann‹ richtig gefeiert. Der Rat hat einen halben Eimer guten Moselwein gestiftet.« Genüßlich schnalzte er mit der Zunge.

»Das mit dem Gewand ist eine gute Idee«, pflichtete seine Schwester ihm bei, ließ ihren Blick langsam an ihm herabwandern und fügte dann noch beiläufig hinzu:

»Das wird sicher schmerzhaft werden, wenn du Ulrich gleich über den Weg läufst!«

Seine Miene verdüsterte sich.

»Oh, den habe ich ja ganz vergessen. Kommt ihr mit dem Kessel vielleicht doch allein zurecht?«

Anne Katharina konnte sich ein Grinsen nicht verkneifen.

»Ich glaube schon. Und ich kann dir auch Agnes mit einem trockenen Gewand zum Bad schicken.«

»Manchmal bist du ein richtig guter Freund – obwohl du ein Mädchen bist!« rief er und drückte seiner Schwester einen Kuß und ein wenig Kocherschlamm auf die Wange.

»Schön, daß du das auch mal bemerkst. Also mach, daß du wegkommst, bevor ich genauso mitgenommen aussehe wie du und von Ulrich Prügel bekomme, weil er meint, auch ich hätte mich auf dem Eis herumgetrieben.«

Er lachte dröhnend, männlich tief und tänzelte dann leichtfüßig über die Mauer in Richtung Unterwöhrd davon.

Ursula blickte finster drein, und während sie der leichtsinnigen Schwester ihres Gatten energisch mit ihrem Taschentuch die Schmutzspuren aus dem Gesicht rieb, warf sie ihr vor, sie würde sich gegen Ulrich stellen und Peters ungezügeltes Betragen fördern. Nun ja, ganz unrecht hatte sie mit dem Vorwurf ja nicht, und so nahm sich Anne Katharina – ein ganz klein wenig zerknirscht – vor, dies bei der nächsten Beichte zu erwähnen.

*   *   *

Heute gab es im Spital ein regelrechtes Festmahl, denn auch die Pfründner, die Kranken und Armen sollten sich daran erfreuen, daß die Mühlen – vom Eis befreit – ihre Arbeit wieder aufgenommen hatten. Der Duft von gebratenem Fleisch hing in der Luft, und selbst die Schwestern konnten ihre Vorfreude auf diesen Genuß nicht verbergen, war das Essen in diesem Winter doch kärglicher als in den Vorjahren ausgefallen, so daß jeder gute Schmaus vor dem langen Fasten bis Ostern gerne genossen wurde.

Da der Ratsherr Vogelmann noch nicht von seiner Sitzung zurückgekehrt war und sich seine Gattin erschöpft hingelegt hatte, nutzte Anne Katharina die günstige Gelegenheit. Sie saß bei ihrem Großvater und erzählte von dem aufregenden Tag. Der alte Mann lachte herzlich über Peters Heldentaten, zeigte sich sogar an Klatsch und Putzsucht interessiert, aber trotzdem ließ Anne Katharina die Sache mit dem Geheimnisvollen weg.

Erst als Peter Schweycker das letzte Stück Honigkuchen gegessen hatte und sonst nichts mehr zu berichten war, verabschiedete sich seine Enkelin und machte sich auf den Heimweg. In der Dämmerung, die schnell zur Nacht wurde, schwand die laue Milde, so als wolle der Winter mit grimmigen Zähnen daran erinnern, daß es immer noch Februar war und daß er der wärmenden Sonne nur eine Nebenrolle zubilligen wollte. So beeilte sich Anne Katharina, in die warme Stube nach Hause zu kommen. Sie konnte nicht sagen, warum sie heute den Weg zu Füßen des Barfüßerklosters über den Hafenmarkt gewählt hatte, um dann die schmalen Stufen von der Keckengasse hochzusteigen, die schräg gegenüber des Senftenhauses in die Herrengasse mündet.

Vielleicht war es eine der seltsamen Fügungen, die das Schicksal höhnisch lachend ausspielt, um Schwierigkeiten zu machen, nur um sich dann entspannt zurückzulehnen und zuzusehen, ob das Opfer die verworrenen Fäden zu lösen versteht. Konnten die bisherigen Anzeichen für einen unschönen Riß in ihrer behüteten, bürgerlichen Welt noch übersehen und verdrängt werden, so führte dieser Weg doch so nahe an die Hölle, daß der Schwefelgestank nicht mehr zu ignorieren war.

Noch bevor Anne Katharina ihren Fuß auf die letzte Stufe stellte, hörte sie plötzlich ein Geräusch, das sie in ihrer Bewegung innehalten ließ. Sie lauschte dem merkwürdigen Kratzen und Scharren.

Ratten! dachte sie und wollte schon beruhigt ihren Weg fortsetzen, als auf der anderen Seite der Gasse, wo die Treppe in die Pfarrgasse hinaufführt, ein kleines Flämmchen aufflackerte, in dessen Schein sie kurz eine große Gestalt in einem langen, dunklen Mantel erkannte.

Heilige Jungfrau, betete sie stumm, was soll ich nur tun? Es war sicher einer dieser Unglücklichen, die sich ihr täglich Brot mit Straßenraub erzwingen mußten. Wie oft hatte sie die Ermahnungen von Ulrich oder dem Großvater nicht ernst genommen und war ohne die Begleitung eines Knechtes in der Dämmerung durch Hall gegangen, weil sie nicht warten wollte oder einem Tadel zu entgehen suchte, immer in dem Glauben, daß ihr nichts passieren könne.

Noch immer unschlüssig, was sie tun sollte, hörte sie plötzlich Schritte aus der Herrengasse näher kommen. Ein Lichtschein kroch über das Pflaster, und da tauchte auch schon eine kleine, kräftige Gestalt mit einem Kienspan in der Hand auf. Anne Katharina erkannte die Hebamme. Sicher war sie bei Ursula und dem Kind gewesen. Schon wollte sie Els mit einem Schrei vor der lauernden Gefahr warnen, als der Schatten von gegenüber sich aus der schmalen Treppengasse löste und mit einem einzigen Sprung auf der Straße stand, Els den Kienspan aus der Hand schlug, sie an der Kehle packte und mit zwei schnellen Sätzen in einen Hauseingang zerrte, keine drei Schritte von Anne Katharina entfernt. Das junge Mädchen öffnete den Mund, doch der Hilferuf blieb ihr in der Kehle stecken, und das Blut in ihren Adern gefror, als die rauhe Stimme zu sprechen begann.

»Sei gegrüßt, Els«, sagte der Mann leise, und Anne Katharina erkannte ihn sofort. Es war der Unbekannte, der Geheimnisvolle! Zum zweiten Mal an diesem Tag!

»Du hast mich sicher schon erkannt, obwohl du mir im Augenblick leider nicht ins Angesicht sehen kannst.«

Er schnurrte wie ein Kater, der sein Opfer in Sicherheit wiegt.

»Nimm das dumme Messer von meiner Kehle, und sag mir, was du von mir willst«, erklang Els' Stimme, wenn auch ein wenig gedämpft, so doch mit mehr Mut, als vielleicht so manches andere Opfer in dieser Lage aufgebracht hätte.

»Ich wollte dich nur noch einmal an eine Abmachung erinnern, die du getroffen hast.«

Anne Katharina hörte das leise Klimpern von Münzen und dann ein unwilliges Schnauben der Hebamme.

»Ich glaube gern, daß man dein Schweigen nur durch klingende Münzen kaufen kann, und ich habe bereits gesagt, daß ich nichts unternehmen werde, also pack dich fort.«

»Du wirst es auch keinem Pfaffen erzählen!« Der drohende Tonfall ließ Anne Katharina erschauern.

»Was ich in meiner Beichte berichte, geht nur Gott und mich etwas an.«

»Da irrst du dich aber gewaltig! Du nimmst jetzt das Geld

und hältst den Mund, sonst werde ich dich eines Nachts besuchen und dir ein wenig die Kehle durchschneiden!« Els' Stimme klang verächtlich.

»Warum machst du es nicht gleich? Ich habe dem Kaplan und all den anderen gesagt, daß es keine Anzeichen eines gewaltsamen Todes gibt, so wie ich es versprochen habe, schließlich bin ich nicht mehr die Jüngste, und da können diesen alten Augen schon ein paar bläuliche Schatten um so ein kleines Näschen entgehen.« Bitterkeit und Haß klangen in ihrer Stimme. »Das war so nicht ausgemacht!«

Anne Katharina konnte nicht anders, sie mußte die Hebamme für diesen grenzenlosen Mut bewundern, auch wenn diese Reden ihr ins Herz schnitten. Es war unfaßbar.

»Das habe nicht ich entschieden, und es geht mich auch nichts an«, brummte der Fremde mürrisch.

»Ja, ja, immer nur Knecht und buckelnder Diener. Ausführen, was die Herrschaft will, ohne Reue, ohne Gefühl.«

»Na, du hast gut reden, Weib! Also, paß auf. Ich bin nicht scharf darauf, deine Seele in die Hölle zu schicken. Wenn du den Mund hältst, dann passiert dir nichts. Also nimm das Geld und geh.«

»Wir alle sind in der Hand des Herrn. Er heilt die Kranken, stützt die Schwachen – und er ruft gesunde Säuglinge plötzlich zu sich!«

Das Messer sank herab, und die forsche Hebamme nutzte die Gelegenheit, sich loszumachen. Ohne ein weiteres Wort stürmte sie mit großen Schritten davon und ließ den herabgefallenen Kienspan achtlos auf dem feuchten Pflaster verlöschen. Sie kam Anne Katharina so nahe, daß diese sie mit der Hand hätte berühren können.

»Verflucht, bei allen Dämonen der Hölle! Mögen sie das Weib holen und im ewigen Feuer schmoren lassen!« schimpfte der geheimnisvolle Fremde, machte jedoch keine Anstalten, der Hebamme zu folgen, sondern ließ seine Wut an der Fackel aus, die mit einem dumpfen Schlag gegen die Hauswand flog. Anne Katharina bekreuzigte sich hastig und betete im Stillen ein Paternoster, um die furchtbaren Flüche abzuwehren.

Immer noch außer sich, warf der Mann den kleinen Beutel, den die Hebamme zurückgewiesen hatte, auf das Pflaster, daß die Münzen darin klirrten. Dann senkte sich seine Stimme zu einem Gemurmel, doch das Mädchen hatte den Eindruck, daß er noch immer auf schrecklichste Weise Gott lästerte. Mit einem Griff hob er den Beutel auf und ließ ihn unter seinem Umhang verschwinden, dann ging er mit großen Schritten davon. Gern hätte Anne Katharina gesehen, wohin er ging, doch ihre Beine zitterten, und sie war noch minutenlang nicht in der Lage, sich zu bewegen. Endlich ließ der Schrecken ein wenig nach, und sie beeilte sich, nach Hause in die warme Stube zu kommen.

KAPITEL 7

Tag des heiligen Albinus,
Freitag, der 1. März
im Jahr des Herrn 1510

*A*nne Katharina konnte nicht einschlafen, zu sehr hatte dieses Erlebnis sie in Aufregung versetzt. Ein breiter, häßlicher Riß zog sich durch ihre kleine, heile Welt. Mit angezogenen Beinen, das wärmende Deckbett eng um sich gewickelt, saß sie bei einem trüben Binsenlicht da und grübelte. Wer war der geheimnisvolle Fremde, und was hatte er mit Maries Kind zu schaffen? Worüber hatte er mit Rudolf Senft gesprochen, und wie war die Familie des Junkers in dieses Knäuel verwickelt? War mit Wissen der Hebamme ein Mord geschehen? Hatte der Fremde Els nur einschüchtern wollen, oder war er wirklich bereit, eine solche Bluttat auszuführen? Von wem stammte das Geld? Ein Reicher, Mächtiger mußte hinter dem Ganzen stecken. Ihre Gedanken wurden immer wilder, die Vermutungen immer schrecklicher. Am liebsten hätte sie Peter alles erzählt, doch der war noch nicht von seiner feuchten Siegesfeier zurückgekehrt. Morgen würde er dann den ganzen Tag schlechter Laune sein. Und Ursula? Nein, es war undenkbar, sie mit solchen Dingen zu belasten. Sie würde sich zu Tode ängstigen. Und Ulrich durfte schon gar nicht ins Vertrauen gezogen werden. Sehnsüchtig dachte sie an früher, als alles noch klar und einfach gewesen war. Sie wäre damit, wie mit all ihren anderen Fragen und Sorgen auch, zu Pater Hiltprand gelaufen und hätte staunend gelauscht, wie er auf alles eine klare, einfache Antwort geben konnte. Sie vermißte die spitzfindigen Auseinandersetzungen, die Gefechte mit Worten, die spannenden Geschichten längst vergangener Tage – selbst die komplizierten Rechenaufgaben und die endlosen Blätter voller lateinischer Wörter …

Über diesen Gedanken schlief sie schließlich ein und träumte von einem riesigen, gehörnten Dämon, der sie mit einem Messer bedrohte und Stück für Stück näher an seinen brodelnden Höllenkessel schleppte. Sie schrie und versuchte, sich loszureißen, doch ihre Glieder waren wie gelähmt. Er schlang seine Arme um sie, fester, immer fester, bis sie schließlich nicht mehr atmen konnte. Schon drohten ihr die Sinne zu schwinden, als der Dämon einen gräßlichen Schrei ausstieß. Die Umklammerung ließ nach. Plötzlich merkte sie, daß es nicht mehr der Gehörnte war, der sie in den Armen hielt. Die rauhe Kutte an ihrer Wange und die kräftigen, männlichen Arme verströmten Frieden und Sicherheit. Das gütige Gesicht kam näher, warme, sanfte Lippen streiften ihre Stirn …

Anne Katharina schreckte hoch und rieb sich verwirrt die Augen. Das Binsenlicht war fast heruntergebrannt, doch schon während sie sich die Nachthaube wieder geradezupfte, wußte sie, was sie geweckt hatte. Der grölende Gesang mehrerer Männer, die dem Met oder Wein mehr als genug zugesprochen haben mußten, drang von der Straße zu ihr herauf. Die Neugier siegte über die gute Erziehung, sie griff nach ihrem Umhang, angelte die Pantoffeln unter dem Bett hervor und lief zum Fenster hinüber. Nur mit Mühe schaffte sie es, den hölzernen Laden zur

Seite zu schieben, um hinaussehen zu können. Unten auf der Straße hatten sich sechs junge Männer in einem Kreis aufgestellt. Die Arme über die Schultern der Nebenmänner gelegt, grölten sie, vielstimmig und laut, eine Hymne an den heidnischen Gott Bacchus. Trotz des fahlen Mondlichtes erkannte Anne Katharina ihren jüngeren Bruder sofort.

O nein, wenn Ulrich aufwacht, dann bekommt Peter dieses Mal ganz sicher Prügel, die er lange nicht vergessen wird.

Zum Glück ging die Kammer des Hausherrn zum Hof hinaus, doch bei diesem Lärm …

»Da, seht, ein holder Engel ist uns erschienen.«

Einer der Sänger ließ seinen Nebenmann los und zeigte zum Fenster hoch. Das Lied brach ab, und plötzlich starrten sechs Paar trunkener Augen zu dem jungen Mädchen hinauf, was ihr natürlich überaus peinlich war, doch Anne Katharina mußte ihren jüngeren Bruder warnen.

Außerdem, dachte sie pragmatisch, können sie nur meinen Kopf mit der Nachthaube sehen.

»Welch holdes Frauenantlitz. Komm zu uns herunter, du Engel der Nacht!«

Trotz der undeutlichen Aussprache war Anne Katharina sich sicher, in dem Sprecher den jungen Seyboth zu erkennen.

»Ist sie schön?« fragte ein anderer.

»Sie ist meine Schwester!« mischte sich Peter jetzt ein und warf sich in die Brust. »Sie ist die schönste Jungfrau von ganz Hall!«

Der junge Seyboth wiegte abschätzend den Kopf.

»Das ist nicht so leicht zu sagen. Die Anna Büschler ist auch nicht ohne und die Kleine vom Junker Rinderbach erst!« Er pfiff anerkennend durch die Zähne.

Spätestens jetzt war für jedes wohlerzogene Mädchen der Zeitpunkt gekommen, sich zurückzuziehen, doch dummerweise hatte Peter diese die Familienehre kränkenden Worte vernommen. Da er zwar noch wach genug war, seinen Freund zu verstehen, nicht jedoch nüchtern genug, um dessen ebenfalls betrunkenen Zustand zu berücksichtigen, stürzte er sich mit geballten Fäusten auf den Siederburschen. Dieser wich dem jungen Heißsporn geschickter aus, als man es ihm zugetraut hätte, so daß Peter der Länge nach auf die von Unrat bedeckte Straße fiel. Die anderen lachten.

»Peter, komm sofort herein. Wenn Ulrich aufwacht«, zischte seine Schwester von oben in scharfem Ton, was die Meute erneut zu erheitern schien.

»Also, ich bin dafür, daß die holde Jungfrau rundergommd, dann schdimmen wir ab, ob sie nun die Schönsde is' oder nich'.«

Das war der dicke Hans Blinzig.

»Ne, das geht nich', die hat doch außer ihrer Nachthaube gar nix an«, warf der große, blonde Jörg Firnhaber ein. Na klar, der durfte in dieser betrunkenen Meute nicht fehlen.

»Is' doch gut, dann können wir das viel besser beurteilen«, gab Michel zurück.

Anne Katharina erwog ernsthaft, ihr Nachtgeschirr samt Inhalt auf die unverschämten Kerle zu werfen, als Peter, der sich inzwischen aufgerappelt hatte, den Angriff mit mehr Erfolg fortsetzte. Sie hörte die Faust in Michels Gesicht krachen. Sofort war eine wilde Rauferei im Gange. Wahrscheinlich wußten die Burschen selbst nicht, wer gegen oder für wen kämpfte, aber das war bei einem so schönen Kampf auch nicht wichtig. Jedenfalls wälzten sich sechs hoffnungsvolle Söhne der führenden Siederfamilien im Straßenschmutz. Schwungvoll goß Anne Katharina das eiskalte Wasser ihres Waschkrugs über die Kämpfenden, doch ohne Erfolg.

Vom Marktplatz näherte sich das Licht zweier Laternen. Die Büttel! Auch das noch, doch Anne Katharinas Rufen verhallte ungehört. Erst als die Knechte des Schultheißen sich mit gezielten Stockhieben und Faustschlägen einmischten, ließen sich die Kampfhähne trennen. Sie schienen gar völlig ernüchtert, als sie sich, ohne Widerstand zu leisten, die Hände binden ließen.

»Halt!« rief das Mädchen, als Peter an der Reihe war. »Das ist mein Bruder. Bitte nehmt ihn nicht mit. Ich sorge dafür, daß er keinen Ärger mehr macht.«

Neugierig sahen die Büttel zu ihr hoch, doch der Größere schüttelte mitleidslos den Kopf.

»Keine Ausnahmen, Fräulein. Der Rat hat uns angewiesen, bei Schlägereien und nächtlicher Ruhestörung hart durchzugreifen.«

»Wo bringt ihr sie hin?«

»In einen der Stadttürme. Ich schätze, drei bis fünf Tage werden sie dort zubringen müssen, doch es ist am besten, Ihr wendet Euch morgen an den Schultheiß. Wir wünschen eine gesegnete Nachtruhe.«

Und damit zogen sie mit den nun kleinlaut gewordenen Siederburschen ab.

Fröstelnd schob Anne Katharina den Laden wieder zu und kroch unter ihre Decke. Jetzt konnte sie nichts für Peter tun. O je, ihr graute davor, es am Morgen Ulrich erzählen zu müssen. Seinen Zorn konnte sie sich schon jetzt lebhaft vorstellen.

* * *

96

Ihre Stimmung war mehr als gedrückt, als sich Anne Katharina am frühen Vormittag aufmachte, ihren jüngeren Bruder in seinem Verlies aufzusuchen. Ulrich hatte bereits am frühen Morgen herumgebrüllt, daß Ursula wie ein verschreckter Vogel geduckt auf der Eckbank saß und Marie, das Kind an sich gedrückt, leise weinte. Dann endlich hatte er sich beruhigt und seinen Ärger mit Gerstenmus und Milchsuppe heruntergeschluckt. Die Bitte, dem leichtsinnigen Peter aus der Klemme zu helfen, lehnte er jedoch energisch ab.

»Ich habe seine Flausen lange genug geduldet, und man sieht ja, was dabei herausgekommen ist. Er will Siederbursche werden? Nun, dann kann er jetzt über diese Idee ein paar Tage in Ruhe nachdenken. Vielleicht erleichtert ihm das die Einsicht, daß ich recht habe, ihn Advokat werden zu lassen.«

»Wo haben die Büttel ihn hingebracht?«

Ulrich zuckte desinteressiert die Schultern.

»In irgendeines der Turmverliese, vermutlich, doch das braucht dich nicht zu kümmern. Du wirst heute einen Besuch im Senftenhaus abstatten. Die Tochter des Stättmeisters ist als Gesellschafterin bei der Berlerin, und ich möchte, daß du dich ihrer freundlich annimmst. Nutze die Gelegenheit für eine engere Bindung an unsere Lehensherren und den Stättmeister!«

»Mit Afra? Diesem geschwätzigen, dummen Geschöpf?«

Ulrich warf seiner Schwester einen warnenden Blick zu, als er sich seine neue Schaube um die Schultern legte.

»Du wirst tun, was ich dir angewiesen habe«, mahnte er, strich dem schlafenden Kind über die Wange und verließ das Haus.

Taub für Ursulas Klagen und Vorwürfe, daß sie gegen Anstand und Sittsamkeit verstoße, verließ Anne Katharina nur wenige Minuten später ebenfalls das Haus. Beim Schultheiß Konrad Büschler erfuhr sie, daß man die nächtlichen Ruhestörer in den Gerberturm jenseits des Kochers gebracht hatte.

Nun eilte sie – in ihren langen warmen Mantel gehüllt – zur Ritterbrücke hinunter, um zu dem runden Turm in der Weilervorstadt zu gelangen. Der Winter war in dieser Nacht zurückgekehrt, hatte den Morast auf den Straßen hart gefroren und über die Pfützen eine dünne Eisschicht gespannt. Anne Katharina schritt über die Brücke und lief dann flußabwärts an der Stadtmauer entlang. Schwaden von heißem Wasserdampf und üblen Gerüchen hüllten das junge Mädchen ein, als es sich dem Türlein in der Mauer näherte, das den Gerbern einen Zugang zum Kocher ermöglichte. Überall lagen rohe oder gegerbte Felle herum, und Anne Katharina mußte höllisch aufpassen, nicht in einer der halbgefrorenen Lachen aus Wasser, Lohe und schmierigen Abfällen auszurutschen. Am Kocherufer stank es unerträglich, denn all die abgeschabten Haut- und Fleischreste hatten sich über Monate hin angesammelt und färbten die Eisreste rotbraun. Erst das Frühlingshochwasser würde die Abfälle mit sich nehmen und für ein paar Wochen für bessere Luft sorgen. Anne Katharina beeilte sich, über die Felle und Pfützen hinwegzusteigen, taub für die Unverschämtheiten, die die Gerbergesellen ihr hinterherriefen.

»Alte Maulklopfer!« knurrte sie vor sich hin.

Schon von weitem sah Anne Katharina den Wachposten am Gerberturm auf der Brustwehr stehen, und als sie näher kam, erkannte sie erfreut, daß es der junge Volkhard war, der zwei Jahre für Ulrich als Feurer gearbeitet hatte und nun bei der Stadtwache seinen Dienst leistete.

»Sei gegrüßt, Volkhard«, rief sie hinauf.

»Oh, Jungfrau Anne Katharina, ich grüße Euch auch auf das herzlichste.«

Ihr war, als flammte Röte in dem bartlosen Gesicht des Jünglings auf, der kaum einen Lenz mehr zählte als sie selbst. Er beeilte sich, die schmale Holztreppe herunterzusteigen, und verbeugte sich dann linkisch vor der Besucherin. Fast hätte er sie dabei mit seiner Hellebarde aufgespießt, doch das Mädchen wich rechtzeitig zurück. Das war ihm natürlich schrecklich peinlich, doch ehe er sich zum zehnten Mal entschuldigte, unterbrach Anne Katharina ihn, um über ihr Anliegen zu sprechen.

»Letzte Nacht haben die Büttel ein paar trunkene Sieder aufgegriffen. Sie sind doch hier im Turm?«

»O ja«, nickte Volkhard eifrig. »Ich habe den Auftrag, sie zu bewachen.«

»Ja schön. Könnte ich mit ihnen sprechen? Peter ist unter ihnen.«

Der Wächter runzelte nachdenklich die Stirn und schüttelte dann den Kopf.

»Nein, Jungfrau Anne Katharina. Der Schultheiß hat genaue Anweisungen erlassen. Keine Besucher und kein zusätzliches Essen.«

Das junge Mädchen lächelte den Wächter strahlend an.

»Aber ich will doch nur ganz kurz mit ihm sprechen. Du kannst ja dabeibleiben und achtgeben, daß ich nichts anrichte, was dich in Schwierigkeiten bringen könnte. Bitte!«

Der Augenaufschlag war gut gelungen, denn Volkhard trat nervös von einem Fuß auf den anderen. Anne Katharina hatte ihn schon fast überzeugt, sie überlegte gerade, ob sie es, wie Ursula so oft, mit ein paar Tränen versuchen sollte, da nickte der junge Wächter und winkte ihr, ihm zu folgen. Sie hatte einige Mühe, ihm über die schmale Treppe zum Wehrgang hinauf zu folgen, denn sie mußte Mantel und Rock raffen, um nicht auf den Saum zu treten, und gleichzeitig auch darauf achten, daß man nicht zuviel von ihren Beinen zu sehen bekam. Neugierig folgte sie Volkhard in den runden, wehrhaften Turm, dessen enge Schießscharten auf den Kocher und nach Norden über den Graben hinaus zeigten. Eine schmale Treppe stieg zur nächsten Ebene an, von der aus der Wehrgang zum Weilertor hochführte. Bis auf ein hölzernes Gestell mit Hellebarden, Spießen und Hakenbüchsen, einer Truhe, zwei wassergefüllten Eimern und einer wackeligen Bank, auf der zwei Tonkrüge standen und ein Holzbrett mit grobem dunklem Brot lag, war der Raum leer. Der Boden wölbte sich zur Mitte hin leicht an und endete dann in einem runden Loch, zu dem sie der Wächter führte. Der Gestank von Kot und fauligem Stroh schlug Anne Katharina entgegen. Ihr wurden die Knie weich, und am liebsten wäre sie davongelaufen.

»Seid vorsichtig, daß Ihr nicht hineinfallt!«

Langsam ließ sie sich auf die Knie sinken und versuchte, durch tiefes Atmen ihren rebellierenden Magen zu beruhigen. Aufregende Geschichten über finstere Verliese zu lesen, das war eine Sache, am Angstloch, der einzigen Öffnung des eiskalten, stinkenden Gewölbes, zu knien, in dem sich ihr geliebter Bruder befand, das war etwas völlig anderes. Es hatte nichts von der Ritterromantik der Bücher, die sie sich heimlich von Anna Büschler geliehen hatte, denn Ulrich würde seiner Schwester nie gestatten, so etwas zu lesen.

Volkhard ging zur Truhe und holte eine Lampe heraus, die an einem langen Seil befestigt war. Anne Katharina hörte, wie der Stein auf den Stahl schlug. Der Feuerschwamm flammte auf, und Volkhard entzündete damit das Talglicht. Er ließ die Laterne am Seil nach unten, die das finstere Verlies jedoch nur notdürftig erhellen konnte.

»Peter Vogelmann, kommt ins Licht, Ihr habt Besuch«, rief der Wächter mit berufsmäßig emotionsloser Stimme, die schaurig von den Wänden zurückgeworfen wurde.

»Wer ist es denn?« hörte Anne Katharina die Stimme ihres jüngeren Bruders, die den gewohnten übermütigen, fröhlichen Klang vermissen ließ. Schleppenden Schrittes kam Peter in den Lichtkreis. Das Mädchen mußte sich auf die Lippen beißen, um nicht einen Schrei auszustoßen, so schrecklich sah er aus. Die Kleider zerrissen, bedeckt von Schmutz und Kot, das linke Auge völlig zugeschwollen, der rechte Arm blutig zerkratzt.

»Ich bin es, Anne Katharina«, rief sie und war stolz, daß ihre Stimme so kräftig klang.

»Da bist du ja endlich!« Er legte den Kopf in den Nacken. »Ich habe schon die ganze Zeit überlegt, wie lange ihr noch braucht, um mich hier aus diesem Loch herauszuholen. War Ulrich sehr wütend?«

»Das kannst du glauben! Genieße es, solange du in diesem Verlies sicher vor ihm bist. Vier ganze Tage hast du noch Zeit, um dich auf das Wiedersehen mit ihm vorzubereiten.«

»Das ist nicht dein Ernst!« Er schien wirklich erschüttert. »Du willst mich noch vier Tage in diesem Dreck hocken lassen? Weißt du, wie kalt es hier ist? Wir bekommen nur Wasser und Brot!«

»Ich weiß, und es liegt ganz sicher nicht an mir, daß du nicht herausdarfst. Eigentlich ist es nicht einmal erlaubt, euch zu besuchen, geschweige denn, euch zu Essen zu bringen. Ulrich sagt, er rührt keinen Finger für dich, denn er hat dir oft genug gesagt …«

»... daß ich mich im Wirtshaus zurückhalten und mich nicht prügeln soll. Ja, die alte Leier ist mir bekannt, doch du kannst ihm sagen, wenn er nicht will, daß ich hier verrecke, dann soll er mich schnell herausholen, am besten noch heute, denn vier Tage ertrage ich nicht!«

»Das hättest du dir vorher überlegen sollen!« bemerkte seine Schwester schnippisch, wurde jedoch gleich wieder weich. »Ich gehe noch in dieser Stunde zu Anna Büschler. Vielleicht redet sie mit ihrem Oheim oder mit ihrem Vater. Man sagt ja, der tut alles für seine Tochter. Vielleicht hilft das.«

Michel Seyboth trat in den Lichtschein.

»Bitte legt auch für mich ein gutes Wort ein, holde Jungfrau Anne Katharina. Ich wäre Euch zu ewigem Dank verpflichtet.«

»Oh, heute nacht habt Ihr aber in einem anderen Ton mit mir gesprochen!«

»Seht, ich gehe in die Knie und bitte für mein unehrenhaftes Betragen um Entschuldigung.« Tatsächlich kniete er sich nieder und blickte flehend zu ihr hoch. Trotzdem, der leichte Spott schien nicht für einen Moment aus seinen blauen Augen zu verschwinden.

»Ich will sehen, was ich tun kann«, erwiderte Anne Katharina großmütig.

»Setzt Euch bitte auch für unsere Freilassung ein«, riefen da die anderen, die sich jetzt alle im Lichtschein zusammendrängten.

»Ich muß Euch dringend bitten, jetzt zu gehen«, mahnte Volkhard und trat unruhig von einem Fuß auf den anderen. »Die Ablösung muß bald kommen, und sie darf Euch hier nicht finden.«

»Ich komme schon.« Noch einen letzten Blick in die Tiefe, dann ergriff Anne Katharina die dargebotene Hand und erhob sich. Volkhard führte das junge Mädchen hinunter und verbeugte sich dann zum Abschied noch einmal. Dieses Mal war er darauf bedacht, mit seiner Hellebarde keinen Schaden anzurichten.

»Jungfrau Anne Katharina, Ihr könnt immer auf mich zählen!« verkündete er feierlich und erntete dafür noch ein strahlendes Lächeln. Dann machte sich die Vogelmannstochter zum Büschlerhof auf. Sie hatte den Marktplatz schon überquert, als ihr einfiel, daß Anna seit einiger Zeit ja in Stellung bei der Schenkin von Limpurg war und daher zu dieser Zeit kaum zu Hause sein würde. Einen Augenblick zögerte sie, doch dann beschloß sie, eine der Mägde zu fragen, wann Anna zurückzuerwarten sei. Doch welch angenehme Überraschung, Anna Büschler öffnete auf das drängende Klopfen selbst die Tür.

»Es ist eine etwas heikle Angelegenheit, wegen der ich dich zu sprechen wünsche und …«, begann Anne Katharina vorsichtig.

»Dann besprechen wir sie am besten in der hinteren Stube, dort ist niemand«, unterbrach Anna Büschler und führte die Besucherin die verschwenderisch breite Treppe hinauf und an der großen Stube vorbei, die fast schon einem Saal glich. Der prächtige, holzgetäfelte Raum hatte nicht nur einen hohen Kachelofen, sondern auch leicht getönte, runde, in Blei gefaßte Glasscheiben in den Fenstern. Wie viele Bürger wären stolz darauf, solch eine Stube ihr eigen nennen zu können? Und bei Büschlers war es nur einer von vier Räumen mit eigenem Ofen! Nicht einmal alle Junker konnten da mithalten.

Die Büschlerstochter drängte Anne Katharina, auf der mit phantasievoll bestickten Kissen belegten Bank Platz zunehmen, und setzte sich selbst auf eine Truhe ihr gegenüber. Aufmerksam hörte sie zu, den Kopf leicht zur

Seite geneigt, die Knie angezogen und mit den Armen umschlungen. Wie sie so dasaß, da wurde Anne Katharina erst wieder bewußte, wie jung sie noch war, gerade mal vierzehn Jahre. Doch das verbarg sie meist gut hinter ihrer großgewachsenen Gestalt, dem hochmütigen Blick und den gewagten Kleidern, die sie trug. Ihr Vater war vernarrt in sie und gestattete ihr daher Freiheiten, an die andere Bürgerstöchter nicht einmal zu denken wagten. Auch heute kam sich Anne Katharina bei dem Anblick des seidenen Hemdes mit den weitgebauschten Ärmeln, dem üppig goldbestickten, weit ausgeschnittenen Surcots, der zierlichen Goldkette mit einem von Rosen umrankten Kreuz und der perlenbesetzten Schapel im langen Haar des jungen Mädchens schlichtweg schäbig vor, doch zum Glück schien Anna Büschler nicht so zu denken.

Vielleicht rührte das selbstbewußte Auftreten der Büschlerstochter von ihrer Stellung auf der Burg her. Seit fast einem Jahr nähte sie nun schon für die Schenkin Margarete, frühere Gräfin von Schlick, und leistete ihr Gesellschaft. Ein wenig pikant war die Situation schon, schließlich war das Verhältnis der Stadt zu den Schenken eher als feindselig zu beschreiben, da deren Ländereien bis an den Stadtgraben von Hall heranreichten und das wehrhafte Gemäuer der Limpurg nicht einmal eine halbe Stunde zu Fuß entfernt auf der Hangkante über dem Kocher thronte. Gebietsstreitigkeiten waren an der Tagesordnung. Trotz allem mußte der Handel aufrechterhalten werden, stammte doch das meiste Holz, das in der Saline verfeuert wurde, aus den Wäldern der Schenken oder mußte durch deren Gebiet geflößt werden.

Anna Büschler riß ihre Besucherin aus ihren Gedanken. Ernst wiegte sie den Kopf hin und her, als sie antwortete: »Es wird schwer, etwas zu erreichen. Zwar schlägt mir Vater selten einen Wunsch ab, doch ich weiß, daß im Rat erst vor ein paar Wochen beschlossen wurde, den Raufbolden gegenüber mit unnachsichtiger Härte vorzugehen, denn die nächtlichen Ausschreitungen der Sieder nehmen immer mehr überhand.«

Anne Katharina nickte.

»Ja, in der Zeit des Kaltliegens ist zuwenig Arbeit da. Das wird sich ändern, wenn das Hochwasser kommt und sie den Flößern helfen müssen.«

Die Büschlerstochter lachte verächtlich.

»Selbst wenn sie noch so erschöpft von der Arbeit sind, lassen sie es sich nicht nehmen, im ›Wilden Mann‹ oder in einem anderen Gasthaus die Becher zu heben.«

»Aber es ist doch so kalt im Verlies, und sie bekommen nur Wasser und Brot!« kam Anne Katharina noch einmal auf ihr Anliegen zurück.

»Vater kann es sich nicht leisten, den Junkern eine Schwachstelle zu bieten, jetzt, wo der Streit um die Trinkstube wieder aufgeflammt ist«, gab Anna Büschler zu bedenken. »Außerdem wurde die Strafe sicher vom Schultheiß festgelegt. Für solche Vergehen ist schließlich nicht das Hochgericht zuständig.«

Sie hatte natürlich recht. Beeindruckt und überrascht, soviel klaren Verstand und politische Einsicht bei ihrer jungen Freundin zu finden, erhob sich Anne Katharina und strich ihre Röcke glatt.

»Vielleicht kannst du etwas erreichen, wenn du mit deinem Oheim sprichst.«

Anna Büschler nickte.

»Ja, einen Versuch ist es wert. Ist Michel Seyboth auch unter ihnen?« Leichte Röte flammte über ihre Wangen, daher nickte die Vogelmannstochter nur und verzichtete darauf, von seinem unverschämten Betragen zu erzählen.

Auf ihrem Weg nach unten trafen die jungen Mädchen Annas Mutter, die sich mit zwei Kaufleuten unterhielt. Sofort plauderten sie Belangloses.

»Warum bist du heute nicht auf der Limpurg?«

»Die Schenkin ist mit ihrem Sohn Erasmus nach Stuttgart gereist. Er soll Knappe beim Herzog Ulrich werden.«

»Ist er denn schon so alt?« fragte Anne Katharina zurück, mit ihren Gedanken jenseits des Kochers am Gerberturm.

»O ja, sieben oder acht Jahre. Es ist Zeit, daß er seine Ausbildung beginnt.«

Herzlich verabschiedeten sich die beiden Mädchen. Anne Katharina machte sich sogleich auf den Weg, um den von ihrem Bruder angeordneten Anstandsbesuch im Senftenhaus zu erledigen, und die Büschlerstochter holte sich ihren Umhang, um den lieben Oheim im Schultheißenhaus zu beehren.

*   *   *

»Sei gegrüßt. Ich bin Anne Katharina Vogelmann. Ist es möglich, Fräulein Afra zu sprechen?«

Die Magd knickste höflich und forderte die Besucherin auf, ihr in die große Stube zu folgen. Dort ließ sie sie bei einem Becher süßen Wein zurück, um den Besuch anzumelden. Anne Katharina mußte nicht lange warten, bis die Magd zurückkehrte und sie aufforderte, ihr zu folgen.

»Das gnädige Fräulein erwartet Euch in der Kemenate.«

Ein wenig großspurig fand Anne Katharina es schon, die Stube der Edelfrauen wie auf einer Burg Kemenate zu nennen, war das Senftenhaus doch nicht viel größer als viele Häuser der wohlhabenden Bürgerfamilien und reichte nicht entfernt an beispielsweise den Keckenturm heran, der wehrhaft und prächtig fünf Stockwerke hoch aufragte. Trotzdem war sie von der behaglichen Stube, in der Afra sie empfing, beeindruckt. Die gewölbte Stubendecke aus edlem Holz war mit zierlichen Schnitzereien versehen, die an den Wänden und um die verglasten Fenster ihre Fortsetzung fanden. Die Kacheln des hohen Ofens zeigten Szenen aus dem Alten Testament. Davor standen zwei mit blauem Samt bezogene Lotterbetten mit zierlich geschnitzten Füßen. Auf dem einen ruhte Afra, auf dem anderen die Hausherrin Barbara Senft aus dem Hause Berler.

Die kleine, zierlich gebaute Afra, deren Blondhaar in zahlreiche Locken gelegt war, kam ihrem Gast mit ausgestreckten Armen entgegen.

»Oh, das ist aber schön, daß du mich einmal besuchen kommst. Ich hatte gar nicht mehr damit gerechnet, ist es doch schon Monate her, daß wir uns bei den Rinderbachs trafen und uns versprachen, den Winter über zusammen zu sticken, daß die Arbeit nicht ganz so langweilig ist.«

So plapperte sie fröhlich weiter und nötigte Anne Katharina, auf einem Scherenstuhl Platz zu nehmen. Sie selbst setzte sich in die Ecke der an der Wand entlanglaufenden Bank und strich sich den glänzenden Atlasrock glatt. Ihren Redefluß nicht unterbrechend, schob sie eine Schale Konfekt und eine weitere mit eingelegten Früchten zu ihrem Gast hinüber.

Heimlich warf Anne Katharina der Berlerin, die ihr nur ein kurzes Kopfnicken gewährt hatte, einen Blick zu. Mit grimmiger Miene in eine Stickerei vertieft, saß die große, knochige Frau auf dem Ruhebett. Ihre herben Gesichtszüge waren alles andere als einnehmend. Vor allem der zu einem dünnen Strich zusammengekniffene Mund gab ihr ein mürrisches Aussehen. Ihre Kleidung war teuer, doch wirkte sie lieblos, eher zufällig zusammengestellt, und das enge, kostbar mit Gold bestickte Mieder betonte die wenig weiblichen Körperformen unvorteilhaft.

»Afra, hör mit dem dummen Geschwätz auf!« fuhr sie ihre Nichte an, die seit einigen Monaten als Gesellschafterin und zur Erziehung bei ihr weilte, da der Stättmeister Gilg Senft, seit zwei Jahren Witwer, sich dieser Aufgabe nicht gewachsen fühlte.

Ohne auf ihre Tante zu achten, bot Afra Senft ihrer Besucherin von dem süßen Konfekt an.

»Nimm nur, es wird dir schmecken. Ich habe es in der Offizin unseres ehrenwerten Apothekers entdeckt. Es ist nicht nur sündhaft gut, sondern auch sündhaft teuer!«

»Afra!«

Das Mädchen zuckte beim scharfen Ton der Berlerin zusammen und warf der Besucherin einen leidenden Blick zu. Anne Katharina kaute nachdenklich auf einer verzuckerten Dörrpflaume mit Mandelsplittern herum. Solange die Berlerin mit im Zimmer war, würde man überhaupt kein vernünftiges Wort reden können. Dabei hatte sie heimlich gehofft, bei diesem Anstandsbesuch wenigstens ein bißchen Klatsch über den andauernden Streit der Senftenbrüder oder den Tod des Erben erfahren zu können.

Afra spielte mit der langzinkigen Gabel, die in einer der eingelegten Früchte steckte, und stach sie dann spielerisch einige Male in eine saftige Birne. Ulrich bezeichnete diese Geräte, die aus Italien kommend bei den Junkern und reichen Bürgern gerade in Mode waren, als unnützen Kram, doch vor allem die vornehmen Fräulein und diejenigen, die gerne dazugehören würden, fanden diese kleinen Kostbarkeiten bei klebrigen oder saftigen Süßigkeiten sehr praktisch.

»Möchtest du heißen Gewürzwein? Wir könnten ihn in

der Küche holen und sehen, was die Köchin sonst noch für Leckereien hat.«

Aha, sie will also auch ungestört reden.

Anne Katharina nickte, versäumte jedoch nicht, vor der Berlerin höflich zu knicksen, bevor sie Afra folgte, die es offensichtlich eilig hatte, aus der Reichweite ihrer Tante zu kommen. Die Hausherrin sagte nichts, doch ihr mißbilligender Blick folgte den beiden Mädchen.

»Es ist so grauenhaft!« jammerte Afra, als sie mit gerafften Röcken die Treppe hinunterstieg. »Vor allem seit der Kleine gestorben ist, kann man sie gar nicht mehr ertragen. Den ganzen Tag zieht sie diese sauertöpfische Miene und schilt mich wegen jeder Kleinigkeit. Erst gestern …«

Anne Katharina unterbrach den Redefluß rasch, bevor sich das Geplapper zu weit von dem Ereignis entfernte, für das sie so reges Interesse empfand.

»Ach ja, der ersehnte Erbe, und dann so ein Unglück.« Sie seufzte mitleidig. »Ist es nicht merkwürdig, daß das Kind so plötzlich starb, nachdem Els doch sagte, daß es kräftig und gesund sei?« Sie belauerte jede Regung in dem noch ein wenig kindlich gerundeten Gesicht und kam sich dabei nicht besser als die Bäckerin vor, so begierig jeden Klatsch in sich aufsaugend.

Afra biß geradezu mit Begeisterung an, schob die neue Freundin mit einer verschwörerischen Miene in die Küche und flüsterte erregt:

»Ja, darüber habe ich auch schon nachgedacht. Die Berlerin hatte einen schrecklichen Streit mit Gabriel. Ich konnte jedes Wort verstehen, obwohl ich nicht gelauscht habe!« betonte sie schnell.

»Sie schrie, er habe sie nur wegen der Mitgift geheiratet, woraufhin er zurückbrüllte, daß bei so einer Gestalt auch nur eine hohe Mitgift einen Mann dazu bringen könne, zu heiraten. Sie wiederum warf ihm vor, sich abends immer bei den freien Weibern herumzutreiben und ihr Geld hinauszuwerfen. Daraufhin erwiderte Gabriel, daß sie ihrer Pflicht nachkommen und ein paar Söhne auf die Welt bringen solle, das sei das einzige, wofür er sie brauche. Sonst sei er froh, wenn sie ihn in Ruhe lasse.« Jetzt mußte sogar Afra Luft holen.

»Ich glaube, sie hat das Kind umgebracht, um ihn zu strafen! Du hättest sein Gesicht sehen sollen, als er vom Tod seines Sohnes erfuhr. Er war vernichtet, sage ich dir, und das böse Weib hat triumphiert!«

Völlig verwirrt kaute Anne Katharina auf einem Apfelschnitz herum, denn so etwas hatte sie am wenigsten erwartet. Sie konnte sich nicht vorstellen, daß eine verheiratete Frau ihr eigenes Kind töten würde, nur um ihren Gatten zu strafen, noch dazu, bevor das Kind getauft worden war. Sicher ging da Afras Abneigung gegen ihre Tante mit ihr durch.

»Und was ist mit dem Junker Rudolf?«

»Oh, der hat das Kind ja schon verflucht, ehe es aus dem Mutterleib kam. Er konnte seine Befriedigung nicht verbergen, als er vom alten Gabriel geschickt wurde, dessen Beileid zu bekunden.« Afra stockte kurz, dann überschüttete sie Anne Katharina mit einer neuen Idee.

»Aber das paßt ja noch viel besser. Rudolf hat das Kind getötet, weil er nicht will, daß sein Bruder einen Erben hat. Sie streiten sich dauernd um irgendwelche Güter, um die Siedenanteile oder wer wieviel Geld aus dem Weinhandel bekommt. Da wäre es Rudolf doch zuzutrauen, daß er ein Kissen nimmt und den kleinen Wurm erstickt.« Sie sah Anne Katharina triumphierend an, doch diese schüttelte langsam den Kopf. Das paßte alles nicht zusammen.

»Und weißt du« – Afra senkte die Stimme noch ein wenig – »an dem Tag habe ich einen der Knechte oben in der Schreibstube erwischt, und dort hatte er ganz gewiß nichts zu suchen!«

»Was wollte er? Hat er irgend etwas mitgenommen?«

»Vielleicht wollte er nur Geld, vielleicht aber auch den Erben ermorden.«

»In der Schreibstube?«

»Nein, da hat er nur auf eine günstige Gelegenheit gewartet. Vielleicht ist er einer der Bastarde von Großvater und will sich nun an der Familie rächen. Man sagt, der alte Gabriel hat über das ganze Haller Land seine illegitimen Nachkommen verstreut.«

Nun wurde es der Besucherin doch zu phantastisch, und sie wollte gerade das Thema wechseln, als Afra unvermittelt fragte:

»Hast du die Kämpfe auf der Straße heute nacht auch gehört? Ich fand es sehr aufregend. Erst haben sie gesungen und sich dann geprügelt. Ich konnte leider nicht so gut sehen, obwohl ich in die Stube lief und das Fenster öffnete. Sie müssen direkt vor dem Haus deines Bruders gewesen sein.«

So erzählte Anne Katharina von ihrem Besuch im Gerberturm und den Sorgen um den jüngeren Bruder.

»Sie sind im Verlies? Ach wie aufregend. Früher kamen sie immer mit einer kleinen Geldstrafe davon, doch viele Bürger haben sich beim Rat beschwert. Wirst du ihn wieder besuchen? Dann nimm mich doch bitte mit. Ich habe noch nie in eines der Verliese sehen dürfen. Noch lieber wäre mir allerdings der Faulturm, in den sie die ganz bösen Sünder werfen, um sie langsam verfaulen zu lassen. Das muß ja schrecklich sein!«

Sie schauderte, doch war eine gewisse Begeisterung aus ihrem Tonfall herauszuhören. Anne Katharina kam der

Verdacht, daß Afra schon zu viele der von Ulrich so vehement abgelehnten Ritterromane gelesen haben mußte.

Sie versuchte, die romantischen Höhenflüge der Jüngeren ein wenig zu bremsen, indem sie die schrecklichen Bedingungen, die Kälte, den Schmutz und den Gestank erwähnte, doch das schien diese in ihrer Meinung nur noch zu bestätigen. Etwas überhastet verabschiedete sich Anne Katharina und entfloh einem weiteren Redeschwall.

* * *

Es war schon weit nach Mittag, als Anne Katharina wieder nach Hause kam und von einer ziemlich ärgerlichen Ursula empfangen wurde.

»Wo warst du denn so lange? Du weißt doch, daß wir alle Hände voll zu tun haben, da am Sonntag nach der heiligen Messe die Taufbesucher kommen. Agnes hat schon den ganzen Morgen die Töpfe in der Küche geputzt und scheuert nun den Stubenboden mit Sand. Ich habe bereits einen Teil unseres guten Zinngeschirrs gereinigt. Du hattest doch versprochen, für den großen Tisch ein neues Tuch aus dem guten Damast zu säumen, den wir letzte Woche auf dem Markt erstanden haben.«

Gütige Jungfrau, das hatte Anne Katharina bei all der Aufregung völlig vergessen. Sie murmelte etwas von einem aufgetragenen Anstandsbesuch bei Afra Senft und machte sich dann sofort an die Arbeit. Den Rücken an den warmen Ofen gedrückt, die Füße auf einen Schemel gelegt, war das nicht die unangenehmste Arbeit, wenn man in Ruhe nachdenken wollte. Agnes kniete auf dem Boden und rieb mit einer groben Bürste und viel Sand jeden Zollbreit so sauber, daß das Holz im farbigen Sonnenlicht, das durch die leicht getönten runden Scheiben fiel, hell schimmerte. Ursula hatte all das prächtige Zinngeschirr und die Trinkgläser, die der Oheim Bernhart von den Welschen mitgebracht hatte, aus den Truhen geräumt und vor sich auf dem Tisch aufgestellt. Mit einem weichen Tuch und der geheimnisvollen Paste eines fahrenden Händlers rückte sie Schmutz und Flecken zu Leibe, bis alles glänzte. Da waren Trinkgefäße, Schenkkannen, Kühlbecken und Gewürzbehälter, die für den Sonntag fein säuberlich auf den niederen Wandbrettern und auf der Tresur aufgestellt werden sollten, um den Gästen zu zeigen, daß es die Familie Vogelmann zu mehr als nur erträglichem Wohlstand gebracht hatte. Deshalb war es auch sehr wichtig, den richtigen Wein und erlesene Kostbarkeiten zum Essen anzubieten.

Marie saß mit dem Kind auf der Eckbank, herzte und liebkoste es und sah endlich wieder glücklich aus. Anne Katharina wunderte sich sehr, daß Ursula ihre Freude darüber offensichtlich nicht teilte. Immer wenn die junge Mutter von ihrer Arbeit aufsah, huschte ein merkwürdiger Ausdruck über ihr Gesicht. War es Eifersucht? Hätte sie den Kleinen doch lieber selbst gestillt? Heimlich beobachtete Anne ihre Schwägerin. Nein, es war keine Eifersucht, fast hätte sie glauben können, es sei Haß. Doch das konnte nicht sein. Warum sollte sie Marie hassen? Vielleicht hatte es Ärger gegeben? Sie beschloß, ihre Schwägerin später zu fragen.

Als Marie zur hinteren Stube hinaufstieg, um das Kind in sein Körbchen zu legen, und Agnes beim Brunnen frisches Wasser holte, bot sich eine günstige Gelegenheit.

»Hast du Ärger mit Marie?« fragte Anne Katharina in möglichst neutralem Ton.

»Warum?« Ursula ließ die Hände sinken und sah ihre Schwägerin mißtrauisch an.

»Nun ja, du hast sie so seltsam angesehen.«

Ursula nickte langsam.

»Nun, eigentlich bin ich mit ihr sehr zufrieden. Sie geht behutsam mit David um, hat genug gute Milch und kümmert sich um ihn, ohne daß ich sie dazu auffordern muß. Aber ich habe immer das Gefühl, sie sieht mich so merkwürdig an. Ich kann es manchmal richtig fühlen. Neid, Eifersucht, Mißgunst – ich weiß es nicht sicher, vielleicht bilde ich mir auch nur etwas ein. Aber oft habe ich das Gefühl, daß sie mich beobachtet, jeden meiner Schritte überwacht.« Sie räusperte sich, ehe sie fortfuhr. »Als ich vor ein paar Tagen nach oben kam, fand ich sie in der kleinen Kammer, die jetzt, seit die hintere Stube zum Kinderzimmer geworden ist, als Schreibstube dient. Findest du das nicht auch sehr merkwürdig?«

»Ja, aber was soll sie denn mit den Büchern anfangen. Kann sie überhaupt lesen?« gab Anne Katharina zu bedenken.

Ihre Schwägerin schnaubte durch die Nase.

»So viel, um einen Heller von einem Gulden zu unterscheiden, allemal!«

»Du meinst, sie hat Geld gestohlen?« Das junge Mädchen riß entsetzt die Augen auf.

»Jedenfalls war nicht das in der Truhe, was laut den Büchern drin sein sollte.«

»O nein! Aber es muß nicht Marie gewesen sein.«

So ganz spontan fiel ihr ein Familienmitglied mit ständiger Geldnot ein, dem sie es durchaus zutrauen würde, eine Handvoll Münzen aus der Truhe genommen zu haben.

»Hast du mit Ulrich darüber gesprochen?«

»Ja, aber er wollte nichts davon hören. Und als ich heute noch einmal nachsah, da stimmten die Summen wieder überein!«

»Dann hat Ulrich vergessen, einige Ausgaben zu notieren«, folgerte Anne Katharina erleichtert, wobei ihr das sehr merkwürdig vorkam. Schon seit einigen Jahren führte das Mädchen die Bücher über das Salz und die Handelsgeschäfte mit Wein oder Korn, und immer hatte Ulrich betont, wie froh er sei, diese undankbare Schreib- und Rechenarbeit auf die Schultern seiner Schwester abwälzen zu können. Warum sollte er nun selbst die Bücher führen wollen? Anne Katharina grübelte, wann sie zuletzt in der Schreibstube gesessen hatte. Das lag ungewöhnlich lange zurück.

»Oder er deckt sie!« Ursulas Augen blitzten wütend auf.

»Wie meinst du das?«

»Ich meine, daß sie ihm schöne Augen macht und er keinen Weiberrock verschmäht …« Erschrocken schlug sie die Hand vor den Mund. Tränen schossen in ihre Augen. »Vergiß, was ich gesagt habe«, schluchzte sie. »Ich bin nur ein mißtrauisches, eifersüchtiges Weib.« Sie sah Anne Katharina mit rotgeränderten Augen an. »Glaubst du mir?«

Das junge Mädchen nickte, um sie zu beruhigen, doch der Stachel steckte und bohrte sich langsam tiefer. Als sie später mit Agnes in der Küche saß, platzte sie heraus.

»Was meint Ursula damit, wenn sie sagt, daß Ulrich keinen Weiberrock verschmäht? Begeht er die Sünde des Ehebruchs?«

Die Wangen der Magd röteten sich, und sie wandte sich rasch der brodelnden Suppe zu.

»Nun ja«, sagte sie nach einer Weile, da sie spürte, daß Anne Katharina auf eine Antwort drängte. »Die meisten Männer gehen von Zeit zu Zeit zu den freien Weibern, so auch die Ratsherren, wenn sie manchmal abends länger Sitzung halten. Das ist eben so. Auch wenn die Pfarrer sagen, daß Ehemänner nicht dorthin gehen sollen, ist es vielleicht doch keine Todsünde. Ich kann und will über den Herrn nichts Schlechtes sagen!«

Anne Katharina nickte stumm und hatte den ganzen Nachmittag neuen Stoff zum Grübeln.

KAPITEL 8

Tag des heiligen Grimo,
Samstag, der 2. März
im Jahr des Herrn 1510

Der nächste Tag war für die Frauen der Vogelmanns-
familie mit allerlei Arbeiten im Haus ausgefüllt,
auch solchen, die die Magd normalerweise allein verrich-
tete. Selbst die Amme mußte immer mal wieder mit anpa-
cken. Ursula war überall und unermüdlich. Sie beaufsich-
tigte alles streng, mahnte, schimpfte, griff mit zu. Kein
noch so winziger Fleck entging ihrem scharfen Auge.
Anne Katharina fürchtete schon, sie wolle auch die untere
Halle, in der noch so mancherlei Handelsware, viel Werk-
zeug und Gerät stand, von jedem Stäubchen befreien. Natürlich war es wichtig, beim Taufbesuch einen makellosen
Eindruck zu hinterlassen, würden doch viele hochrangige
Bürger und sicher auch einige der Junker kommen, um
dem Kind eine kleine Gabe zu überbringen und von den
Speisen und dem Wein zu kosten.
Na, wenigstens muß ich nicht mit Agnes zum Waschhäus-
chen an den Kocher hinunter, dachte Anne Katharina erleichtert. Diese unliebsame Aufgabe, das Leinen zu kochen und in der scharfen Seifenlauge zu schrubben, bis
die Finger rauh und rissig wurden, und es dann in dem
schneidend kalten Wasser gründlich zu spülen, war Marie

zugefallen. Anne Katharina wiegte derweil den plärren-
den David auf den Knien und schnitt mit einem scharfen
Messer gute Rinderleber und Hühnerfleisch für eine Pastete klein. Ursula saß ihr gegenüber, ihren feinen zartgrü-
nen Rock durch eine lange Schürze geschützt, und zerleg-
te einen fetten Kapaun.

»Wir sollten vielleicht doch etwas von dem Hammel-
fleisch mit gedämpften Zibeben und Muskat servieren.«

Da sie eher mit sich selbst sprach, begnügte sich das junge
Mädchen damit, ab und zu »Hm, wenn du meinst« zu
murmeln.

Schon seit Stunden rupfte, hackte und knetete Ursula
und plapperte fröhlich vor sich hin – wenn sie nicht gerade einen ihrer Helfer rügte, weil eine aufgetragene Arbeit
nicht zu ihrer vollsten Zufriedenheit ausgeführt wurde.
Jetzt war sie in ihrem Element. Seit Wochen hatte man sie
nicht mehr so heiter und gelöst erlebt.

»Ich könnte auch vom Latwerg ein paar Scheiben auftra-
gen. Du weißt, das, welches wir vom letzten Kirschsaft gemacht haben.«

Anne Katharina nickte und bearbeitete die Zutaten mit
dem Mörser heftiger, als es vielleicht nötig gewesen wäre.
Ihre Ungeduld war kaum mehr zu zügeln. Sie dachte an
Peter in dem kalten, finsteren Verlies. Wie gerne wäre sie
zum Großvater geeilt, um ihn um Rat zu fragen, doch Ursula ließ ihr keinen Augenblick freie Zeit. Anne Katharina hatte gehofft, die Besorgungen beim Krämer erledigen zu können, um diesen Gang dann etwas auszuweiten,
doch die Hausherrin hatte darauf bestanden, selbst zu gehen.

»Ich bin froh, daß ich Reis und Mandeln bekommen
habe, auch wenn es sündhaft teuer war, doch ich brauche
es Ulrich ja nicht zu erzählen.«

Warum hat sich Anna noch nicht gemeldet? Hat sie überhaupt versucht, etwas zu erreichen?

»Zum Glück wußte ich, daß erst vor kurzem ein Kaufmann aus Venedig zu unserem ehrenwerten Apotheker Meister Gessner gekommen ist. So konnte ich frischen Pfeffer, Nelken und Ingwer besorgen. Du wirst es nicht glauben, doch er verlangt für das Pfund Nelken fünfundzwanzig Batzen!«

»Hm, ja –« Ich muß heute noch zu Peter, und zwar bald. Wenn es dunkel wird, schließen sie das Brückentor. Ins Spital kann ich auch noch später.

»Morgen vor der Messe werde ich mit Agnes Schmalzgebäck machen. Ich hoffe nur, es sind noch genug Rosinen da.«

Wenn ich allerdings an Els denke, dann ist es mir nicht so wohl bei dem Gedanken, in finsterer Nacht durch die Stadt gehen zu müssen und vielleicht auf den Unbekannten mit seinem Messer zu treffen.

»Was hältst du von Ochsenzunge mit Zwiebeln, Knoblauch, Rüben, und Speck? Du müßtest dann allerdings losgehen und sehen, daß du noch Thymianhonig bekommst.«

Ich könnte mich ja von einem der Spitalknechte heimbringen lassen, allerdings erhöht sich dann die Gefahr, daß Ulrich merkt, wie spät ich heimkomme.

»Anne Katharina?«

Ist Maries Kind wirklich kaltblütig ermordet worden, und deckt Els den Mörder? Oder hat Afra recht, daß bei dem Tod des Senftenkindes nachgeholfen wurde. Oder beides?

»Anne Katharina! Ich habe dich etwas gefragt!«

Sie fuhr aus ihren Gedanken hoch. »Bitte? Entschuldige, ich habe nicht zugehört.«

»Das ist mir nicht entgangen!« Erbost drehte Ursula dem Kapaun mit einem Ruck den Flügel aus dem Gelenk.

»Ich wollte wissen, ob du mir Thymianhonig zur Zubereitung von Ochsenzungen besorgst.«

»O ja, natürlich.« Anne Katharina schob den Mörser von sich, sprang auf und warf die schmutzige Schürze auf die Bank. »Ich hole mir nur rasch ein paar Münzen aus der kleinen Truhe.«

Ursula sah sie mißtrauisch an.

»Du kommst aber gleich wieder! Wir haben noch genug Arbeit vor uns.«

Das junge Mädchen nickte, raffte die Röcke und eilte die Treppe zur Schreibkammer hinauf.

»Bleib hier! Ich bin mit dir noch nicht fertig!« hörte sie Ulrichs laute Stimme und wäre unter der Tür fast mit Marie zusammengestoßen, die mit hochrotem Kopf herausgestürmt kam.

Erstaunt trat Anne Katharina zwei Schritte zurück.

»Ich dachte, du bist mit Agnes unten am Waschplatz.«

»Ich wollte nur noch die Hemden der Herrin holen«, erwiderte die Amme gepreßt und war auch schon entschwunden. Verwundert sah ihr Anne Katharina nach, ehe sie in die kleine Kammer trat.

Ulrich saß vor dem aus schönem Kirschholz geschnitzten Sekretär und blätterte in den Büchern. Als er das Rascheln von Röcken hörte, schlug er das in dunkelbraunem Leder gebundene Buch rasch zu und schob es unter ein paar Pergamente, ehe er sich umwandte.

»Ach, du bist es. Ich dachte …«

Er beendete den Satz nicht, obwohl seine Schwester fragend die Augenbrauen hob. Statt dessen fragte er unwirsch:

»Was willst du?«

»Ursula schickt mich, Thymianhonig zu holen. Daher wollte ich aus der kleinen Haushaltstruhe ein paar Münzen nehmen.«

Ulrich nickte zerstreut und kramte in seinem Beutel.

»Reicht das?«

Es waren nicht nur Heller-, Halbbatzen- und Batzenstücke in seiner Hand. Sogar ein Goldgulden lag darin. Anne Katharina warf ihm einen schnellen Blick zu, nickte stumm und ließ die Münzen in ihrem Beutel verschwinden. Wo er wohl gerade mit seinen Gedanken weilte? An der Tür drehte sie sich noch einmal um.

»Es ist schon eine Weile vergangen, daß ich mich um die Bücher gekümmert habe. Der Neckarwein wurde geliefert, und du hast vom Moselwein an den Ochsenwirt verkauft. Auch fehlen unsere Käufe an Tuch. Ich werde mich gleich nach der Feier daransetzen, Ordnung in die Papiere zu bringen.«

Zu ihrer Überraschung legte er schützend seine Arme über den Bücherberg und wehrte ab.

»Nein, das ist nicht nötig. Ich brauche deine Hilfe nicht länger. Ich führe die Bücher in Zukunft lieber selber. Du kannst Agnes bei der Hausarbeit helfen.«

Anne Katharina schnappte voller Empörung nach Luft.

»Aber du warst doch immer so stolz, daß du mir all den unnützen Kram, wie du sagtest, überlassen konntest, und hast meine klare Schrift gelobt. Ich kann gut rechnen und habe alles mehrfach kontrolliert!«

»Ja, ich weiß, daß du sehr sorgfältig arbeitest«, wehrte er den Protest seiner Schwester ab und bemühte sich um ein Lächeln. »Ich sage dir Bescheid, wenn ich deine Hilfe brauche. Du kannst für mich nächste Woche einige Briefe schreiben …«

Erbost schlug Anne Katharina die Tür zu und rannte so

schnell die Treppe hinunter, daß sie fast über ihre Röcke gestolpert wäre. Warum wollte er plötzlich auf ihre Hilfe verzichten? Was hatte sie getan, daß sie statt dessen wie eine Magd Wäsche schrubben oder die Öfen reinigen sollte? Schon früher hatte er nie viel davon gehalten, daß Pater Hiltprand ihr Lesen und Schreiben, Rechnen und Latein lehrte, und doch war er so manches Mal froh darüber gewesen, daß er bei seinen Geschäften, sei es bei der Salzsiederei oder dem Handel, die lästigen Schreib- und Rechenarbeiten beruhigt in ihre Hände legen konnte. Die Einnahmen waren gestiegen, nachdem das junge Mädchen Ordnung in den Wust von Papieren und Zahlungen gebracht hatte, denn so manches Schlitzohr hatte den unerfahrenen Ulrich erfolgreich übers Ohr gehauen. Und das ist nun der Dank?

Anne Katharina hatte die Keckenstaffel schon hinter sich gelassen und den Hafenmarkt fast erreicht, als sich ihre Schritte verlangsamten und sie darüber nachzudenken begann, warum ihr Bruder es für nötig erachten könnte, sie von den Büchern fernzuhalten. Ursulas Klagen fielen ihr wieder ein und der Verdacht gegen Marie. War dies keine einmalige Angelegenheit? Würde es öfter Unregelmäßigkeiten geben? Wenn das Geld in der großen Truhe nicht stimmte, dann würde sie es als erstes bemerken. Nachdenklich biß sich das Mädchen auf die Lippen.

Hatte Ursula recht, daß Marie sich Geld nahm? Aber warum sollte Ulrich sie decken? Oder gab er ihr etwa Geld? Das konnte sie sich nicht vorstellen. Sicher war Ursula nur grundlos eifersüchtig. Für was könnte Ulrich so viel Geld brauchen, daß er es nicht aus der kleinen Haushaltstruhe nehmen konnte, wo er doch so viele Münzen nahm, um abends ins Wirtshaus zu gehen. Was gab es Teures, von dem er nicht wollte, daß es in den Büchern stand?

Vor dem Haus des Metzgers Seckel stand eine hochgewachsene, schlanke Frau, einen Einkaufskorb unter dem Arm, und scherzte mit dem alten Konz, der schon seit ein paar Jahren das Geschäft seinem Sohn überlassen hatte. Sie hatte regelmäßige Züge und sanfte braune Augen, ihr Mantel war von gutem, hellgrauem Wollstoff. Wären nicht die beiden gelben Streifen an ihrem Schleiertuch gewesen, jeder hätte sie für eine ehrbare Handwerker- oder Bürgersfrau halten können. Versonnen sah Anne Katharina zu der Hure hinüber. Wieviel Geld es wohl kostete, wenn sie den Männern zu Diensten war? Konnten die Ausgaben so groß sein, daß sie weit mehr ausmachten, als sowieso in den Wirtshäusern über den Tresen ging? Sie dachte an Agnes' Worte. Gerne wäre das Mädchen so mutig gewesen, die Frau zu fragen, doch allein schon der Gedanke rötete ihre Wangen. So sah sie der Frau nur nach, wie sie die Haalgasse hinunterging, und wunderte sich über das hocherhobene Haupt und den edlen Gang.

Den Honig in ihrem Bündel, schritt Anne Katharina über die Ritterbrücke zum Gerberturm. Sie hoffte, daß Volkhard wieder Wachdienst hätte, wurde jedoch enttäuscht. Der hochgewachsene, muskulöse Mann mit dem dichten braunen Haar, der oben auf der Brustwehr stand, erinnerte sie zwar beim ersten Blick an den ehemaligen Feurer, doch sie erkannte sofort, daß der Mann dort oben einige Jahre älter sein mußte. Unsicher, wie sie es anfangen sollte, entschloß sie sich, es erst einmal mit Hochmut, herrischem Auftreten und Geld zu versuchen. Der Wächter kam auch gleich zu ihr herunter, um nach ihrem Begehren zu fragen. Mit knappen Worten erläuterte das junge Mädchen ihren Wunsch und drückte dem Mann unauffällig den Goldgulden in die Hand, den es von Ulrich erhalten hatte.

»Gnädige Jungfrau Anne Katharina, Ihr wollt mich doch nicht etwa bestechen?«

Woher kennt er meinen Namen? Flammende Röte schoß in ihre Wangen, und sie stotterte, gar nicht mehr überlegen: »Ich dachte nur, Ihr wolltet nach der langen Wache in der Kälte einen Becher Wein trinken und …« Sie war so verwirrt, daß sie ihn mit »Ihr« anredete.

Das Lächeln um seine Lippen war ein wenig spöttisch, als er die Goldmünze in seiner Handfläche betrachtete.

»Ich glaube, Ihr habt nach der falschen Münze gegriffen. Ihr wolltet mir sicher einen Schilling oder einen Halbbatzen geben, nicht wahr?«

Erleichtert nickte sie, steckte die Münze wieder ein und gab ihm einen Halbbatzen.

»Und nun kommt, Ihr wollt sicher Euren Bruder sehen. Außerdem könnt Ihr gerne Rugger zu mir sagen.«

Verwirrt folgte Anne Katharina ihm die Treppe hinauf.

»Wer bist du?« fragte sie, als sie den rätselhaften, gutaussehenden Mann eingeholt hatte.

»Stadtknecht und Wächter der freien Reichsstadt Schwäbisch Hall Rugger Sultzer, mit dem Auftrag des Schultheißen Büschler, die nächtlichen Trinker und Raufbolde der Siedergesellen im Turm zu bewachen, gnädiges Fräulein.« Und mit einem Lächeln fügte er hinzu: »Und Volkhards Bruder. Ihr könnt mir vertrauen.«

Erleichtert, daß es für dieses Geheimnis eine solch einfache Erklärung gab, folgte sie Rugger in den Turm. Voller Ungeduld wartete das junge Mädchen darauf, daß der Wächter die Laterne am Seil in das Verlies hinunterließ. Der Gestank hatte sich seit dem letzten Mal verstärkt, doch was sie viel mehr beunruhigte, waren die Geräusche, die von unten heraufdrangen – hohles Husten und Räuspern, rasselnder Atem und Stöhnen.

»Beim heiligen Germanus, läßt du dich auch mal wieder blicken!«

Eine Mischung aus Flüchen, Husten und Dank an alle Heiligen, die er in den letzten Tagen um Hilfe gebeten hatte, drang mit einer Stimme zu Anne Katharina hoch, in der sie nur mühsam die ihres jüngeren Bruders erkannte.

»Ich habe alles versucht, war bei den Büschlers, ohne Erfolg, und Ulrich weigert sich immer noch, dir zu helfen.«

»Dann hast du dich eben nicht genug bemüht«, quengelte er wie ein kleines Kind. »Den Michel haben sie schon gestern rausgeholt!«

Das ist ja interessant!

Die Seyboths waren zwar mit den Vogelmanns die reichsten Sieder der Stadt, jedoch nicht im Rat vertreten. Trotzdem konnten sie – wohl mit einem guldengefüllten Beutel – ihren Sohn vorzeitig aus dem Turm herausholen.

»Wenn du mich noch einmal lebend sehen willst, dann hol mich hier raus, sofort!«

Er schien den Tränen nahe, als ihn der nächste Hustenanfall schüttelte.

»O Rugger, er ist ernsthaft krank. Was kann ich nur tun?«

»Nun ja, Decken und heißer Wein wären schon gut, aber das kann mich meine Stellung kosten – oder mich selbst in den Turm bringen.«

Anne Katharina griff nach seinen Händen, was sehr ungehörig war, doch unter diesen Umständen vielleicht gerechtfertigt.

»O bitte, hilf mir!«

Er hielt ihre Hände einige Augenblicke fest und sah sie mit seinen dunklen braunen Augen ernst an.

»Gut, ich helfe Euch. Volkhard muß jeden Augenblick zur Ablösung kommen. Dann besorgen wir heißen Wein. In der Truhe unten im Schuppen sind sicher noch alte Decken. Sonst könnten wir auch bei meiner Mutter ein oder zwei bekommen. Sie wohnt hier im Weiler.«

Anne Katharina ahnte, wieviel er riskierte, und bewunderte ihn dafür. Eifrig half sie ihm, die Decken, die zwar muffig und löchrig, aber sicher noch wärmend waren, zum Angstloch zu schaffen, und als Volkhard kam, begleitete Rugger sie zu einem Gassenwirt am Weilertor, wo sie heißen gewürzten Wein erstanden.

Nur wenig später knieten die beiden Wächter und das junge Mädchen am Angstloch und sahen zu den fünf Eingekerkerten hinunter, die, die Decken eng um sich gewickelt, im Kreis um die Laterne saßen und gierig den heißen Wein schlürften.

Rugger berührte sie leicht an der Schulter.

»Jungfrau Anne Katharina, Ihr solltet jetzt gehen. Die Tore werden bald geschlossen.« Erschreckt fuhr sie in die Höhe.

»Ich begleite Euch nach Hause«, sagte der Wächter bestimmt.

Sie fand es ein wenig dreist, doch irgendwie auch schmeichelhaft, daß er um ihre Sicherheit besorgt war.

»Du kannst mich bis zum Brückentor bringen«, sagte Anne Katharina bestimmt. Erstens wollte sie noch ins Spital, und zweitens hätte Rugger eine ungemütliche Nacht vor sich, wenn auf seinem Rückweg die Tore bereits geschlossen wären und er nicht mehr zurück in die Weilervorstadt gelangen konnte.

Galant bot er dem Mädchen den Arm und führte sie geschickt um den größten Straßenschmutz herum. Anne Katharina fand, daß er für einen Wächter ungewöhnlich gute Manieren besaß, und er lachte, als sie ihm das sagte.

»Das ist bestimmt der Einfluß der Ritter, in deren Gefolge
ich gegen die Eidgenossen und den Pfalzgrafen gezogen
bin.«

»Wie das?«

»Ich habe einige Jahre bei meinem Schwager, dem
Schmied in Beilstein, gelebt und bin daher unserem Her-
zog Ulrich in den Krieg gegen die Eidgenossen gefolgt.
Mein Schwager versteht was von Geschützen, so habe ich
viel gelernt. Für den Pfälzer Zug meldete ich mich, als der
Herzog gute Kanoniere suchen ließ.«

Es war eine nüchterne Feststellung, und sie glaubte ihm,
daß er gut war. Ruggers Stimme war warm und tief, und es
machte Freude, ihm zuzuhören.

»Berichte mir vom Krieg«, forderte sie ihn auf. »Ist es
nicht schrecklich aufregend? Erzähl mir, wie er war!«

Seine vollen Lippen teilten sich zu einem warmen Lächeln.

»Aufregend und schrecklich, da habt Ihr recht, und weit
weniger romantisch, als man von den Rittergeschichten
her meinen sollte. Die Wahrheit ist nicht für die Ohren
zarter Frauen bestimmt.«

In dem jungen Mädchen regte sich der Widerspruch,
denn als zimperlich wollte sie sich nicht verstanden wissen, doch er sprach schon weiter, erzählte vom größten
Geschütz, der Muffel, vor deren Büchsenwagen vierzehn
starke Pferde gespannt werden mußten und die Steine
von hundertsechzig Pfund auf den Feind schießen konnte. Auch vom Lager des Herzogs und von seinem prachtvollen Gefolge erfuhr sie. Der Weg zur Brücke war viel zu
kurz, und mit einem Hauch von Bedauern verabschiedete
sich Anne Katharina von ihrem Begleiter.

Sie war im Begriff, den Grasmarkt zu überqueren und
sich in Richtung Spital zu wenden, als die vierschrötige

Gestalt im dunklen Mantel, das einfache Barett tief ins Gesicht gezogen, ihr entgegenkam. Sie hätte den Mann fast berühren können, als er schnellen Schrittes an ihr vorbeiging und auf den Haal zustrebte. Es war die Art, wie er ging, wie er sich bewegte, die Anne Katharina herumwirbeln ließ. Ohne weiter darüber nachzudenken, folgte sie ihm, fest davon überzeugt, den Unbekannten vom Spital endlich erwischt zu haben. Dieses Mal würde sie nicht aufgeben, bevor sie nicht endlich sein Gesicht gesehen hatte. Sie war so aufgeregt, daß sie nicht an die Gefahr oder an die zahlreichen ungeschriebenen Regeln und Vorschriften dachte, die sie mit ihrem Verhalten grob verletzte. Es mußte gutgehen, wenn sie ihn heimlich beobachten würde.

Es war gar nicht so einfach, auf den hohen, hölzernen Sohlen dem großgewachsenen Mann zu folgen, ohne daß er sie bemerkte. Schon bald war Anne Katharina außer Atem. Im Gewirr der verwaisten, kalten Haalhäuser hatte sie Schwierigkeiten, ihn nicht aus den Augen zu verlieren. Ob er sich wieder mit dem Junker traf? Oder mit Els? Das Mädchen beschleunigte seine Schritte und betete darum, nicht im Morast auszurutschen. Schwungvoll eilte Anne Katharina um einen hohen Holzstoß und prallte dann so heftig gegen die männliche Brust, die unvermittelt vor ihr auftauchte, daß sie einen spitzen Schrei ausstieß, nach hinten fiel und mit einem schmatzenden Geräusch auf den aufgeweichten Boden plumpste. Schlamm spritzte nach allen Seiten, doch sie hatte keine Zeit, auf solche Kleinigkeiten zu achten. Eine eisenharte Hand umklammerte ihren Arm und zerrte sie hoch. Das unrasierte Gesicht unter dem Barett kam ihr so nahe, daß der faulige Atem ihr die Luft nahm.

»Du hast dich wohl verirrt, kleines Fräulein!« Die schwarzen, funkelnden Augen durchbohrten sie. »Oder warum läufst du sonst über den Haal – wo es außer uns beiden niemanden gibt!«

Anne Katharina versuchte, ihre Übelkeit zu bekämpfen und etwas Abstand zwischen ihr Gesicht und den Mund mit den fauligen Zahnstummeln zu bekommen. Sie war sich plötzlich nicht mehr so sicher, ob die Idee, ihm zu folgen, klug gewesen war, doch ein höllischer Dämon fuhr in sie, und sie sprudelte plötzlich eher tollkühn als mutig heraus:

»Ich sage nur ›Stürz den Degen‹ und ›Weck von Aschen‹, dann kann Er selbst sagen, ob ich mich verirrt habe.«

Sie wußte nicht, was für eine Reaktion sie erwartet hatte, diese jedoch übertraf alle Hoffnungen oder Befürchtungen. Der Mann knurrte böse wie ein wildes Tier, seine Finger schlossen sich um ihren Hals und nahmen ihr die Luft. Er war so kräftig, daß er das Mädchen ein Stück vom Boden hochhob und dann mit dem Rücken gegen die Bretterwand einer Siedenshütte drückte.

»Du kleine Ratte, sag sofort, was du darüber weißt!«

Unfähig, auch nur ein einziges Wort herauszubringen, war ihr einziges Bestreben, Luft zu bekommen. Der Mann lockerte seinen Griff etwas, hielt ihr jedoch die andere Hand drohend zur Faust geballt unter die Nase.

»Spuck's aus, mein Täubchen, sonst wird es dir noch leid tun!«

Er hat an der rechten Hand nur drei Finger. Die Erkenntnis durchfuhr sie wie ein Blitz. Er kann nicht der Fremde aus dem Spital sein! Der Griff um ihren Hals wurde wieder fester.

»Nun?«

Panisch suchte Anne Katharina nach einem Ausweg. Ihr Hals schmerzte, ihr Magen rebellierte, so daß sie nicht mehr in der Lage war, sich eine glaubhafte Geschichte auszudenken.

»Ich weiß gar nichts darüber«, krächzte sie. »Ich habe dich beim Eisräumen mit dem Junker Senft gesehen und diese Worte gehört. Sie blieben mir im Gedächtnis, weil ich sie nicht zu deuten wußte.«

»Ich glaub dir kein Wort«, knurrte er böse, ließ sie aber los.

Gequält schluchzend rieb das Mädchen sich den schmerzenden Hals und rang keuchend nach Luft. Immer noch zwischen ihm und der Bretterwand eingeklemmt, konnte sie sich kaum rühren. An Flucht war nicht zu denken.

»Der Teufel soll alle neugierigen Weiber holen!« fluchte er, doch Anne Katharina wagte nicht, sich zu bekreuzigen. Plötzlich trat er einen Schritt zurück, betrachtete seinen Fang von oben bis unten, schlug Anne Katharinas Mantel auseinander und fühlte den Stoff ihres Rockes zwischen den Fingern. Er wischte mit seiner verstümmelten Hand eine Träne von ihrer Wange, hob ihr Kinn und zwang sie, ihn anzusehen. Eine Art Lächeln ließ die schwarzen Zahnstumpen sehen.

»Wie ist denn dein Name, hübsches Fräulein?«

»Anne Katharina. Mein Bruder ist der Ratsherr Ulrich Vogelmann!« fügte sie trotzig hinzu.

»So, so. Du wirst daheim nichts von diesem Vorfall erzählen. Hast du das verstanden?«

Anne Katharina nickte kurz und machte Anstalten, an ihm vorbeizuschlüpfen, doch er drückte sie wieder an die Wand.

»Ich möchte das mit ein bißchen mehr Überzeugung hören.«

Sein ganzes Körpergewicht prallte gegen sie, als er seine widerwärtigen Lippen auf die ihren drückte. Sie spürte, wie er versuchte, mit seiner Zunge zwischen ihre Lippen zu dringen, und preßte die Zähne aufeinander. Sein übler Geruch trieb ihr schon wieder Tränen in die Augen, als er plötzlich wieder von ihr abließ und mit seiner verstümmelten Hand über das offene Haar strich.

»Kleine prüde Unschuld! Du willst das doch sicher auch bis zu deiner Hochzeitsnacht bleiben? Also, mach keine Dummheiten, denn sonst werde ich dich ganz schnell finden, und eh ich dir für immer die Luft aus deinem zarten Hals preß, werd ich dafür sorgen, daß du nicht als Jungfrau vor den Schöpfer treten mußt.«

Mit einem groben Griff an ihre Scham, der nur durch den dicken Stoff ihrer Röcke ein wenig gemildert wurde, bekräftigte er seine Drohung. Endlich war er überzeugt, sie genug eingeschüchtert zu haben, und trat zurück.

»Geh endlich!« fauchte er das Mädchen an, als sie sich nicht sofort rührte.

Blind vor Tränen schwankte, rutschte und taumelte sie davon. Erst als sie die ersten bewohnten Häuser der Haalgasse erreicht hatte, gestattete sie ihrem Magen, seinen Inhalt in schmerzhaften Wellen von sich zu geben, und besudelte den hübschen Rock. Sie fiel auf die Knie und weinte über ihr Elend. Es verging eine ganze Weile, bis sie sich soweit beruhigt und die Tränen getrocknet hatte, um nach Hause gehen. Wenigstens war es inzwischen so dunkel geworden, daß sie niemand mit ihren schlammbedeckten, von Erbrochenem stinkenden Kleidern und dem von Tränen und groben Händen geröteten Gesicht sah.

Der junge Mann, der die ganze Szene mit angesehen hatte, trat leise vor sich hinpfeifend aus dem Schatten und lehnte sich, die Arme lässig vor der Brust verschränkt, an die rauhe Holzwand.

»Hast du sie nicht ein wenig hart angefaßt?« fragte er beiläufig den Dreifingrigen. Der zuckte nur gelangweilt die
Schultern.

»Mußte sie doch ordentlich einschüchtern, daß sie nicht
gleich ihr Maul aufreißt. Außerdem war's doch ein ganz
leckeres Hühnchen.«

Der Schlag kam so schnell, daß er nicht ausweichen konn-
te. Er war nicht schmerzhaft, eher beleidigend, doch der
Dreifingrige ballte nur die Fäuste und beherrschte seine
Wut, wenn auch mühsam.

»Laß deine dreckigen Finger von den Junkers- und Bür-
gersfrauen. Wenn du einen Prügel in der Hose hast, dann
geh zu den freien Weibern oder zu Deinesgleichen in die
Vorstadt.«

»Ja, Herr«, knurrte er widerwillig.

»Und nun laß hören, was du in Erfahrung gebracht hast.«

Nur wenige Minuten später schlich Anne Katharina an
der Stube vorbei in die Küche, wo Agnes vor dem Herd
stand und in einem großen kupfernen Suppenkessel
rührte.

»Die Herrin ist sehr ungehalten. Sie hat Marie zum Spital
geschickt, um Euch dort zu ...« Während ihrer Worte hatte sich Agnes umgewandt. Als sie erfaßte, was sie sah,
brach sie unvermittelt ab.

»Heilige Jungfrau, sei uns gnädig!« stöhnte sie, als das
Mädchen in ihre Arme fiel.

»Ach, Agnes, was soll ich nur tun? Ursula wird weinen, Ulrich toben. Und den Honig habe ich auch verloren.« Sie
lachte hysterisch auf, dann flossen wieder Tränen.

»Dem Himmel sei Dank, daß Euer Bruder noch nicht im
Haus ist. Wir müssen die Herrin holen«, sagte die Magd
hilflos, während sie Anne Katharina beruhigend über das
Haar strich. Diese schüttelte heftig den Kopf.

»Nein, ich muß mich erst umziehen und waschen und …«
Sanft nahm Agnes ihre Hand und führte sie in die hintere
Stube, füllte ihr eine Schüssel mit warmem Wasser, half
beim Waschen und Umkleiden.
»Ich werde ihr sagen, daß ich ausgerutscht bin.«
Vorsichtig strich Agnes Fettsalbe auf die zerschundenen
Hände.
»Ja, das könnt Ihr, doch solltet Ihr darauf achten, in den
nächsten Tagen nur geschlossene Hemden und vielleicht
ein Brusttuch zu tragen.«
Anne Katharina griff an ihren schmerzenden Hals, ihr
Blick traf den der Magd.
»Soll ich Els holen?« fragte Agnes leise. »Ich meine, seid
Ihr …« Verlegen sah sie zur Seite.
»Ich bin immer noch Jungfrau Anne Katharina, falls du
das meinst.« Ihre Stimme klang rauh.
Die Magd nickte und räumte wortlos die schmutzigen
Kleider und das Waschwasser weg. Einige Augenblicke
starrte Anne Katharina regungslos auf die geschlossene
Tür, dann atmete sie tief durch und schritt mit hocherho-
benem Haupt hinunter zur Stube, in der Ursula wartete,
um ihrer pflichtvergessenen jungen Schwägerin die wohl-
verdiente Strafpredigt zu halten.

KAPITEL 9

Tag der heiligen Kunigunde,
Sonntag, der 3. März
im Jahr des Herrn 1510

Sie hatte schlecht geschlafen. Nicht nur die aufge-
schlagenen Knie und der schmerzende Hals hatten
ihr den Schlaf geraubt, auch die Dämonen böser Gedanken waren zu ihr gekommen, um in ihrem Kopf und Herzen ihr Unwesen zu treiben. So erwachte Anne Katharina
mit Kopfschmerzen und matten Gliedern. Noch einige
Augenblicke genoß sie die wärmenden Daunen, doch von
unten erklangen schon die Geräusche des beginnenden
Tagewerks, und die Glocken läuteten den heiligen Sonntag ein. Seufzend schlug sie die Decke zur Seite, wusch
sich Gesicht und Arme und begann sich für den für die
Familie so wichtigen Tag anzukleiden. Sie stand in ihrem
feinsten, bodenlangen Hemd vor der riesigen geschnitzten Truhe und überlegte, ob sie den tief ausgeschnittenen, dunkelblauen Surcot mit der Pelzverbrämung über
einem hochgeschlossenen weißen Seidenhemd anziehen
sollte oder doch den weitbauschenden, aprikosenfarbe-
nen Seidenrock mit geschlitzten Puffärmeln und einem
bestickten schwarzen Samtmieder?
Von unten erklangen aufgeregte Stimmen, so schlüpfte
sie rasch in den Seidenrock und schnürte bereits im Hin-

ausgehen notdürftig das Miederband um die silbernen Haken.

»O Peter, wie siehst du aus!« entfuhr es ihr, als sie die Stubentür öffnete und unter dem Dreck und den zerlumpten Kleidern ihren jüngeren Bruder erkannte. Er lachte rauh, streckte abwehrend die Hände aus und wollte etwas sagen, wurde jedoch durch einem Hustenanfall unterbrochen. Marie schob ihm ein weiteres Kissen unter den Kopf und drückte ihn sanft auf die Bank zurück, Agnes kam mit dampfendem Gewürzwein und einem heißen Ziegel für seine Füße. Die Hände in die Hüften gestemmt, stand Ursula mitten in der Stube und schüttelte den Kopf.

»Er kann hier nicht bleiben. Wir bekommen nach der Messe so viele Gäste, und alles muß noch gerichtet werden …«

Anne Katharina hatte den Eindruck, sie würde gleich in Tränen ausbrechen. Es schien ihr, als freue sie sich gar nicht, daß Peter zwei Tage früher erlassen worden waren. Ursula dachte nur an die Taufgäste und den Schmutz, den Peter mit hereingebracht hatte. Selbst Ulrich, der mit barschen Befehlen sonst schnell bei der Hand war, war anscheinend nicht in der Lage, den geordneten Fluß der Dinge wiederherzustellen. Also war es dieses Mal an Anne Katharina, die Sache in die Hand zu nehmen.

»Agnes, du bereitest Peter in der Küche ein heißes Bad mit den Kräutern aus dem blauweißen Krug, dann kümmerst du dich um die Speisen und Getränke. Marie, du richtest Peter ein Lager in der oberen Stube. Sieh zu, daß der Ofen ordentlich eingeheizt ist. Dann fegst du den Dreck zusammen, den er auf der Treppe und hier hinterlassen hat. Ursula und ich helfen uns heute gegenseitig, uns für die Messe fertig zu machen.«

Peter grinste schwach.

»Hast du das Zepter in der Hand, liebe Schwester?«
Sie kniff ihm in seine schmutzige Wange.

»Einer muß ja den Überblick behalten. Ich jedenfalls freue mich, daß du zurück bist, und werde nachher zwei Kerzen zum Dank entzünden – und ein wenig um Vergebung für deine Sünden beten«, fügte sie neckend hinzu.

Als hätten ihre Anweisungen die Unsicherheit vertrieben, kehrte emsige Geschäftigkeit ein. Ulrich half Agnes sogar, den schweren Waschzuber in die Mitte der Küche zu rücken, ehe er in den Keller verschwand, um den guten Wein für die Gäste heraufzuholen. Marie klapperte in der oberen Stube, Peter schlief selig auf der Bank, so blieb Anne Katharina nichts anderes übrig, als stillzuhalten, während Ursula ihr die langen Haare kunstvoll aufdrehte und in einem feingewirkten Haarnetz aus Silberfäden verstaute.

* * *

Es waren weit mehr Gäste in der blitzsauber und festlich gerichteten Stube, als der Rat für Tauffeiern genehmigte, doch da der größte Teil der Gäste aus Ratsmitgliedern, deren Ehefrauen, Söhnen oder Töchtern bestand, hatte Ulrich diese Übertretung durch einen gemeinsamen Umtrunk geregelt. Die Frauen bewunderten den Knaben und sein zartbesticktes Taufgewand gebührend, sprachen den süßen Speisen reichlich zu und klatschten dann über Kleider und Schmuck der Anwesenden, das zur Schau gestellte Geschirr, die Zubereitung der Speisen und verglichen die Deckenschnitzereien und Möbelstücke mit denen anderer Bürgerhäuser. Auch die Männer warfen einen pflichtschuldigen Blick auf den Erben, wenn auch mit weit geringerem Entzücken, richteten Grüße von lieben

Verwandten aus und übergaben kleine Geschenke, ehe sie sich dem Wein und der Politik zuwandten. Anne Katharina wanderte von einer Gruppe zur nächsten, wechselte hier und da ein paar Worte, bedankte sich für Komplimente über ihr Gewand, lobte hier eine kunstvolle Haube, dort einen prachtvollen Fürspan und lauschte mit einem Ohr dem Geplätscher der Nichtigkeiten.

»Der Stoff ist nahezu durchsichtig! Die Männer stieren geradezu auf ihre Brüste. Und sieh dir nur diese Brokatärmel an!« hörte Anne Katharina die Firnhaberin aufgebracht zu der farblosen Witwe Feyerabend sagen.

Sie folgte dem Blick der Frauen und konnte nicht umhin, die Pracht von Anna Büschlers Gewand zu bewundern. Mit hocherhobenem Kopf und sicheren Manieren trug sie den Anstoß der Empörung in mädchenhafter Anmut zur Schau.

»Die Mandelspeise war wirklich gut, doch die Pastete hätte noch etwas feiner sein können. Mit Krebsfleisch zum Beispiel.«

»Ich hätte sie mit Rosmarin gewürzt.«

»Auch ist Fruchtmus in Form von Blumen anzurichten schon wieder aus der Mode. Bei den Eisenmenger habe ich es letztes Mal in Form der gelben Singvögel, die sie in Italien kennen, gesehen. Das war allerliebst.«

Anne Katharina war froh, daß Ursula nicht in der Nähe stand und so die Kritik von Mutter und Tochter Seyboth nicht hören konnte. Sie überlegte gerade, ob die Männer der Familie Seyboth auch gekommen waren, als eine bekannte Stimme sie herumfahren ließ.

»Jungfrau Anne Katharina, der barmherzige Engel, der im Verlies erschien, um auch für uns im Finstern die Sonne scheinen zu lassen!« Der Tonfall verkehrte das Kompliment in Spott.

»Oh, der junge Michel Seyboth, der vor nicht allzu langer Zeit im stinkenden Unrat bittend auf den Knien lag«, gab Anne Katharina kühl zurück. Er ignorierte die Entgegnung und fragte statt dessen:

»Wie geht es Peter? Ich habe gehört, er ist seiner Familie ziemlich krank zurückgegeben worden. Etwas Ernstes?«

»Verständlich, daß Ihr fragt, schließlich könnt Ihr ja nicht wissen, wie es Euren Freunden geht, da Ihr ja leider vorzeitig aus dem Verlies gestiegen seid und Eure Freunde dort im Elend zurückgelassen habt.«

Das traf ihn. Für einen Moment gab er seine spöttische Miene auf und rief:

»Das ist nicht meine Schuld! Ich weiß nicht, wen Vater bestochen hat, doch die Büttel ließen trotz Bitten nur mich gehen.« Vielleicht schämte er sich seiner ehrlichen Worte bereits, denn er setzte neckend hinzu:

»Ich bin ja so untröstlich, daß ich nicht warten konnte, bis der rettende Engel zurückkehrte, denn sonst hätte ich mich für diese überaus interessante Feierlichkeit nicht rechtzeitig herausputzen können.«

Mit diesen Worten trat er einen Schritt zurück, auf daß sie sein prunkvolles Gewand und den verschwenderisch mit Federn verzierten Hut bewundern konnte.

»Ja, herausputzen«, nahm Anne Katharina das Wort auf und schürzte verächtlich die Lippen. »Geputzt seid Ihr wohl. Es hat sicher vielen Pfauen das Leben gekostet, um diesen lächerlichen Hut zu dekorieren.«

Er sog scharf die Luft ein und wollte etwas erwidern, doch Anne Katharina war noch nicht fertig und piekte ihm mit dem Zeigefinger auf die Brust.

»Wenn man eine so schmächtige Figur hat, dann braucht man natürlich länger, um sich das Wams so auszupolstern, daß man mit den von Natur aus gutgebauten Männern mithalten kann.«

Das war natürlich weit übertrieben, doch der Stich saß. Michel lief rot an und zischte:

»Ihr werdet noch genug Gelegenheit bekommen, um zu beurteilen, wie gut mich der Herr geschaffen hat!«

Dann drehte er sich um und stolzierte davon. Anne Katharina wollte gerade darüber nachdenken, was er mit den Worten gemeint haben könnte, als Afra Senft auf sie zusteuerte und ihr ein in Seidenpapier gehülltes Päckchen in die Hand drückte, das zwei liebevoll bestickte Häubchen und warme Bettschuhe für den Täufling enthielt.

»Liebste Anne Katharina, ich grüße dich. Die besten Wünsche und Gottes Segen für den Erben des Hauses Vogelmann, läßt Vater ausrichten.« Sie lächelte der Freundin verschwörerisch zu. »Die Worte der Berlerin waren nicht ganz so eindeutig als gute Wünsche zu verstehen, doch immerhin hat sie mich so lange in der Stube festgehalten, bis ich die Mützchen nach ihrem Wunsch ansehnlich genug bestickt hatte. Sie läßt sich übrigens wegen Unpäßlichkeit entschuldigen.«

Ihr Blick zur Stubendecke zeigte deutlich, was sie vom Unwohlsein ihrer angeheirateten Tante hielt.

»So, dann vertrittst du also heute die Familie unseres Lehensherrn?«

»O nein, einen Aufpasser haben sie mir natürlich mitgeschickt. Rudolf steht da drüben bei der Kindsmutter.«

Anne Katharina folgte ihrem Blick und entdeckte schließlich an der gegenüberliegenden Wand den ganz in Schwarz und Silber gekleideten Junker, der sich augenscheinlich glänzend unterhielt. Wenn er wie jetzt lächelte, dann hatte er sehr einnehmende Züge. Die betont schlichte, enge Kleidung brachte seinen schönen Körper gut zur Geltung, und Anne Katharina schien es, als wären Ursulas Wangen rosiger als sonst, doch vielleicht kam das auch von der Wärme, die der Ofen und die vielen Menschen ausstrahlten.

»Er ist eine sehr elegante Erscheinung«, sagte das junge Mädchen mehr zu sich selbst, doch Afra nickte zustimmend.

»Ja, wenn er sich nicht gerade mit Gabriel über Geld und Güter zankt.« Sie schürzte spöttisch die Lippen. »Da muß ich ganz schön lange nachdenken, bis ich mich an den Tag erinnere, da ich ihn das letzte Mal freundlich gesehen habe. Erst gestern hat er gedroht, Gabriel samt seinem mürrischen Weib mit dem Schwert den Kopf abzuschlagen, wenn sie ihn weiterhin wie einen unmündigen Knaben behandeln würden!«

»Aber so etwas sagt er doch nicht im Ernst.«

Anne Katharina war inzwischen überzeugt, daß man Afras Gerede nicht die mindeste Aufmerksamkeit schenken mußte, zu wirr und voller Phantastereien waren ihre Gedanken.

»Nur ein Spaß war es aber auch nicht. Nun ja, wenn, dann würde er diesen ekelhaften Alfred schicken. Ich weiß nicht, was er an dem ungehobelten Kerl findet. Überall steckt der seine Nase rein, schleicht herum, lauscht …«

Sie berichtete noch ein wenig über ihre Abneigung gegen Rudolfs Knecht, die schrecklich ungerechte Behandlung durch die Berlerin und würzte alles mit ein bißchen Klatsch über die anderen Junkersfamilien, doch die Vogelmannstochter hörte dem Geplauder nicht mehr zu. Sie ließ es einfach an sich vorbeirauschen, nickte ab und zu und dachte an Peter. Ulrich war dafür, den Bader holen lassen. Anne Katharina wäre der Rat von Els oder Pater Hiltprand lieber gewesen, denn so manches Mal kam ihr der Verdacht, daß es den Kranken nach des Baders Behandlung schlimmer ging als zuvor.

»… na, wenigstens wird Rudolf mit der Schönheit seiner zukünftigen Gattin mehr Glück haben, wenn das Gerücht wahr ist, daß er sich mit Helene von Rinderbach verloben wird …«, schnatterte Afra weiter, nicht im mindesten gekränkt, daß die Freundin nur stumm dazu nickte.

Hinter den beiden Mädchen schlenderten gerade Ulrich und der Nachbar zur Keckengaß, Ratsherr Baumann, vorbei.

»Es wird mit den Holzverlusten von Jahr zu Jahr schlimmer«, hörte sie ihren Bruder sagen. »Langsam glaube ich nicht mehr daran, daß sich manch einer der armen Bauern einen Stamm für das Herdfeuer aus dem Kocher fischt. Das riecht mir nach großem Betrug.«

»Das Thema muß bei der nächsten Zusammenkunft mit den Schenken auf alle Fälle noch einmal zur Sprache kommen«, pflichtete ihm Baumann bei.

»Ihr meint, die Schenken haben etwas damit zu tun?« Ungläubiges Staunen schwang in Ulrichs Stimme.

»Das habe ich nicht gesagt …« Alles weitere ging im Gewirr der Gespräche unter.

»Natürlich bleibt Württemberg im Bund!« drang die laute Stimme von Michel Seyboth nun zu Anne Katharina. »Der Herzog wird wieder ein Theater machen, um den Ständen möglichst viel Geld für seine Hofhaltung abzupressen, und dann mit einem langen Gesicht dem Schwäbischen Bund erneut beitreten. Ihr werdet es schon sehen. Württemberg braucht den Bund!«

Anne Katharina drehte sich um und sah, daß sich Peters Freunde und Leidensgenossen Hermann Eisenmenger und Jörg Firnhaber eingefunden hatten. Beide waren zwar noch ein wenig blaß um die Nase, doch sah man ihnen nicht an, daß sie noch am Morgen ein ungemütliches Lager im Turm geteilt hatten.

»Ja, und dann haben wir wieder keine andere Wahl, als ihm zu folgen, sonst sind wir von Mitgliedern des Bundes geradezu eingekreist«, nickte Jörg mit finsterer Miene.

»Ich glaube nicht, daß Herzog Ulrich im nächsten Jahr dem Schwäbischen Bund noch einmal beitritt«, mischte sich plötzlich Anne Katharina in das Gespräch ein. »Seine Widerstände waren bereits das letzte Mal so groß, daß ihn nur das Drängen des Kaisers umstimmen konnte.«

Die drei Männer starrten das Mädchen fassungslos an, das scheinbar gar nicht merkte, wie sehr sie damit gegen jede Regel des Anstandes verstieß. Herausfordernd sah sie die jungen Burschen an. Sie hatte es satt, immer nur mit Großvater hinter geschlossenen Türen über die wichtigen Fragen zu sprechen, die schließlich alle Bürger etwas angingen.

»Jungfrau Anne Katharina«, entgegnete Michel spitz, als er sich von seiner Überraschung erholt hatte, »wir sprachen weder von Küchengeheimnissen noch über die neueste Mode. Wir Männer haben uns über ernsthafte Politik Gedanken gemacht!«

Nach dieser Provokation war es ihr unmöglich, sich zurückzuziehen, und so erwiderte sie liebenswürdig:

»Deshalb habe ich mir auch die Freiheit genommen, Euch auf Eure schweren Irrtümer hinzuweisen.«

Michel schnappte nach Luft, doch Jörg fragte interessiert: »Wie kommt Ihr darauf, daß der Herzog dem Wunsch des Kaisers widerstehen wird?«

»Nun, der Herzog ist ein Fürst, dem es sehr mißfällt, sich mit anderen besprechen oder auf deren Wünsche Rücksicht nehmen zu müssen. Württemberg ist mit den Jahren immer größer und mächtiger geworden, und der Herzog weiß, daß viele der freien Städte auf gute Nachbarschaft mit ihm angewiesen sind. Ebenso ist es allgemein bekannt, daß viele der Städte nur darauf warten, den Bund zu verlassen. Reutlingen, Heilbronn, Wimpfen – und natürlich Hall. Sie würden ihm folgen und müßten dann nur mit ihm verhandeln, nicht mit dem Bund. Hat er ihnen gegenüber dann nicht eine viel günstigere Position? Wie die Städte, so will auch er die hohen Kosten vermeiden, die das Bündnis bringt. Immer wieder fremde Händel und Kriegsführung, für die alle Mitglieder des Bundes Geld und Männer zur Verfügung stellen müssen.«

Sie merkte, daß ihr Peters Freunde zuhörten, wenn vielleicht auch nur, um sich auf den ersten Fehler in ihrer Argumentation zu stürzen.

»Wenn der Herzog so eifrig darauf bedacht wäre, nur dem Kaiser zu gefallen, dann hätte er des Kaisers Nichte schon vor zwei Jahren an ihrem sechzehnten Geburtstag als Braut zu sich geholt, wie es bereits seit vielen Jahre festgelegt ist«, fügte sie noch hinzu.

Jörg sah Anne Katharina fragend an. »Ihr meint, der Herzog wird Sabina von Bayern nicht heiraten?«

Sie zögerte kurz.

»Das habe ich nicht gesagt. Ich glaube, er muß sie heiraten, will er nicht Habsburg und Bayern auf das schwerste kränken. Allerdings zeigt sein Zögern, daß er dem Kaiser zu widerstehen weiß ...«

Das junge Mädchen war mit seinen Ausführungen noch nicht zu Ende, als ihr älterer Bruder sie mit vor Wut zitternder Stimme unterbrach und barsch in die Küche befahl. Die Blicke der Geschwister kreuzten sich für einen Augenblick. Wut stand gegen Trotz und Ungehorsam, doch schließlich gab Anne Katharina nach, senkte den

Blick, verabschiedete sich von den Gästen und begab sich zu der Magd in die Küche. Am meisten ärgerte sie sich über den triumphierenden Blick des jungen Seyboths in ihrem Rücken. Doch da sie die Männer mit ihrem Unmut nicht erreichen konnte, mußte sich Agnes das Schimpfen und Zetern anhören.

»Sie könnte recht haben. Von dieser Seite habe ich das Problem noch nicht betrachtet. Daß unter einem Haarnetz ein solch klarer Verstand zu finden sein kann!«

Doch die Genugtuung, Jörgs letzte Bemerkung zu hören, war dem Mädchen nicht vergönnt.

Die ersten Sterne glänzten bereits am Himmel, als sich die letzten Gäste verabschiedeten und Anne Katharina endlich Gelegenheit hatte, nach Peter zu sehen. Mit fiebrig heißem Gesicht und geröteten Augen lag er apathisch da, wenn er nicht gerade von einem Hustenanfall geschüttelt wurde. Marie kniete neben der strohgepolsterten Matratze auf dem Boden und betupfte seine Stirn mit kühlem Essigwasser.

»Er hat so unruhig geschlafen, daß ich ihm das Lager auf dem Boden bereitet habe«, flüsterte sie, um den Kranken nicht zu stören, als sie die gerunzelte Stirn seiner Schwester bemerkte.

»Dann hättest du ihm aber auch ein zweites Daunenbett unterlegen können«, rügte Anne Katharina und nahm der Amme die Schüssel und das Tuch aus der Hand. »In meiner Kammer, in der hinteren Truhe, ist noch eines.«

Marie nickte und sprang sofort auf, um das Deckbett zu holen. Kaum hatte ihn seine besorgte Schwester warm eingepackt, rissen polternde Schritte auf der Treppe den Leidenden schon wieder aus seinem unruhigen Schlaf. Die Stubentür wurde so heftig aufgestoßen, daß sie an die Wand schlug und Peter mit einem Stöhnen auffuhr.

Ulrich hatte entschieden, den Bader Wüst vom Vorderbad herbeizurufen. Den Rat von Els oder gar Pater Hiltprand lehnte er strikt ab. Seine Gattin hingegen hätte gern die Magd Sara vom Nachbarn Baumann hinzugezogen. Mischte diese doch so manchen heilenden Spruch mit unter die Kräuter, die sie nach strengen Ritualen selbst sammelte, bei Vollmond oder Gewitter, barfuß und schweigend, ein Gebet oder eine magische Formel murmelnd, je nachdem, was die Heilwirkung verstärkte. Das alles flüsterte Ursula ihrer Schwägerin zu, wagte aber nicht, es vor ihrem Ehegemahl zu wiederholen.

»Aha, da haben wir ja den Kranken«, schmetterte der fast kahlköpfige Riese, der das Zimmer betrat, und näherte sich mit festem Schritt. Ein schmächtiger, blonder Knabe, vollbepackt mit allerhand Utensilien, die der Bader bei seinen Krankenbesuchen brauchte, folgte ihm auf den Fersen.

Der Bader kniete sich ächzend nieder und zog Peter mit einem Ruck das Federbett weg, ohne sich darum zu kümmern, ob er dessen männliche Scham entblößte. Da jedoch Marie den Kranken zu Bett gebracht hatte, trug er noch seine Bruech. Daher blieb seine Schwester am Krankenlager, als der Bader mit seinen riesigen Händen den Körper des jüngeren Bruders abtastete, ihm in den Hals und die Augen sah.

»Da sind deine Säfte aber ganz schön in Unordnung geraten, junger Freund. Daher muß ich dich, um alles wieder ins Gleichgewicht zu bringen, nun ordentlich zur Ader lassen. Des weiteren gebe ich dir eine Flasche Theriak. Jeden Tag nimmst du zwei Schluck und dann noch diese Kräuter zum Abführen in heißem Wein.«

Anne Katharina nahm die Medizin entgegen und nickte. Peter verzog angewidert das Gesicht.

»Wenn es nicht besser wird, dann muß ich in zwei Tagen zu einem weiteren Aderlaß wiederkommen. Doch nun bitte ich die Jungfrau zu gehen, damit wir anfangen können.«

Das junge Mädchen schüttelte nachdrücklich den Kopf.

»Ich bin nicht so zart, wie Ihr vielleicht annehmt, und kann Euch sehr wohl beim Aderlaß behilflich sein, Bader.«

Wendel Wüst sah sie zweifelnd an, sagte aber nichts mehr, winkte nur den Jungen heran, der schweigend die Utensilien, die der Meister für sein Werk benötigte, auf einem Hocker ausbreitete. Schaudernd betrachtete Peter die spitzen Lanzetten, Nadeln und scharfen Messerchen und warf seiner Schwester einen flehenden Blick zu, dem sie jedoch geschickt auswich. Seine Haut war so brennend heiß, sein Husten so quälend, daß er Hilfe unbedingt nötig hatte. Ob allerdings die Methoden des Baders die richtigen waren?

Der Bader Wüst blätterte mit ernster Miene in einem kleinen Notizbuch und breitete dann bunt bemalte Karten auf dem Tisch aus. Neugierig reckte Anne Katharina den Hals und sah mit Staunen einen nächtlichen Himmel mit leuchtenden Sternen, von denen mehrere in Gruppen mit goldenen Linien zu Sternbildern verbunden waren. Auch der Mond mit seinem wandelbaren Antlitz war abgebildet. Um den Himmel herum erschienen die Umrisse von Menschen, deren Inneres von merkwürdig blauen und roten, baumartig verzweigten Linien durchzogen wurden.

»Der Stand des Mondes und die Stellung der Sterne sind von entscheidender Bedeutung, um die richtige Zeit und die richtige Stelle für den Aderlaß zu bestimmen«, erklärte der Bader wichtig, als er den neugierigen Blick bemerkte.

»Auf keinen Fall darf man zum Beispiel am Tag des Albinus zur Ader lassen oder am Tag der Gudelind. Auch ist nicht jede Stelle des Körpers an jedem Tag bereit, die Säfte ungehindert fließen zu lassen. Die Stellung des Mondes und der Einfluß der Planeten dürfen nicht außer acht gelassen werden.«

Das junge Mädchen fühlte sich durch die Erklärungen nur noch mehr verwirrt, ließ es sich jedoch nicht anmerken, sondern hielt tapfer die glänzende Auffangschale, während der Bader mit seinem scharfen Messer Peters Arm ritzte. Dunkelrotes Blut quoll hervor und begann dann reichlich zu fließen, nachdem der Bader den Schnitt noch einmal erweitert hatte. Immer höher füllte sich die Schale, während die brennende Röte in Peters Gesicht nachließ. Doch die dunklen Schatten unter seinen Augen vertieften sich. Endlich versiegte der Blutfluß. Wendel Wüst strich eine Fettsalbe auf den Schnitt und band einen frischen Leinenstreifen fest um Peters Arm. Mit einem Seufzer der Erleichterung rutschte Peter wieder unter seine Daunen und schloß die Augen. Der Bader kümmerte sich nicht weiter um ihn, sondern beobachtete scharf, wie der Junge die Utensilien reinigte und wieder in seiner Tasche verstaute.

»Ihr könnt bei unserem ehrenwerten Apotheker Rosenwasser besorgen, um dem Kranken mehrmals täglich das Gesicht zu waschen«, fügte der Bader noch hinzu, als er Anne Katharina vorrechnete, was der Aderlaß, das Abführmittel und das kleine Fläschchen Theriak kosteten.

»Fünfzehn Batzen für das Theriak?« rief Anne Katharina erstaunt. »Stellt Ihr es selbst her?«

»Nein, ich erwerbe es von einem weitgereisten, ehrlichen Kaufmann, der sich für seine Echtheit verbürgt. Über neunzig heilende Ingredienzen sind von kundigen Händen mit Met vereint. Selbst das Pulver eines echten Einhorns wurde verwendet!« rühmte er die Medizin mit erhobenem Zeigefinger.

Letzteres wagte das Mädchen zu bezweifeln, wußte sie doch von Pater Hiltprand, wie gefragt das allheilende *unicornu verum* war und welch hohe Summen dafür den Besitzer wechselten. Das gefragte Horn kam meist von weit her aus Afrika. Anne Katharina versuchte sich vorzustellen, was für einen Aufruhr der Fund eines dieser sagenhaften Hörner hervorgerufen haben mußte, das kurz nach ihrer Geburt beim Umbau des Rathauses aus dem Erdreich befreit wurde.

»Es werden solche Mengen von Allheilmittel verkauft, daß in jeder Flasche nicht einmal ein Stäubchen eines Einhorns vorhanden sein kann«, pflegte Pater Hiltprand zu sagen. »So wie all die Holzsplitter vom Kreuz Christi, die in den unzähligen Reliquienschreinen aufbewahrt werden, einen ganzen Wald ergeben, müßten unsere Wälder über und über mit Einhörnern bevölkert sein, um deren Horn in die überall verkauften Medizinfläschchen zu füllen.«

Das Mädchen behielt seine Zweifel für sich und gab dem Bader die geforderten Münzen, die er grinsend in seinem Beutel verschwinden ließ. Wahrscheinlich entschied er beim Anblick des Kranken und bei der Schätzung dessen Vermögens, wie teuer Behandlung und Medizin sein würden.

Marie brachte den Bader zur Tür. Der Junge folgte ihm mit der schweren Tasche, stumm wie ein Schatten. Er hatte kein einziges Wort während der Konsultation verloren. Anne Katharina vermutete, daß sich der Bader als strenger Lehrmeister aufführte und das Los des Knaben nicht leicht war.

KAPITEL 10

Tag der heiligen Perpetua
und der heiligen Felicitas,
Donnerstag, der 7. März
im Jahr des Herrn 1510

*D*ie nächsten Tage hatte das Mädchen keine Zeit, über die zahlreichen Geheimnisse nachzudenken, die es schon so lange beschäftigten. Vielleicht war das nach der Begegnung mit dem Dreifingrigen auch ganz gut so. Die Krankenpflege nahm Anne Katharina so sehr in Anspruch, daß sie ohne Gewissensbisse die Erinnerungen und Fragen aus ihren Gedanken verdrängen konnte. Peter war ein ungeduldiger Kranker. Er jammerte über seinen Hals, die Schmerzen in allen Gliedern, über die sengende Hitze in ihm. Dann wieder fror er jämmerlich und schickte Anne Katharina nach mehr Wolldecken. Keine Speise war ihm recht, obwohl sich Agnes viel Mühe gab, Fleischbrühe und Apfelmus mit Mandeln kochte, Kräuter aufbrühte und Milchsuppe zubereitete. Er wollte entweder keinen Bissen anrühren oder verlangte nach einem gebratenen Kapaun. Nur den heißen Kräuterwein trank er gern und viel, denn dann fiel er in einen unruhigen Schlummer, aus dem er jedoch meist mit neuen Schmerzen erwachte.

Seine Schwägerin war so trüber Stimmung, daß sie den

halben Tag in der Kirche zubrachte, um für jedes Leiden des Kranken den richtigen Heiligen anzuflehen. Ganze zehn Batzen hatte sie von Ulrich für Kerzen erbeten. Am Kopfende des Krankenlagers lagen zwei winzige Holzschnitte, die den heiligen Blasius in seiner Bischofstracht zeigten, wie er das Kind vor dem Ersticken errettete, und die heilige Katharina mit Dornenkrone und Kruzifix. Trotzdem wollten weder die Halsschmerzen noch das Dröhnen in seinem Kopf weichen.

»Nein!« schrie er auf, als seine Schwester ihm mit kühlem Rosenwasser das Gesicht abwaschen wollte. »Komm bloß nicht an mein Ohr! Es sticht, als säßen tausend Teufel mit ihren Spießen darin.«

Seufzend ließ sie das duftende Tuch sinken. »Ich werde ganz vorsichtig sein.«

»Nein, geh und laß mich hier allein sterben.« Ein Hustenanfall schüttelte ihn.

Am Morgen hatte der Bader zum zweiten Mal das Haus der Vogelmanns in der Herrengasse konsultiert und noch einmal viel vergiftetes Blut herausfließen lassen, doch Anne Katharina schien es, als würde ihr geliebter Bruder trotzdem immer schwächer. Das Theriak zeigte keinerlei Wirkung, obwohl sie die Dosis schon zweimal erhöht hatte. Nur das Abführmittel des Baders hatte durchschlagenden Erfolg. Unvermittelt krümmte sich der Kranke, schlang die Arme um seinen Leib und kroch mehr, als daß er lief, hinter den Wandschirm, wo er, von zahlreichen Geräuschen und üblem Geruch begleitet, auf dem Nachtgeschirr Erleichterung fand. Als er sich wieder auf sein Lager geschleppt hatte und Anne Katharina mit zusammengebissenen Zähnen seine Hinterlassenschaft in den Hof trug, faßte sie einen Entschluß. Der Medicus war mit seiner Anhängerschar schon seit Wochen auf Reisen

von einer Universität zur anderen. Auf seine Rückkehr zu
warten, das hatte keinen Sinn, doch es mußte etwas geschehen, und zwar schnell – selbst wenn Ulrich sie prügeln und bei Wasser und Brot einsperren ließ, es war die
einzige Möglichkeit, die ihr einfiel.

Und so eilte sie nur wenige Augenblicke später zum Barfüßerkloster hinüber und klopfte energisch an die massi-
ve Holztüre. Holz scharrte, Metall quietschte, dann wurde
das kleine Schiebefenster in der Tür geöffnet.

»Gegrüßt sei Jesus Christus, Bruder Martin.«

»In Ewigkeit, Amen, Jungfrau Anne Katharina«, antwortete der dicke Mönch mit dem gutmütigen roten Gesicht.

»Ist es möglich, daß ich Bruder Hiltprand spreche?« fragte sie höflich, als das Scharren und Schaben bereits das
Öffnen der Tür ankündigte.

»Kommt herein, mein Kind, Ihr könnt im Gästezimmer
auf ihn warten. Wir haben Euch lange nicht mehr gesehen …«

Doch Anne Katharina verzichtete auf eine Erklärung. Was
hätte sie dem Mönch auch sagen sollen?

Die Hände in die weiten Ärmel seine Kutte geschoben,
schritt Bruder Martin schwerfällig vor ihr her. Seine ausgetretenen Sandalen klatschten leise auf den eiskalten
Steinplatten.

Das Mädchen mußte nicht lange warten, bis die riesenhafte Gestalt, deren athletischer Körper nicht einmal durch
die grobe Kutte verborgen werden konnte, den Raum betrat. Die leichten Falten, die sein gebräuntes Gesicht
durchzogen, ließen ihn nicht alt, sondern reif erscheinen.

Seine Stimme war tief und wohltönend, als er sie begrüßte.

»Liebes Kind, ich freue mich, dich nach so langer Zeit
wieder zu sehen.« Er küßte sie auf die Stirn. »Ich habe unsere gelehrten Dispute sehr vermißt.«

Anne Katharina sah ihn mißtrauisch an, ob er wieder einmal über sie spottete, doch sein Gesicht strahlte reine Freude aus, die sich jedoch rasch verdunkelte, als sie ihm von Peters Zustand und der Behandlung des Baders erzählte.

»Bader sind die dreizehnte Strafe Gottes!« knurrte der Minorit, sich der Gefahr der Gotteslästerung anscheinend nicht bewußt.

»Ich werde den Guardian um Erlaubnis bitten, mir deinen Bruder ansehen zu dürfen. Warte hier auf mich.«

Mit wehender Kutte eilte er davon und kam bald mit übergeworfener Kukulle und einer Umhängetasche zurück. Er schritt so schnell vor dem jungen Mädchen her, daß sie Mühe hatte, ihm zu folgen. Vor der Haustür angekommen, stießen die beiden fast mit der Magd zusammen, die Els im Schlepptau führte. Pater Hiltprand und die Hebamme betrachteten einander abschätzend. Anne Katharina wußte nicht, woher die gegenseitige Abneigung kam, denn den allgemeinen Haß auf Frauen, den Els ihm vorwarf, konnte sie bei dem Pater nicht feststellen, ganz im Gegenteil, er hatte sich rührend um ihre Bildung und Erziehung bemüht.

»Verzeiht mir«, Agnes war knallrot angelaufen und schlug die Augen nieder. »Ich weiß, daß der Herr dem Bader vertraut und daß der junge Herr von Els nichts wissen will, aber ich hatte solche Angst um sein Leben, daß ich mir erlaubt habe, sie trotzdem zu holen.

Anne Katharina war viel zu erstaunt über Agnes' eigenmächtiges Handeln, um an Schelte überhaupt zu denken. Besorgt sah sie die Hebamme sich in die Höhe recken und dem Gottesmann einen feindseligen Blick zuwerfen.

»Oh, der ehrenwerte Pater. Ihr habt Euch wohl verirrt. Die Kirche zum Beten und Lamentieren ist in der anderen

Richtung. Hier gibt es einen Kranken zu versorgen, an dem nicht noch ein Mannsbild herumpfuschen sollte!«

Anne Katharina überlegte fieberhaft, wie sie die beiden Heilkundigen, die sich wie zwei Kampfhähne kurz vor dem Angriff musterten, zu Peters Wohl an ihre Aufgabe erinnern konnte, doch Pater Hiltprand trat beherrscht einen Schritt zurück, senkte das Haupt und ließ die Frauen vor sich eintreten. Obwohl die Geste von Demut sprach, wie es sich für einen Minoriten gebührte, hatte Anne Katharina den Eindruck, daß nur die jahrelang geübte Disziplin sein Temperament zügeln konnte und es ihm sehr schwer fiel, auf diese Provokation nicht einzugehen. Während das Mädchen mit gerafften Röcken die Treppe hinaufeilte, konnte sie sich ein Lächeln nicht verwehren. Der gute Pater würde sicherlich ein paar Paternoster zur Sühne seiner hochmütigen Gedanken beten müssen. Die fast heitere Stimmung erstarb jedoch augenblicklich, als Anne Katharina die Krankenstube betrat und in das leichenblasse Gesicht mit den tiefliegenden, dunkel geränderten Augen blickte.

»O liebster Bruder!« rief sie aus und flog an sein Lager, von dem sie sogleich wieder von der grimmigen Hebamme verscheucht wurde. Wenn nicht die große Sorge um Gesundheit und Leben des Bruders gewesen wäre, Anne Katharina hätte die Komik der Situation aus vollen Zügen genossen. Els von links, Pater Hiltprand von rechts, fühlten sie den Puls des Kranken, betasteten seinen Hals, sahen in die Augen, Ohren und den Mund. Dazwischen lag ein ziemlich unglücklicher Peter, dem die Prozedur sichtlich mißhagte, doch er fühlte sich zu schwach, um zu protestieren. Pater Hiltprand schob die Decken beiseite, legte sein Ohr an Peters Brust und forderte ihn auf, tief zu atmen, dann zu husten. Seine Miene spiegelte Besorgnis wider. Els trat einen Schritt zurück, stemmte die Hände in die Hüften und sah den Pater herausfordernd an.

»Und, was ist Eure geschätzte Meinung?«

Pater Hiltprand erhob sich ebenfalls und richtete sich auf, so daß er die Hebamme um mehr als eine Haupteslänge überragte.

»Seine Krankheit ist schwer, die Lunge schon angegriffen. Zur Heilung sollte man Silberweidenrinde bei Meister Gessner besorgen und zu einem starken Sud kochen.« Er kramte in seinem Beutel und holte eine kleine, bemalte Dose heraus, ehe er weitersprach.

»Dann in den Wein diese Mischung aus Lindenblüten, Liebstöckel und Thymian geben. Am Abend kann er sich zum Einschlafen ein Schwämmchen mit Schierling unter die Nase legen. Gekochte Wacholderbeeren helfen, die Nase freizumachen, gesottene Raute aufgelegt gegen die Schmerzen der Ohren. Außerdem sollen heiße Steine unter der Decke ihn schwitzen lassen.«

Die Hebamme schüttelte den Kopf und wandte sich dann direkt an Anne Katharina. »Ihr kocht gegen die Halsschmerzen Schwarzwurzel mit Speck und Salz, um die Ohren bindet Ihr die Galle eines Rindes. Ein Schlückchen Branntwein hilft gegen die Heiserkeit. Gegen das Fieber und die Schmerzen gebe ich Euch ein Kräutersäckchen, das Ihr ihm in heißem Wein einflößen könnt. Jeden Mittag soll er ein heißes Bad mit Kamillenblüten und Salbei nehmen und sich danach mit Essig abreiben.«

»Was ist in dem Kräutersäckchen?« Die Stimme des Paters war beinahe drohend, als er fordernd die Hand nach dem Beutelchen ausstreckte.

»Holunder, Salbei, Alant, Baldrian, Scharfsgarbe und Schlüsselblume«, zählte Els auf und funkelte den Mann wütend an.

»Und was soll ich jetzt tun?« fragte Anne Katharina verzweifelt und sah von einem zum anderen.

»Heiße Bäder und die Kräuter der Hebamme werden ihm nicht schaden«, gab der Pater großzügig zu. Er blockte ihren Protest mit einer Handbewegung ab. »Die Rindergalle solltest du weglassen, ebenso den Branntwein. Auch die heilende Wirkung von Schwarzwurzeln mit Speck und Salz würde ich bezweifeln. Aber vielleicht muß man ja beim Kochen drumherum tanzen und magische Sprüche murmeln?«

»Ja, und vielleicht bindet sich der Junge aus Eurer Medizin ja einen Weidenbesen und fährt zum Fenster hinaus«, fauchte Els wütend, warf ihren Umhang über die Schulter und stürmte hinaus. Pater Hiltprand lachte, wurde aber schnell wieder ernst und betonte, wie wichtig es sei, noch heute mit der Behandlung zu beginnen.

»Ich begleite dich zu Meister Gessner. Wir sollten gleich aufbrechen.«

Anne Katharina liebte die Offizin des ehrenwerten Apothekers. Der halbdunkle Raum strömte etwas Magisches, Geheimnisvolles aus mit den deckenhohen, in unzählige Fächer unterteilten Regalen mit den blauweißen, runden Deckelgefäßen. Klare, steile Buchstaben auf deren bauchiger Mitte sprachen von ihrem wertvollen Inhalt. Auf einem Brett reihten sich Flaschen und Tiegel. Anne Katharina strich mit dem Finger über den Rand des riesigen Mörsers aus glänzendem Messing, der in einer Ecke auf dem Boden stand. Noch beeindruckender waren jedoch die furchteinflößenden Tiere aus fernen Ländern, die trotz ihrer leblosen Füllung mit blitzenden Zähnen und leuchtenden Augen dem Betrachter einen Schauder über den Rücken jagten, und so manch andere Merkwürdigkeit, die der Apotheker einem Krämer oder weitgereisten

155

Händler abgekauft hatte. Während Pater Hiltprand mit Meister Gessner sprach, betrachtete Anne Katharina voll Neugier und Abscheu eine große, mit klarer Flüssigkeit gefüllte Flasche, in der ein seltsames Wesen schwebte. Nur entfernt erinnerte es an ein menschliches Wesen, eher an eine mißratene Puppe – besser gesagt an eine und eine halbe Puppe, denn es hatte zwei Köpfe und vier Arme, jedoch nur einen Leib und zwei Beine. Im Glas daneben schwamm eine gebänderte Schlange mit weit aufgerissenem Maul, aus dem zwei lange, spitze Zähne ragten. Erst nach einer Weile wurde Anne Katharina klar, daß auch sie tot war. Das Mädchen schüttelte sich voll Grauen, sah noch kurz zu dem mächtigen Löwenkopf hoch und gesellte sich dann wieder zu den Männern. Der Apotheker zeigte dem Pater gerade ein Schälchen mit herrlich blauglänzenden Käfern, doch dieser schüttelte den Kopf.

»Nein, besten Dank, bereitet einfach den Rindensud und ein Schwämmchen mit Schierling zum Schlafen.«

Meister Gessner nickte, obwohl Anne Katharina den Eindruck bekam, er hätte dem Mönch gern noch mehr seiner exotischen Ingredienzen gezeigt, doch Pater Hiltprand verbeugte sich bereits zum Abschied. Der Apotheker versprach, seinen Buben mit der Medizin, sobald diese fertig sei, zum Vogelmannshaus zu schicken, und eilte in seine Alchimistenküche, wie der Pater sie zu nennen pflegt.

Die nächsten beiden Tage war keine Besserung zu sehen, und vor Sorge und Schlafmangel selbst schon ganz schwach, war Anne Katharina einem verzweifelten Weinkrampf bedenklich nahe, als am dritten Tag das Fieber endlich sank und Peter in einen langen, erholsamen Schlaf fiel. Von nun an ging es mit jedem Tag bergauf. Die

Hebamme und der Pater kamen immer wieder vorbei, um nach Peters Befinden zu sehen, doch zum Glück traf der Pater weder auf den Hausherrn noch mit der Hebamme ein weiteres Mal zusammen. Endlich, nach mehr als einer Woche, war der jüngste der Vogelmannsgeschwister wieder soweit, kräftige Nahrung zu sich zu nehmen und mit Agnes und seiner Schwester zu scherzen. Anne Katharina war so erleichtert, daß sie am hellen Tag auf ihr Bett fiel und, ohne sich zu rühren, bis zum nächsten Morgen schlief.

KAPITEL 11

*Tag des heiligen Josef,
Dienstag, der 19. März
im Jahr des Herrn 1510*

*A*nne? Anne Katharina!«
Es war noch früh am Morgen. Die Frühlingssonne erhob sich strahlend in den frischblauen Himmel, und die Vögel stimmten ihren schönsten Gesang an, als Anne Katharina hinter das Haus in den kleinen, schattigen Hof trat. Sie entleerte gerade ihr Nachtgeschirr in dem heimlichen Gemach, das die Familie Vogelmann mit ihrem Nachbarn, dem Ratsherrn Baumann, und dessen Magd teilten, als sie der durchdringende Ruf ihrer Schwägerin erreichte.

»Anne Katharina Vogelmann!« rief diese noch einmal.

»Ja, Ursula, ich komme!«

Die Röcke gerafft, eilte das junge Mädchen die steilen Stufen zur hinteren Stube hoch, in der ihre Schwägerin aufgeregt auf und ab schritt.

»Der Kleine fiebert, und Marie ist verschwunden«, faßte sie die unglückseligen Ereignisse des Morgens zusammen. »Ich habe sie heute noch gar nicht gesehen, und ich weiß nicht, wie ich David helfen kann.« Verzweifelt rang sie die Hände. »Jemand muß Els holen!«

Beruhigend legte Anne Katharina einen Arm um ihre

Schulter und nötigte sie, sich erst mal auf das Lotterbett vor den Ofen zu setzen.

»Vielleicht ist Marie schon früh aufgebrochen, um Kräuter für den Kleinen zu holen«, versuchte sie das Fehlen der Amme zu erklären.

Ursula nahm den weinenden Knaben aus seinem Korb und drückte ihn an ihren Busen.

»Kannst du nicht in die Vorstadt laufen und Els holen? Agnes ist am Brunnen. Wer weiß, wann sie zurückkommt.«

Sanft hauchte Anne Katharina der jungen Mutter einen Kuß auf die bleiche Wange und versprach, in nur wenigen Augenblicken mit der Hebamme und deren Kräuterköfferchen zurück zu sein. Sie legte sich nur einen Göller aus leichter Wolle um die Schulter und lief dann die vielen Stufen zum Kocher hinunter, überquerte ihn am Steinernen Steg, wo er sich in drei Arme aufteilte, und lief in der Vorstadt jenseits des Kochers zur Zollhüttengasse. Das junge Mädchen war völlig außer Atem, als es am kleinen Häuschen der Hebamme ankam. Die ein wenig schief in den Angeln hängende Tür war nur angelehnt. Anne Katharina klopfte zweimal an und trat dann ein. In der hohen Halle mit dem gestampften Lehmboden war niemand zu sehen. Der schwere Duft zahlreicher Kräuterbüschel, die überall zum Trocknen an den Wänden oder von der Decke hingen, lag in der Luft. Wie in so vielen Häusern lagerten hier unten auch allerlei Werkzeuge und Gerätschaften sowie ein alter klappriger Wagen. Anne Katharina hielt sich nicht lange auf, sondern stieg die schmale, knarrende Treppe hinauf, trat, Els' Namen auf den Lippen, zur offenen Stubentür und blieb dann, als wäre sie wie Lots Frau zur Salzsäule erstarrt, im Türrahmen stehen. Sie brauchte eine ganze Weile, bis sie den Schrecken erfaßte, der sich ihrem Blick bot.

In der Stube herrschte ein schreckliches Durcheinander. Über Tisch und Boden waren Tonscherben, Asche, Essensreste und Kräuter verstreut, zwei Schemel lagen umgeworfen neben dem altmodischen Ofen, vor dem auf dem Boden, zu einem Häufchen Elend zusammengekauert, die Amme Marie saß und heftig schluchzte. In der Mitte des Zimmers, in all dem Schmutz, kniete Margarete Schloßstein, des Baders Stetter Weib. Die sonst so forsche Frau mit ihrem oft losen Mundwerk war blaß und ausnahmsweise still. Ihre blutverschmierten Hände ruhten auf dem Rücken einer reglosen Gestalt, die ausgestreckt auf dem Boden lag, der Rock bis zu den Waden hochgerutscht, nur noch ein Holzschuh am Fuß, die leinerne Haube halb gelöst.

All das nahm Anne Katharina wahr, doch was ihren Blick fesselte und ihren Atem zu einem Stöhnen werden ließ, war der Rücken der Toten am Boden, denn daß sie tot sein mußte, war ihr sofort klar. Das einfache graue Gewand war an mehreren Stellen zerstochen und über und über mit Blut bedeckt. In Achselhöhe ragte schaurig der Griff eines langen Messers auf, wie man es zum Tranchieren von Geflügel oder ähnlichem verwendet.

»Heilige Mutter Gottes, ist es Els?« fragte Anne Katharina und unterdrückte nur mühsam ein Ächzen, als ihr bewußt wurde, daß auch die zahlreichen dunklen Flecken auf dem Boden, dem Tisch und selbst an den Bretterwänden Blut sein mußten.

Langsam kam Bewegung in die Schloßsteinerin. Mit einem Ruck wandte sie sich von dem grausigen Bild ab und erhob sich.

»Ja, das ist sie und dazu mausetot!« Mit grimmiger Miene wischte sie das Blut an ihrer schmuddeligen Schürze ab. »Der kann man eh nimmer helfen. Ich geh lieber, bevor

die Büttel überall ihr Nas reinstecken!« Und damit drängte sie sich an dem Mädchen vorbei und polterte die Stufen hinunter. Krachend fiel die Haustür ins Schloß.

Endlich gelang es Anne Katharina, ihren Blick von dem
Messergriff und den schrecklichen Wunden im Rücken
der toten Hebamme loszureißen. Die Lebenden bedurf-
ten nun der Aufmerksamkeit, deshalb ließ sie sich neben
Marie auf die Knie sinken, redete leise auf die noch immer Schluchzende ein, die sich gar nicht beruhigen wollte. Da erhob sie sich und versuchte es auf die barsche Art,
schimpfte mit harter Stimme und schüttelte die Amme an
der Schulter. Verwundert merkte Anne Katharina, daß
ihre Stimme nur ein kleines bißchen zitterte.

Teilnahmslos ließ sich die Amme hochziehen. Nur mit
Mühe konnte Anne Katharina einen Schrei unterdrücken, als sie Marie ansah, deren Gesicht und Hände, Rock
und Mieder über und über vom Blut der Toten besudelt
waren. Auf Maries Wangen hatten sich Blut, Tränen und
Asche vermischt und ihre hübschen Züge in eine Dämo-
nenfratze verwandelt.

»Ich habe gesündigt, und deshalb werden sie mich holen.
Sie werden mich töten«, jammerte die Amme und ließ ihren Tränen freien Lauf. »Am Galgen werde ich mein Leben aushauchen, die Raben werden an meinem toten
Körper fressen, und der Teufel wird meine Seele im ewigen Höllenfeuer martern.« Sie stöhnte gequält.

»Unsinn!« schimpfte Anne Katharina so überzeugend wie
möglich und überlegte fieberhaft, was sie mit ihr machen
sollte. In diesem Zustand konnte sie sie kaum mit zum
Schultheiß nehmen, denn daß jemand Konrad Büschler
oder einen seiner Büttel holen mußte, stand außer Frage.

»Das ist die Strafe. Sie werden sagen, daß ich die Els getötet habe, dabei wollte ich nur das Messer rausziehen. Ich

dachte, vielleicht lebt sie noch, doch dann war überall das Blut …«

»Es wird alles gut«, beschwichtigte das Mädchen die Amme mit mehr Kraft in der Stimme denn im Herzen. Anne Katharina schleppte die Weinende in die Küche und begann mit einer groben Bürste und viel kaltem Wasser, Blut und Schmutz von deren Haut zu schrubben. Willenlos ließ Marie es geschehen, doch sie flüsterte immer wieder etwas von einer großen Schuld, der Strafe Gottes und daß sie am Galgen oder im Feuer enden werde.

Wie die Schlangen aus dem tiefsten Höllenschlund regten sich in Anne Katharina üble Gedanken. Wieder einmal war ihr, als könne sie das Böse um sich herum spüren, dieses Mal jedoch viel stärker als vorher. Es war nicht allein die Bluttat, die sie erschreckte. Diese war nur der Ausdruck des Bösen, das, bisher noch verborgen, in den Herzen von Menschen schlummerte, denn daß die unsichtbaren Mächte mit Messer stachen, daran mochte das Mädchen nicht so recht glauben. Der Teufel mußte sich nicht selbst bemühen. Er bediente sich der Schwachen.

War Marie von Dämonen des Teufels besessen und hatte die Hebamme erstochen? Der Gedanke war wie Gift in Anne Katharinas Seele, das sich durch die Eingeweide fraß. Maries Worte, die schreckliche Angst vor dem Richter, das viele Blut an ihr, all das schien dafür zu sprechen, doch tief in ihrem Innern wußte Anne Katharina, daß die Lösung des Rätsels nicht so einfach zu finden sei. Ob der Schultheiß das auch so sehen würde? Sie fühlte berechtigte Zweifel, und die Erkenntnis drängte sich ihr so heftig auf, daß sie fast taumelte. Die einfachste Lösung war, Marie als Mörderin zu verurteilen. Dann war der Gerechtigkeit genüge getan und der Dorn, der den Junkern des Rats immer noch im Fleisch saß, endgültig beseitigt.

Doch was war mit dem Unbekannten? Der nächtlichen Drohung? Dem Haß zwischen zwei Brüdern und den toten Kindern? Hing das nicht irgendwie zusammen? Es mußte eine Erklärung für all diese Rätsel geben, und das Mädchen war fest entschlossen, diese zu entdecken.

Anne Katharina durchwühlte die Truhen der Hebamme und nahm einen leichten Umhang heraus, um das Blut auf den Kleidern der Amme zu verbergen.

»Lauf schnell heim, wasch dich gut, und zieh dir ein anderes Gewand an. Dieses hier verbrennst du am besten. Ich gehe zum Schultheiß, um Els' Tod zu melden.«

Mit unbeweglicher Miene, den Umhang, der ihr bis zu den Knöcheln reichte, fest um sich gewickelt, stieg die Amme langsam, fast schlafwandlerisch die Treppe hinunter. Sie wirkte wie ein verängstigtes Tier, das man in eine Ecke gedrängt hatte.

Ihrer ersten Sorge enthoben, sah sich Anne Katharina noch einmal im Zimmer um, vermied es aber so gut es ging, die schrecklichen Wunden zu betrachten. Warum diese Unordnung? Hatte ein Kampf stattgefunden? Aber warum war Els dann mehrmals in den Rücken getroffen? Hatte der Mörder etwas gesucht? Wenn ja, was? Sorgfältig sah sie unter jedem Kissen, am Ofen zwischen den Holzscheiten, unter der Bank und dem Tisch nach. Das mulmige Gefühl in der Magengrube wurde immer stärker und schwoll zu einer bedenklichen Übelkeit an. Anne Katharina wollte schon die Treppe hinunterstürzen, um ihren Mageninhalt nicht hier bei der Toten von sich geben zu müssen, als sie in Els' linker Hand, die zu einer Faust geballt war, ein Stück Papier herausragen sah. Die Übelkeit wich einem rasch klopfenden Herzen. Sollte sie die Tote derart entweihen und den Zettel an sich nehmen? Anne Katharina zauderte, doch dann siegte die Neugier.

Vorsichtshalber flehte sie jedoch ihre Namenspatronin um Schutz an, bevor sie versuchte, die Hand der Toten zu öffnen. Die Finger waren kalt und steif und ließen sich nicht bewegen.

»Els, vergib mir!« murmelte sie, und zog mit aller Kraft. Mit einem schaurigen Knirschen gaben zwei Finger nach.

»Heilige Jungfrau, was habe ich getan!«

Entsetzt starrte sie auf ihr Werk. Die in einem unnatürlichen Winkel abstehenden Finger schienen anklagend auf die Frevlerin zu zeigen. Furcht und Schrecken griffen mit eisigen Händen nach ihrem Herzen, als wollten sie es in ihrer Brust zerquetschen. Anne Katharina stöhnte auf. Rasch griff sie nach dem Papier. Es war ihr egal, daß es zerriß und ein Stück in der Hand der Toten zurückblieb, sie wollte nur noch raus, weg von diesem schrecklichen Ort. Laut das Paternoster betend, stolperte sie die Treppe hinab und rannte dann die Straße zum Kocher runter, bis ihr keuchender Atem und ein Stechen in der Brust sie zum Stehenbleiben zwangen. Als das Keuchen abebbte, schritt sie langsam weiter.

Während das hübsche junge Mädchen in seinem neuen hellblauen Rock mit den feinen Stickereien die Mauerstraße entlangging, grübelte sie über das Böse und den Tod nach. Rätsel über Rätsel, die sie nicht zu lösen imstande war, türmten sich vor ihr auf. Das Böse lauerte ganz in der Nähe, und mit einer schrecklichen Gewißheit wußte Anne Katharina, daß Els' Tod nicht der Anfang, aber auch nicht das Ende der Ereignisse war. Ihr Vertrauen in den Schultheiß und seine Büttel war gering, und auch von den Richtern das Rats erwartete sie nicht viel.

»Ich muß die Dämonen finden, die der Satan in unsere Mitte gesandt hat! Mit Gottes Hilfe wird es mir gelingen«, murmelte sie vor sich hin und wäre fast mit einem der

Henkersknechte zusammengestoßen, der mit dem Abdeckerkarren seine Runde durch die Vorstadt drehte. Gerade noch rechtzeitig brachte er den schweren, zweirädrigen Karren zum Stehen.

»Paß doch auf, Mädle!« schrie der lange Kerl, dessen viel zu weite Kleider um seinen mageren Leib schlotterten. Erbost fuchtelte er mit seinem Knüppel vor ihrem Gesicht herum.

Errötend murmelte Anne Katharina eine Entschuldigung und trat zur Seite, um ihn vorbeizulassen. Ihr Blick wanderte von dem ungewaschenen Mann zu dem sich mit Ächzen und Quietschen wieder langsam in Bewegung setzenden Wagen. Auf der Pritsche lagen zwei eben erst erschlagene Straßenköter. Blut und Hirn tropften aus den zerschmetterten Schädeln auf eine schon kaum mehr erkennbare Masse, die vielleicht einmal ein Schaf gewesen sein konnte. Als der süßliche Verwesungsgeruch in Anne Katharinas Nase stieg, krampfte sich ihr Magen in heftiger Pein zusammen, und mit einem Aufschrei stürzte sie zur Stadtmauer, um sich zu übergeben.

Kopfschüttelnd zerrte der Henkersknecht seinen Wagen weiter. So etwas war ihm noch nicht passiert.

* * *

Ihr Kopf dröhnte, als Anne Katharina die über und über mit Akten, Büchern und Pergamenten vollgestopfte Schreibstube des Schultheißen, verließ und über das Gespräch noch einmal nachdachte. Sie hatte genau erzählt, wie sie die Hebamme vorgefunden hatte, und auch Marie und die Schloßsteinerin erwähnt. Auf Maries Zustand war sie lieber nicht eingegangen. Sie hoffte, daß sich die Amme bis zu ihrer Vernehmung wieder gefaßt haben würde, und ein sauberes Gewand würde das Seine tun. Eigentlich wollte Anne Katharina dem Schultheiß noch von dem Unbekannten erzählen, der Els mit dem Messer bedroht hatte, doch er hörte gar nicht mehr zu, sondern wühlte eifrig in seinen Papieren.

»So, so, die Schloßsteinerin war bei der Toten. Das wundert mich nicht. Wußtet Ihr, daß sie im Verdacht steht, Hexerei zu betreiben?« Anklagend streckte er den Zeigefinger vor, so daß er das Mädchen fast berührte.

»Nein, ja, nicht so direkt«, stotterte Anne Katharina, über seine Reaktion völlig überrascht. Sie hatte zwar schon öfter Prahlereien über schwarze Künste und Verwünschungen aus dem Mund der Badersfrau gehört, doch das war nichts Besonderes. Sie war ein zänkisches Weib und sicher oft beleidigend, doch hätte das Mädchen nie ernsthaft in Erwägung gezogen, daß die Frau über wirkliche Macht verfügen könnte.

»Nun, der ehrenwerte Pfarrer Rüttinger von St. Katharina hat gestern gegen das Weib Anklage erhoben wegen Hader und Zank, übler Nachrede – und wegen Hexenwerk!«

Daß es für die ersten Anklagepunkte reichlich Grund gab, davon war das Mädchen überzeugt, doch Hexerei oder gar Mord?

»Was für Hexenwerk denn?« fragte Anne Katharina daher ungläubig.

Konrad Büschler zog das Pergament hervor, auf dem ein Schreiber die Anklagepunkte des Pfarrers vermerkt hatte.

»Sie hat den Prokurator Thomas Schmidt am Fuß geschädigt – das hat sie selbst zu ihm gesagt –, das Kalb der Kocherklauswitwe krank gemacht, bis es starb, die schwangere Frau vom Eulenhöver als Hure beschimpft und der Badermagd Veronica versprochen, ihr die ›gute Kunst‹ beizubringen. Und nun wahrscheinlich noch die arme Els zu Tode gehext!«

»Els wurde erstochen«, wagte Anne Katharina einzuwerfen, doch der Schultheiß wischte die Bemerkung mit einer Handbewegung weg.

»Was wissen wir über die Wege des Teufels und seiner Buhlen?«

Er straffte sich, und sein Ton wurde noch eine Spur amtlicher.

»Jungfrau Anne Katharina, ich werde Eure Aussage notieren lassen. Ich bitte Euch jedoch, jetzt zu gehen, denn ich werde die Verhaftung der Verdächtigen persönlich vornehmen. Den Bader werden wir vorsorglich auch mitnehmen. Schließlich muß er vom Unwesen seiner Frau gewußt haben!«

»Was passiert mit den beiden?«

»Nun, wir werden sie sicher verwahren und in ein paar Tagen gütlich verhören, damit sie ihre Untaten gestehen können. Wenn sie sich weigern, dann übergeben wir sie dem Scharfrichter zur peinlichen Befragung. Nach dem vollständigen Geständnis können die Richter das gerechte Urteil sprechen, und die Strafe wird vollzogen.«

»Und wenn sie nicht gestehen?«

Konrad Büschler zog die Augenbrauen hoch und sah das Mädchen nachsichtig wie ein kleines Kind an.

»Unser Scharfrichter versteht sein Handwerk, auch wenn er in Hall nicht oft Gelegenheit hat, es auszuüben! Meist dauert es nur wenige Stunden, bis alle Schandtaten ans Tageslicht kommen. Länger als eine paar Tage wird es auf keinen Fall gehen.«

Den Kopf voller Fragen und Ängste, trat Anne Katharina auf die Straße. Ihre Vorstellungen von einer peinlichen

Befragung waren sehr nebelhaft. Äußerst klar jedoch sah sie die schrecklichen Wunden der Hebamme vor sich. Der Schuldige hatte eine schwere Strafe verdient – doch wer war der Schuldige?

»Ich habe so ein ungutes Gefühl«, erklärte sie wenig später dem Großvater. Im Gegensatz zum Schultheiß hatte sie dem blinden Alten die ganze verworrene Geschichte erzählt, um ihn um seinen Rat zu bitten.

»Ich glaube nicht, daß die Schloßsteinerin Els erstochen hat. Warum sollte sie dann zurückkommen? Als Marie die Tote fand, war niemand da. Außerdem, wie paßt die Drohung des Unbekannten dazu? Meint Ihr, es wäre möglich, daß die Schloßsteinerin so lange gefoltert wird, bis sie etwas Falsches gesteht und womöglich für etwas bestraft wird, das sie gar nicht getan hat?«

Der ehemalige Richter saß kerzengerade auf seinem Stuhl und wiegte den Kopf hin und her.

»Nun, ich war in meiner Amtszeit bei mancher peinlichen Befragung dabei« – er preßte die Lippen aufeinander – »es ist nicht schön, aber notwendig – ich will dein zartes Gemüt nicht mit Einzelheiten belasten. Ich kann dir jedenfalls versichern, daß kein Sünder für etwas bestraft wurde, das er nicht vollständig gestanden hätte.«

»Das habe ich ja auch nicht bezweifelt«, sagte Anne Katharina leise.

Der Großvater seufzte schwer. Er sackte ein wenig zusammen und sah plötzlich sehr alt und müde aus.

»Ich erinnere mich an so manchen Fall, und ich kann dir sagen, daß mir die Teilnahme an den Befragungen immer zuwider war. Selbst bei den größten Spitzbuben konnte ich keine Befriedigung finden, wenn ihre Finger zerquetscht oder sie an der Waage aufgezogen wurden, bis alles in den Gliedern riß.«

Er schien vergessen zu haben, mit wem er sprach. Mit trockenem Mund, fasziniert und abgestoßen, hörte das Mädchen zu.

»Der Anblick der Elenden, die Schreie und der Gestank haben mich manche Nacht lang verfolgt. Doch schlimmer noch waren die Zweifel. Stundenlang, tagelang widerstand so mancher Angeklagte und leugnete die Vorwürfe, bis sein Körper, geschunden, gebrochen, gebrannt, kaum mehr für den Henker taugte. Einige mußten erst wochenlang gepflegt werden, bis sie auf eigenen Füßen den Weg zum Galgenberg oder zum Gelbinger Tor antreten konnten. Was andere oft als Verstocktheit sahen, rief in mir Staunen und sogar Bewunderung hervor. Haben die Dämonen der Hölle oder die Engel Gottes diesen Menschen die Kraft gegeben, solche Schmerzen zu ertragen? Zweimal mußte ein Angeklagter auf freien Fuß gesetzt werden, dem kein Geständnis zu entlocken war. Doch was für ein Leben hatten sie danach noch! Krüppel, auf die Mildtätigkeit anderer angewiesen! Sie mußten wie alle die Urfehde schwören, gegen niemanden, der mit dem Prozeß zu tun hatte, Rache zu sinnen, doch ich hätte es verstanden, wenn sie den Schwur gebrochen hätten. Was würde ich selbst unter solchen Qualen gestehen, nur um diese zu beenden?«

Seine letzte Bemerkung war nur noch ein heißeres Flüstern. Beide schwiegen für lange Zeit. Dann wagte Anne Katharina, die Stille zu brechen.

»Versteht Ihr nun, daß ich die Wahrheit finden will?«

Er nickte langsam.

»Als dein besorgter Großvater sage ich dir, es steht einer ehrbaren Jungfrau nicht an, sich um solche Dinge zu kümmern und ihre Unschuld und ihr Leben in Gefahr zu bringen. Sie sollte sich gehorsam und bescheiden mit

169

Weiberkram beschäftigen, nähen und sticken und dieses
Verbrechen der Justiz überlassen …«

»Aber Großvater!« rief Anne Katharina, enttäuscht und
wütend zugleich.

Ein verschmitztes Lächeln stahl sich in das faltige Antlitz,
als er, ohne den Einwurf zu beachten, weitersprach.

»… aber als ehemaliger Richter möchte ich dafür sorgen,
daß die Gerechtigkeit siegt und nicht ein Unschuldiger
für eine Tat büßt, die er nicht begangen hat. Der Büschler
ist sicher ein ehrenwerter Mann, doch ich glaube, ihm
fehlen ein wenig Phantasie und die Zeit, das verworrene
Rätsel zu lösen. Jemand anderes muß die Fäden entwir-
ren, daher erzähle ich dir etwas, das dich interessieren
wird.«

Das Mädchen rutschte ein Stück näher, um keines der
Worte zu verpassen.

»Es muß ein oder zwei Tage, nachdem die Senftenmagd
im Spital ihren Sohn geboren hat, gewesen sein. Ich tastete mich vom Krankensaal zu meiner Kammer und blieb in
der Nähe der Tür stehen, hinter der sie mit dem Kind lag,
als ich eine Männerstimme hörte, die mir unbekannt war.
Ich verstand seine Worte nicht, doch die Magd rief daraufhin erregt:

›Nein, nicht für alles Geld auf dieser Welt. Lieber sterbe
ich.‹ – ›Das wirst du auch, samt deinem Bastard, wenn du
dich weigerst! Weißt du nicht, wie reich die sind und was
für einen Einfluß die haben? Ich habe schon früh gelernt,
das Geld mitzunehmen, die Launen der Herrschaften zu
dulden und nicht nachzufragen. Bisher habe ich gut damit gelebt! Und du wirst es auch, wenn du dich nicht so
dumm anstellst.‹ – Sie weinte: ›Ich kann das nicht.‹

Ich hörte ein Klatschen, als habe der Mann sie geohr-
feigt.

›Du hast keine Wahl. Wenn es dir gutgeht und die Sache in Vergessenheit geraten ist, dann kannst du immer noch heiraten und neue Bälger in die Welt setzen.‹ – ›Will er es?‹ fragte sie schluchzend. – ›Ja, er will, daß du mir gehorchst und den Mund hältst!‹«

Der alte Mann räusperte sich, ehe er weitersprach.

»Ich ging in meine Kammer, um über das Gespräch nachzudenken. An wen sollte ich mich wenden? Wem sollte ich wieviel erzählen? Ich beschloß, auf dich zu warten. Die Stunden verrannen. Eine der Pflegerinnen brachte mir mein Abendbrot. ›Ist meine Enkelin heute nicht gekommen?‹ fragte ich sie. Schwester Martha war erstaunt. ›Eure Enkelin war vor kaum einer Stunde noch im Spital. Habt Ihr nichts von dem Aufruhr bemerkt? Der Kaplan und die Mutter Oberin waren sehr ungehalten, daß sie die Marie einfach mitgenommen hat, wo doch das kleine Würmchen noch nicht einmal unter der Erde ist.‹

Ich fühlte mich plötzlich sehr müde.

›Der Knabe ist tot?‹ fragte ich, obwohl ich die Antwort wußte. ›O ja, das arme Kindchen. Doch Eure Enkelin hat es rechtzeitig zum Herrn Kaplan gebracht, daß er es vor seinem Tod taufen konnte. Noch heute wird es hinter dem Spital begraben.‹«

Peter Schweycker hob in einer Geste der Verzweiflung seine Hände.

»Ich hätte den Tod des Kindes verhindern können und habe die Gelegenheit nicht ergriffen.«

Sanft streichelte Anne Katharina seine Hände.

»Aber warum habt Ihr mir das nicht erzählt?«

»Du kamst am nächsten Tag so fröhlich zu mir, erzähltest von Davids Geburt und wie sich Ursula für die Amme eingesetzt hat. Wie hätte ich da solche Unruhe stiften können, und wie hätte ich es beweisen können? Schwester

Dorothea hat nichts Auffälliges an dem Kinderkörper finden können.«

Das Mädchen nickte.

»Els hat das ebenfalls behauptet, doch Schwester Dorothea ist fast blind, und Els wurde bedroht – und ermordet.«

»Ich wußte ja nicht einmal, wer von beiden es getan hat!«

»Das ist doch unwichtig«, schrie Anne Katharina plötzlich.

»Sie hat es zumindest gewußt und zugelassen. Was ist das für eine Mutter, die ihr Kind nicht mit dem Mut eines Raubtieres verteidigt?«

Das Papier fiel ihr wieder ein, das sie in Els' Stube gefunden hatte, und sie schwenkte es vor des Großvaters Gesicht.

»Els hat das sicher auch gedacht!«

Der Blinde legten den Kopf schief.

»Was hast du da?«

»Diesen Zettel fand ich bei der Toten. Er ist oben abgerissen, doch ich lese Euch den Rest vor: ›... Da sprach die Frau: ,Ja Herr, teilt es in der Mitte durch, denn wenn es nicht mein wird, dann soll es auch ihr nicht gehören.' Doch die andere Frau rief: ,Nein, Herr, tötet das Kind nicht. Gebt es ihr lieber, denn alles ist besser, denn meinen Sohn zu töten.'‹«

Der Großvater nickte versonnen.

»Und der weise König Salomo gab den Knaben der zweiten Frau.«

»Ja, denn selbst diese Hure kämpfte für das Leben ihres Kindes! Ich werde Marie so lange zusetzen, bis sie mir die Wahrheit gesagt hat!«

Mit großen Schritten stürmte Anne Katharina nach Hause. Sie war wütend und entsetzt. Hatte sie sich nicht für die Magd eingesetzt, als sie ins Verlies mußte? Hatte sie nicht immer an ihre Unschuld geglaubt und sogar noch vor wenigen Stunden alles getan, damit sie nicht unschuldig in die Hände des Scharfrichters geriet? Und nun das! Das vage Unwohlsein verdichtete sich immer mehr zu einer Überzeugung: Marie war nicht nur am Tod ihres Kindes schuldig, sie hatte auch die Hebamme feige und grausam von hinten ermordet.

Und ich habe ihr vertraut!

Verletzter Stolz brannte heiß in ihr.

Doch aus der herbeigesehnten Aussprache wurde erst einmal nichts. Sobald das Mädchen das Haus betrat, stürmten Ursula, Peter und Agnes ihr entgegen und drängten sie, ihnen alles genauestens zu erzählen. Sie hatten von Marie keine vernünftige Erklärung bekommen, doch deren Zustand ließ Furchtbares ahnen. So berichtete Anne Katharina zum dritten Mal, was sie in dem kleinen Haus in der Zollhüttengasse vorgefunden hatte. Sie erzählte auch von ihrem Besuch beim Schultheiß und der bevorstehenden Verhaftung der Schloßsteinerin, nur von ihrem Gespräch mit dem Großvater berichtete sie nichts. Erst wollte sie mit Marie sprechen.

Endlich war die Neugier der Familienmitglieder soweit befriedigt, daß sie von ihr abließen und sie nach oben gehen konnte. In der kleinen Stube fand Anne Katharina jedoch nur den friedlich in seinem Korb schlafenden David. Auf dem Tisch lag eine angefangene Näharbeit. Das Mädchen überlegte gerade, wo sie nach Marie suchen sollte, als sie Stimmen aus der Schreibkammer vernahm. Lautlos trat Anne Katharina an die Tür und näherte, mit einem Hauch schlechten Gewissens, doch einer fast übermächtigen Neugier, ihr Ohr dem glatten Holz.

»Bitte, Herr, laßt mich jetzt gehen«, hörte sie Maries weinerliches Flehen und gleich darauf Ulrichs barsche Stimme.

»Du bist undankbar! Statt mit Rutenhieben aus der Stadt gejagt zu werden, wie du es verdient hättest, gebe ich dir ein Heim. Du hast ein Dach über dem Kopf, Essen und Kleidung, dafür kann ich doch wohl ein bißchen Entgegenkommen von dir erwarten.«

Anne Katharina hörte die Amme weinen und wurde zwischen dem Wunsch, ihr zu helfen, und der Hoffnung, mehr zu erfahren hin- und hergerissen.

»O Herr, seid gnädig und drängt mich nicht weiter.«

Ulrich verlegte sich aufs Schmeicheln. Es hörte sich fast wie das Schnurren eines Katers an.

»Marie, du bist doch ein kluges Weib. Was fordere ich schon von dir? Wieviel mehr bedeutet es, ein gesichertes Leben zu führen. Nun komm schon und setz dich zu mir. Du brauchst keine Angst haben, es wird niemand erfahren. Ich verspreche es dir.«

Sein Bitten schien nicht den gewünschten Erfolg zu haben, denn er stieß ein wildes Knurren aus, und Anne Katharina hörte seinen schweren Schritt, als er die Kammer durchquerte.

»Du tust ja gerade so, als wäre ich der Leibhaftige!«

Als Marie einen Schrei ausstieß, hielt das Mädchen es nicht mehr aus und riß die Tür auf. Marie stand mit dem Rücken an den Sekretär gedrängt, Ulrich dicht vor ihr. Für einen Moment waren die beiden wie erstarrt, doch dann kam Leben in die junge Frau. Ungestüm wand sie sich, um sich aus Ulrichs Griff zu befreien, und stürmte dann an Anne Katharina vorbei, rannte die Treppe hinunter und lief aus dem Haus. Die Geschwister starrten sich stumm an. Anne Katharina fröstelte, als sie die Wut und den Haß in des Bruders Blick las.

»In diesem Haus ist es immer noch Sitte anzuklopfen, bevor man die Schreibstube betritt.«

Klirrende Kälte schlug ihr entgegen, doch sie tat so, als bemerke sie es nicht.

»Liebster Bruder, ich habe dich gesucht. Ich brauche deinen Rat.«

»In welcher Angelegenheit, wenn ich fragen darf?«

Mißtrauen schwang in seiner Stimme.

»Du hast sicher schon vom Tod der Hebamme gehört. Nun, ich war beim Schultheiß und – nun ja, du hast da mehr Erfahrung, um mir zu sagen, ob ich mich richtig verhalten habe. Auch könntest du mir raten, was ich sagen soll, wenn ich noch einmal zu ihm muß, um meine Aussage von einem Schreiber aufnehmen zu lassen.«

Sie sah ihn so unschuldig an wie nur möglich, und seine Züge entspannten sich.

»Du tust gut daran, zu mir zu kommen. Setz dich, dann können wir alles in Ruhe besprechen.«

Anne Katharina ließ sich auf einen weich gepolsterten Scherenstuhl sinken und strich ihre Röcke glatt. Äußerlich sah man ihr nicht an, daß sie nur darauf brannte, Marie zu suchen, um sie auszufragen.

KAPITEL 12

Tag der heiligen Irmgard,
Mittwoch, der 20. März
im Jahr des Herrn 1510

D en ganzen Tag fand ich keine Gelegenheit, mit ihr
ungestört zu reden«, beschwerte sich Anne Katharina, als sie am anderen Morgen in der Kammer ihres Großvaters saß. Er schien heute ein wenig geistesabwesend zu sein, und sie war sich nicht ganz sicher, ob er ihr überhaupt zuhörte, als er plötzlich mit einem Ruck den Kopf in ihre Richtung wandte und seine Enkelin anzusehen schien.

»Du bist also fest entschlossen, den Dingen auf den Grund zu gehen.« Er seufzte. »Da du den Dickkopf deiner Großmutter zu haben scheinst, werde ich wohl kaum Erfolg haben, wenn ich dich bitte, davon Abstand zu nehmen.«

Abwartend schwieg das junge Mädchen, griff jedoch nach seiner suchenden Hand, um ihm zu zeigen, daß sie zuhörte.

»Trotzdem bitte ich dich: keine nächtlichen Verfolgungen mehr! Ich möchte, daß du bei Dunkelheit zu Hause bist oder einen verläßlichen männlichen Schutz hast. Du könntest ja Peter mitnehmen.«

»Pah, der ist doch nur an sich und seinem Kram interessiert. Bisher hat er mir noch jede Bitte abgeschlagen. Ich würde ihn ja gerne dazu bringen, seine Siederfreunde ein wenig auszuhorchen, doch ich glaube nicht, daß ich mit solch einem Vorschlag bei ihm Erfolg haben werde. Manchmal glaube ich, ich bin ihm nur lästig, es sei denn, ich kann etwas für ihn tun!«

Der Großvater nickte langsam. Ein wehmütiges Lächeln huschte über sein Gesicht.

»Es ist nicht leicht, mit den Männern der Familie Vogelmann zu leben, nicht? Deine Mutter … Nein, das gehört jetzt nicht hierher. Versprich mir, daß du nicht leichtsinnig bist!«

»Ja, lieber Großvater.«

Die Worte kamen leise und demütig, wie es von einer Jungfrau erwartet wurde, doch der alte Mann spürte den inneren Widerstand.

»Großvater, habt Ihr die Worte ›Stütz den Degen‹ oder ›Weck von Aschen‹ schon einmal gehört?« fragte Anne Katharina schnell, um ihn davon abzuhalten, noch weiter Versprechen einzufordern.

Mit gerunzelter Stirn dachte er nach, doch dann schüttelte er den Kopf.

»Nein, vielleicht sind es Losungsworte oder verschlüsselte Botschaften.«

Sie seufzte enttäuscht.

»Schade, Ihr wißt doch sonst immer alles.«

Der Alte lächelte geschmeichelt, wehrte aber ab.

»Davon kann keine Rede sein. Ich wehre mich nur dagegen, hier lebendig begraben zu sein, weil ich nicht mehr sehen und nicht mehr unter die Leute gehen kann.«

»Deshalb komme ich ja auch, sooft es mir möglich ist«, sagte seine Enkelin warm und umarmte ihn. »Trotzdem muß ich jetzt gehen, wenn ich nicht wieder einen bösen Streit mit Ulrich riskieren will.«

Der Großvater nickte, hielt sie jedoch zurück.

»Einen Augenblick noch. Ich habe interessante Neuigkeiten für dich. Der Bader Stetter wurde gestern verhaftet und verhört, dann jedoch wieder freigelassen. Auch die Schloßsteinerin haben sie gütlich verhört, doch sie weigert sich, ihre Untaten zu gestehen. Nur das Fluchen und so manches böse Wort hat sie zugegeben. Jetzt sitzt sie im Sulverturm, bis alle Zeugen vernommen sind und man sie wieder befragen wird.«

Als seine Enkelin gegangen war, saß der alte Mann noch lange reglos auf seinem Stuhl und dachte nach. Er tat sich schwer mit der Entscheidung, doch als die Schwester mit dem Nachtmahl eintrat, hatte er sich entschieden und bat sie um einen Gefallen.

* * *

Möglichst geräuschlos öffnete Anne Katharina die Tür und schlüpfte in die hohe, dunkle Halle. Sie strebte dem trüben Lichtschein zu, der vom oberen Stockwerk herab warm und einladend über die Treppe fiel, als sie das Geräusch eines unterdrückten Kicherns und das Scharren von Füßen auf dem steinernen Boden zurückhielt. Wer konnte das sein? Sie hielt den Atem an und lauschte. Das Raunen einer gedämpften Männerstimme drang zu ihr, dann das leise Rascheln von Stoff und wieder Gekicher. Die Quelle der seltsamen Geräusche mußte hinter den großen Weinfässern zu finden sein, die den süßen Neckarwein bewahrten, den ihr Bruder Ulrich aus Heilbronn und Wimpfen hatte bringen lassen. Der Handel mit Wein brachte im Jahr mindestens so viele Goldgulden ein wie der Verkauf der gesottenen Salzschilpen. Wußten doch schon die Kinder auf der Straße, daß fingerlang Handel mehr einbringt als armlang Handwerk.

Leise tastete sich Anne Katharina an den Fässern entlang, ängstlich darauf bedacht, kein unnötiges Geräusch zu verursachen. Neugierig lugte sie um die Ecke. Ein Binsenlicht an der Wand verdrängte mit seiner kleinen Flamme die tiefen Schatten ein wenig, aus denen sich zwei Menschen schälten. Überrascht blieb Anne Katharina stehen und unterdrückte noch rechtzeitig einen Ausruf des Erstaunens. Vor ihr, mit dem Rücken an ein über mannshohes Faß gelehnt, stand Agnes. Die Haube der Magd war verrutscht, und ein paar brünette Haarsträhnen hatten sich aus den aufgewundenen Zöpfen gelöst, die ihr nun über die nackten Schultern bis auf die entblößte Brust herabhingen. Die im flackernden Licht unter ihrem offenen Hemd und dem gelockerten Mieder rosig schimmernde Brust hob und senkte sich hastig. Große Hände griffen nach den Brüsten, drückten sie so heftig, daß die Magd stöhnte. Trotz des trüben Lichts erkannte Anne Katharina den Mann, der ihr den Rücken zukehrte, sofort. Ihr älterer Bruder gab dieselben merkwürdigen Grunzlaute von sich, die Anne Katharina schon öfter aus der ehelichen Kammer vernommen und die ihr immer ein Rätsel gewesen waren.

Ulrich Vogelmann beugte sich vor, zerrte ungestüm an dem störenden Stoff, küßte den Hals und die Schultern der Magd. Dann wanderte sein Mund tiefer, strich über die üppigen Brüste, stülpte sich über eine der festen, dunkel aufragenden Brustwarzen. Wie ein hungriger Säugling begann er zu schmatzen und zu saugen. Anne Katharina spürte, wie ihr Mund trocken wurde und ein seltsam warmes Gefühl in ihrem Schoß aufzusteigen begann. Die Anspannung war so groß, daß sie sich auf die Lippen biß. Das Mädchen wußte, daß sie sich jetzt zurückziehen sollte, doch die Neugier hielt Anne Katharina fest. Endlich würde sie Antwort auf die Fragen bekommen, die sie seit langem quälten.

Ihr Bruder ließ von der Magd ab und begann ungestüm an seinen hautengen Hosen zu zerren. Ungeduldig öffnete er die Bänder, mit denen seine Beinkleider am Wams befestigt waren, und schob die Hose samt seiner Bruech bis zu den Knien hinunter. Die Magd stöhnte leise auf, als der breitschultrige Mann ihre Röcke hob und seine kräftige Hand zwischen ihre Schenkel schob. Mit der anderen Hand griff er nach einer ihrer bestrumpften Waden und zog sie hoch. Ungestüm drängte er sich an sie heran, so daß die junge Frau das Gleichgewicht verlor und mit dem Rücken dumpf gegen das Faß prallte. Doch Ulrich griff ihr mit beiden Händen um das Hinterteil, zog sie wieder zu sich heran, umschlang sie, als wolle er sie erdrücken. Da blieb Agnes' Blick an der heimlichen Zuschauerin hängen, und sie stieß einen leisen Schrei aus.

»Anne Katharina, bei allen Heiligen, was macht Ihr hier?« Ungestüm wand sich die Magd aus der männlichen Umarmung und versuchte, ihre Scham zu bedecken. Ulrich verrenkte sich den Hals, um nach seiner Schwester zu sehen, ohne sich umdrehen zu müssen, was so komisch aussah, daß es das Mädchen zum Lachen reizte. Doch die Heiterkeit schwand sofort, als der Hausherr in höchstem Zorn brüllte:

»Verschwinde in deine Kammer! Wenn ich dich heute noch in die Finger bekomme, dann prügele ich dich durch, daß du dir wünschst, du wärest nie geboren worden!« Er griff nach Bruech und Hosen und zog sie hoch.

Ernüchtert wandte sich Anne Katharina um und hastete stolpernd die Treppe hoch. Vor der Stubentür zögerte sie kurz. Ihr leerer Magen forderte schon seit Stunden zumindest ein Stück Brot und etwas warme Suppe, doch wollte sie jetzt auf keinen Fall ihrer Schwägerin begegnen. Womöglich schreckte Ulrich nicht einmal davor zurück, seine Wut vor den Augen seines Weibes an ihr auszulassen. Was sollte sie sagen, wenn Ursula den Grund für seinen Zorn zu erfahren wünschte? Allein schon der Gedanke an diese Peinlichkeit trieb ihr das Blut in die Wangen, und da sie Ulrichs schweren Schritt auf den unteren Stufen hörte, lief das Mädchen so schnell sie konnte mit gerafften Röcken noch eine Treppe höher und schlug die Tür zu ihrer winzigen Kammer hinter sich zu.

*　　*　　*

»Herr Richter, ein Franziskanermönch möchte Euch sprechen. Soll ich ihn einlassen?«

Peter Schweycker genoß den Hauch von Respekt in ihrer Stimme, der ihm früher immer bezeugt worden war und den er als selbstverständlich angesehen hatte. Der blinde Mann seufzte. Wahrscheinlich sprach selbst die sanfte, fürsorgliche Schwester Elsbeth draußen, wenn er es nicht hören konnte, vom ihm als dem senilen Alten.

Die Schwester wartete geduldig, freundlich lächelnd, auch wenn er das nicht sehen konnte. Im gleichen Tonfall wiederholte sie die Frage noch einmal.

»Ja, ja, schickt ihn herein. Ich habe nach ihm rufen lassen.«

Das lange, weiße Ordensgewand raschelte leise, als die Schwester die kleine Kammer verließ, und schon kurz darauf vernahm der ehemalige Richter die Schritte eines Mannes, die in respektvollem Abstand abbrachen.

»Der Herr ist groß und barmherzig …«

Peter Schweycker unterbrach die tiefe, wohltönende Stimme mit einer wegwerfenden Handbewegung.

»Spar dir das Geschwätz. Wenn du glaubst, ich hätte dir verziehen, dann täuschst du dich. Nicht einmal auf meinem Sterbebett werde ich dir diese Sündenlast abnehmen. Du mußt schon selber sehen, wie du in der Hölle damit klarkommst!«

Über das reife, wohlproportionierte Gesicht des Mönchs glitt Erstaunen.

»Warum hast du mich dann mitten in der Nacht rufen lassen, nachdem du dich so viele Jahre geweigert hast, auch nur ein Wort mit mir zu sprechen?«

Die ganze Erbitterung, die er schon längst überwunden glaubte, kam wie eine Flut wieder über ihn, wallte auf, brodelte zischend über.

»Du hattest kein Recht dazu!« rief der Alte erbost und schlug mit der Faust auf die Stuhllehne, die bedenklich knirschte. »Ich habe dich geliebt, du warst Freund, Bruder, Sohn, alles für mich. Du hast mein Vertrauen mißbraucht, mich schändlich belogen und betrogen!«

»Dafür büße ich nun auch schon viele Jahre. Fühl den groben Stoff dieser alten, zerschlissenen Kutte.«

Der alte Mann lachte bitter.

»Du brauchst mir nichts vormachen. Schon in meiner Jugend waren der Verfall und die Verderbtheit in den Klöstern so groß, daß sie eher Hurenhäusern glichen als Orten der Buße und Besinnung! Von Völlerei und Faulheit ganz zu schweigen. Ist es nicht Beweis genug, daß es dir möglich ist, um diese Zeit zu mir zu kommen?«

»Du tust mir und der Bruderschaft unrecht«, erwiderte der Mönch, doch dies schien den Blinden nur noch mehr zu erregen.

»Hör auf, mir Honig um den Mund zu schmieren! Du, der du auch noch die Frechheit besitzt, dich als ihr Lehrer aufzuspielen!«

»Das ist vorbei – seit beinahe einem Jahr. Wußtest du das nicht?«

Peter Schweycker wollte die Trauer und den tiefen Schmerz in der Stimme gar nicht hören.

»Doch, natürlich, sie hat es mir erzählt. Wurde ja auch Zeit. Wer weiß, was du ihr Schändliches erzählt – und mit ihr gemacht hast.«

Zum ersten Mal verlor der Mönch seine ruhige Freundlichkeit und rief gekränkt:

»Wie kannst du nur so etwas denken?«

»Ulrich denkt es jedenfalls.«

»Entschuldige, daß ich das sage, doch Ulrich ist ein Narr!«

Der Blinde kicherte plötzlich.

»Da hast du allerdings recht.«

Doch so unvermutet, wie die Fröhlichkeit aufgeblitzt war, verschwand sie wieder und machte tiefer Traurigkeit Platz.

»Er versucht mit allen Mitteln, sie mir zu entfremden, ihre Besuche immer weiter einzuschränken, bis sie dann gar nicht mehr kommt. Mein Einfluß schwindet, und ich kann es nicht aufhalten!«

Die Verzweiflung in der brüchigen Stimme ließ den Mönch nach der faltigen Hand greifen, die der Alte ihm jedoch sogleich wieder entzog.

»Auch du denkst, ich bin senil und nicht mehr richtig im Kopf!« rief er anklagend.

»Nein, ich bin dir näher, als du denkst, und leide mit dir.«

Peter Schweycker wollte schon wieder aufbrausen, doch dann erinnerte er sich an den Grund für diesen ungewöhnlichen nächtlichen Besuch.

»Du mußt mir helfen, Hiltprand, schwöre es mir, bei all den Heiligen, die dir lieb und teuer sind, denn ich bin nur noch ein schwacher, blinder Greis und kann es nicht selber tun.«

Dieses Mal ließ er es geschehen, daß der Freund aus alten Tagen nach seinen Händen griff.

* * *

Anne Katharina lag in ihrem Bett, die Daunendecke bis ans Kinn gezogen, doch der Schlaf wollte sich nicht einstellen. Der aufkommende Wind rüttelte an den Holzläden und pfiff durch die Ritzen, ab und zu piepste eine Maus, und dann raschelte es in den frischen Binsen.

»Und außerdem habe ich Hunger«, brummte das junge Mädchen ärgerlich in die Dunkelheit, schlug die Decke zurück, tastete nach ihrem Umhang und den Schuhen und schlich leise die Treppe hinunter. Der Gedanke an frisches, weißes Brot und etwas Käse war verlockend, doch als sie sich dem glutroten Schein näherte, der aus der Küche drang, und sie eine dunkle Gestalt auf dem Schemel vor dem Herd sitzen sah, blieb sie unentschlossen stehen. Groll, Neugier, aber auch Mitleid stritten sich heftig in ihrer Brust, als die Magd, die mit einem dampfenden Becher in der Hand nachdenklich in die Glut gestarrt hatte, plötzlich aufsah. Einladend wies sie auf den zweiten Schemel.

»Kommt doch ans Feuer, Anne Katharina, ein Becher heißer Met wird Euch guttun. Vielleicht auch etwas Brot und Speck? Ihr hattet doch kein Nachtmahl.«

Widerstrebend trat das Mädchen näher und nahm den Tonbecher, den die Magd ihr reichte.

Eine Weile saßen die beiden schweigend vor dem Herd, tranken Met, fühlten die Wärme der Glut, die die nächtliche Kühle vertrieb, als das Mädchen plötzlich hervorstieß:

»Warum hast du das mit ihm gemacht?«

Ein schwermütiger Zug lag um den Mund der Magd.

»Ich mit ihm? Er mit mir! Oder hattet Ihr den Eindruck, daß ich Euren Bruder zu etwas zwinge, das er nicht will?«

»Nein, aber du hast einfach mitgemacht, dabei hat er doch Ursula, er ist verheiratet und ...« Anne Katharina schwieg verwirrt.

Die Stimme der Magd klang sanft.

»Ihr dürft nichts Böses über Euren Bruder denken. Der Herr liebt seine Frau, doch wegen des Kindes durfte er lange nicht bei ihr liegen. Erst vor der Geburt und dann die lange Zeit der Unreinheit danach ...«

»Schon am Sonntag wird sie wieder eingesegnet. Kann er nicht noch so lange warten?« erwiderte Anne Katharina wild.

»Männer wollen nicht warten. Wenn sie Lust auf eine Frau haben, dann nehmen sie sich, was sie brauchen, von ihrem Eheweib, den freien Weibern an der Sulfurt – oder von ihrer Magd.«

Das junge Mädchen schluckte, dachte über das Gehörte nach. »Weiß Ursula das?«

Agnes zuckte die Schultern.

»Ich glaube schon. Alle Männer sind so. Sie brauchen es oft, das ist ihre Natur.«

Düster starrte Anne Katharina vor sich hin. Der Met breitete sich warm in ihrem Körper aus, und die Glut tat das Ihrige, dennoch fröstelte sie. Da waren noch so viele Fragen, die sie quälten.

»Was ihr da gemacht habt – ist es das, was Verheiratete tun, ich meine, was Männer und Frauen tun, damit ein Kind entsteht?«

Agnes nickte.

»Und wie ist das? Es muß schrecklich sein!«

»Oft schon. Wenn die Männer wild und ungestüm sind, dann schmerzt es sehr. Auch laufen sie manchmal danach einfach weg, als hätten sie nur ihr Geschäft verrichtet, dann fühlt man sich beschmutzt, erniedrigt. Doch wenn sie einen dabei streicheln und küssen, kann es sehr schön sein.«

Das junge Mädchen schüttelte sich vor Abscheu.

»Das kann ich nicht glauben. Aber du sagst das so, als hätten es schon viele Männer mit dir gemacht.«

»Nun ja« – trotz des trüben Lichts entging Anne Katharina die Verlegenheit der Magd nicht – »das erste Mal, das war ein Freund meines Bruders, als ich noch auf dem Hof meiner Eltern lebte. Ich muß ungefähr zwölf Jahre alt gewesen sein und wußte noch weniger darüber als Ihr jetzt. Er lockte mich in den Stall, hob meinen Rock und fiel über mich her. Das war schlimm.« Auf ihrer Stirn erschienen Falten. Sie goß sich und Anne Katharina die Becher noch einmal voll, bevor sie weitersprach.

»Dann mit fünfzehn kam ich als Magd zu den Merstatts. Der junge Junker hat mich manchmal zu sich in die Kammer genommen. In diesem Sommer lernte ich einen Gerbergesellen kennen. Wir trafen uns immer in der Scheune auf einer Obstwiese vor der Stadt, und ich dachte, wir würden heiraten, doch im Herbst zog er dann weiter. Zwei Jahre später kam ich zu Euch ins Haus. Ab und zu stellt mir der Rudolf Senft nach. Na ja, die jungen Männer suchen sich immer einen Weiberrock, und man muß aufpassen, wenn man in einsamen Ecken oder abends unterwegs ist. Ja und jetzt …« Sie lächelte verklärt, sprach jedoch nicht weiter.

Ein schrecklicher Gedanke flammte plötzlich in Anne Katharina auf.

»Macht Peter das auch mit dir?«

Die Magd lächelte.

»Nein, doch als er letzte Woche aus dem ›Wilden Mann‹ kam und dem Neckarwein gut zugesprochen hatte, da wollte er mich küssen und hat mich in den Po gezwickt. Das muß er den Siedern in der Schenke abgeguckt haben.«

Etwas quälte das Mädchen noch.

»Aber wie ist das, dann betreibst du doch Unzucht und könntest ein Kind bekommen, so wie Marie.«

Agnes kniff die Lippen zu einem dünnen Strich zusammen.

»Ja, die Gefahr besteht immer, doch es gibt auch Mittel, um etwas dagegen zu unternehmen, Kräuter, die – aber das braucht Euch nicht zu interessieren.«

Anne Katharina richtete sich kerzengerade auf und sah die Magd streng an.

»Es interessiert mich aber, und ich möchte alles wissen. Was sind das für Kräuter? Bekommt man sie in der Offizin des Apothekers?«

»Aber nein, Meister Gessner wird sich hüten, solch gefährliche Geheimnisse an arme Frauen weiterzugeben«, kicherte die Magd. »Auch Els, Gott hab sie selig, half in solchen Fällen nur selten. Sie wußte zwar alles über diese Kräuter, doch ihr war es lieber, gesunden Kindlein in die Welt zu helfen, als ihre Frucht frühzeitig zu töten.« Agnes zögerte einen Augenblick, ehe sie weitersprach.

»Ich habe ein paarmal Kräuter von Sara – der Magd vom Ratsherrn Baumann – bekommen, doch ich weiß, daß sie die Kräuter nicht selber sammelt. Sie kennt eine Alte, Berta heißt sie, sie wohnt oben im Wald bei der Limpurg, die hat Erfahrung mit solchen Sachen und mischt auch mancherlei Tränke und Pulver und …«

»Ist sie eine Hexe?« fragte Anne Katharina und hielt den

Atem an, denn bisher hatte sie immer nur den Klatsch auf der Straße mitbekommen, wenn in anderen Städten, in Nördlingen, Würzburg oder Tübingen, die heilige Inquisition die Hexen in ganzen Scharen aus ihren Verstecken zerrte, um sie dem reinigenden Feuer zu übergeben. Gab es also auch in Hall richtige Hexen? Gestern die Schloßsteinerin und heute die geheimnisvolle Alte im Wald.

Die Magd zögerte einen Augenblick und zuckte dann die Schultern.

»Sara ist sicher keine Hexe, aber bei der alten Berta bin ich mir nicht so sicher, bei alldem, was Sara über sie erzählt hat. Ich selbst habe die Alte allerdings noch nicht gesehen«, fügte sie rasch hinzu.

Beide schwiegen eine Weile. Nur ein leises Knistern vom Herd her und der Wind, der über die geschlossenen Fensterläden strich, waren zu hören. Anne Katharina sog den süßlichen Duft ein, der von ihrem Tonbecher aufstieg.

»Kennst du dich auch mit Kräutern aus? Ich meine nicht mit denen, die man in die Speisen gibt oder in den Wein. Ich meine die, die Sara dir besorgt.«

»Ich weiß, was Ihr meint. Ich bin mir nur nicht sicher, ob es gut ist, wenn ich mit Euch darüber rede.«

»Bitte, Agnes!«

»Anne Katharina, Ihr seid eine Jungfrau aus einer angesehenen Bürgersfamilie und werdet sicher bald einen ebenbürtigen jungen Mann heiraten.« Sie überhörte das verächtliche Schnauben und fuhr fort. »Ihr werdet das Gemach mit Eurem Ehemann teilen und ihm viele Kinder schenken. In Eurem Leben werdet Ihr über diese Dinge nichts wissen müssen.«

Schmollend schob Anne Katharina die Unterlippe vor und wirkte nun eher wie ein trotziges Kind, dem man eine

Süßigkeit verwehrte, als eine heranwachsende junge Frau, die um die Geheimnisse der Frauen wissen mußte.

»Ich will ja nicht davon Gebrauch machen. Ich bin nur schrecklich neugierig. Außerdem, findest du es gut, daß man den Mädchen nie etwas erzählt, nur um sie später dann einem Schrecken nach dem anderen auszusetzen?«

Seufzend gab die Magd nach.

»Aber sprecht, um Himmels willen, nicht mit der Herrin oder gar mit Eurem Bruder darüber!«

»Was denkst du denn!«

Agnes kümmerte sich nicht um den gekränkten Tonfall, schenkte die Becher noch einmal voll und trank einen kräftigen Schluck, ehe sie begann.

»Es ist so, die genaue Mischung kenne ich nicht, doch ich weiß, daß man Engelsüß, Frauenmantel und Salbei nehmen muß, wenn man bei einem Manne liegen und nicht schwanger werden will. Ist es jedoch schon einige Tage her, dann helfen Frauenhaar, Engelwurz und Tausendgüldenkraut. Aber auch Rosmarin, Sellerie, Beifuß und Thymian führen dazu, daß Eure unreinen Tage kommen. Wenn allerdings die Frucht im Leibe schon wächst, dann helfen Raute und Zaunrübe, aber das ist sehr gefährlich, und Ihr solltet es besser ganz schnell wieder vergessen …«

»… denn zuviel Wissen kann genauso tödlich sein wie zuwenig!«

Anne Katharina und Agnes zuckten erschreckt zusammen, als die Hausherrin, nur ein dünnes Leinentuch um ihren Leib gehüllt, in die Küche trat. Ihr Gesicht war totenbleich, nur auf den Wangen zeigten sich zwei rote Zornflecken, und auch in ihrer Stimme war der Ärger nicht zu überhören.

»Was fällt dir ein, mit Anne Katharina über solche Dinge

zu sprechen!« fuhr Ursula die Magd an und schlug ihr mit der flachen Hand hart ins Gesicht. Das Mädchen starrte ihre Schwägerin überrascht an. Noch nie hatte sie die sanfte Ursula in solch einer Stimmung erlebt.

Agnes senkte das Haupt und flüsterte:

»Verzeiht Herrin, sie hat mich gedrängt …«

»Keine Ausreden! Jetzt ist das Unheil schon angerichtet. Ich hoffe nur, daß der Herrgott dir gnädig ist, und empfehle dir, noch heute nacht eifrig zu beten.«

Agnes nickte demütig und dachte, daß der Herrgott wohl das kleinere Problem sei, wenn erst der Herr Ulrich davon erführe. Als habe Ursula ihre Gedanken erraten, fügte sie hinzu:

»Ich werde es meinem Gatten nicht berichten. So entgehst du deiner Strafe, die du wohl verdient hättest.«

»Ursula, komm doch näher an das Feuer. Du zitterst ja!« mischte sich Anne Katharina ein, denn es schien ihr geraten, die Schwägerin auf andere Gedanken zu bringen. »Nicht daß du nun die nächste bist, die ein Krankenlager braucht.«

Vernünftigerweise folgte die junge Mutter der Aufforderung, war aber nicht bereit, sich so leicht ablenken zu lassen.

»Wir werden uns darüber noch sehr eingehend unterhalten!« drohte sie der Magd, als sie ihre Hände über der Glut ausstreckte. »Und du, Anne Katharina, gehst sofort in deine Kammer!«

In dem Mädchen regte sich Widerspruch, vor allem, da es gerne gehört hätte, was Ursula der Magd zu sagen hatte. Andererseits schien es nicht ratsam, ihre Schwägerin weiter zu reizen, denn wenn sie mit Ulrich darüber reden würde, könnte die ganze Sache sehr unangenehm werden. Und wenn Anne Katharina an die Ereignisse des

Abends zurückdachte, dann fühlte sie nicht den Wunsch, mit ihrem Bruder gerade heute ein ernstes Gespräch zu führen. Also nickte sie nur, wünschte eine gesegnete Nacht und eilte in ihre Kammer hinauf.

KAPITEL 13

Tag der heiligen Richeza,
Donnerstag, der 21. März
im Jahr des Herrn 1510

*D*er Tag war noch jung. Die Vögel stimmten jubelnd
ihr Lied an, um die Sonne zu begrüßen, die sich an-
schickte, ihren Gang durch den frischen blauen Früh-
lingshimmel zu beginnen.

Ulrich Vogelmann hatte das Haus bereits in der Dämmerung verlassen, um sich mit einem Weinhändler aus Hei-
delberg zu treffen; von Peter fehlte bisher jede Spur. Auch
Ursula schien heute morgen von Unwohlsein geplagt zu
sein. Schweigend löffelte sie ihre Milchsuppe und zog sich
dann wieder zu der Amme und dem Kind in die hintere
Stube zurück. Es mußte ihr wirklich schlechtgehen, denn
sie vergaß, ihrer jungen Schwägerin die vielen kleinen
Hausarbeiten aufzutragen, mit der diese sich in letzter
Zeit immer häufiger plagen mußte.

So warf Anne Katharina sich ihren Mantel um die Schultern, schnürte die Trippen unter die Schuhe und machte
sich zum Spital auf, den Großvater zu besuchen. Ein kleines Paket mit Honigkuchen unter dem Arm, schritt sie
über den Marktplatz, stieg dann vorsichtig durch den Morast der unteren Stadt und lief über den schmalen Steg,
der den Schuppach überspannte, zum Spital. Sie war gu-

ter Laune, so daß das schlechte Gewissen nicht lange auf sich warten ließ. Welch liederliche Seele, die Freude empfindet, wenn andere leiden!

Überraschenderweise befand sich Peter Schweycker trotz der frühen Stunde nicht in seiner Kammer. Erst nach einigem Suchen fand ihn seine Enkelin in dem kleinen, steinernen Raum, in dem die Schwestern zwei Badezuber aufgestellt hatten, damit auch die Kranken oder Alten, die nicht hinunter zum Brückenbad gehen konnten, ab und zu in den Genuß eines heißen, kräuterduftenden Bades kommen konnten.

Nur mit seiner Bruech bekleidet, saß der alte Mann auf einem wackeligen Hocker und ließ sich von einer Schwester die fast leuchtendweißen Haare, die er wie früher lang über die Schulter hängend trug, auskämmen. Er war sehr stolz auf seine Haarpracht, doch das war die einzige Eitelkeit, die man ihm vorwerfen konnte. In seiner Kleidung blieb er dem treu, was man vor etlichen Jahrzehnten getragen hatte: langen dunklen Röcken aus edlen Stoffen.

Wie mager er geworden ist, dachte Anne Katharina, als ihr Blick über die blasse, fleckige Haut glitt. Mit einem leichten Lächeln betrachtete sie die unmoderne, leinene, bis zu den Oberschenkeln reichende Hose, deren zusammengeknotetes Band ihr an dem faltigen Bauch Halt gab.

Lauschend neigte der Alte den Kopf zur Seite, als er die sich nähernden Schritte vernahm.

»Anne Katharina, bist du das?«

»Ja, lieber Großvater.« Sie drückte einen leichten Kuß auf die ihr dargebotene schlaffe Wange. »Soll ich Euch beim Ankleiden helfen?«

Er nickte und entließ die Ordensfrau. Die Schwester lächelte dem jungen Mädchen freundlich zu, sprach leise einen Segen und eilte dann hinaus, denn es warteten noch zahlreiche Aufgaben im großen Krankensaal auf sie. Unterdessen kniete Anne Katharina auf den kalten Steinboden nieder und half ihrem Großvater, in seine Beinlinge zu schlüpfen. Sorgfältig nestelte sie die Bänder an der Bruech fest.

»Ihr seid wahrscheinlich der einzige Mann auf Gottes schöner Erde, der noch zwei lange Beinlinge trägt«, neckte sie ihn.

»Was habe ich von dem neumodischen Zeug? Zusammengenähte Beinlinge oder gar diese Pluderhosen, die dein älterer Bruder manchmal trägt, wie du mir erzählt hast. Kurze, wattierte Wämse mit Schlitzen, Pelz und Perlen und was es da alles so gibt. Wie die eitlen Pfauen schreiten sie daher, geben sich der Todsünde der Hoffart hin, statt sich zurückhaltend in lange, dunkle Röcke zu hüllen«, schimpfte der ehemalige Richter.

»Oh, da solltet Ihr erst die neuesten Gewänder von Peter sehen. Eitel aufgeplustert stolziert er daher mit einem leuchtendblauen Wams mit geschlitzten Ärmeln und rotem Futter darin. Das neue Stück ist so kurz, daß es nicht einmal das Gesäß oder die Schamkapsel bedeckt, und seine Bruech sind kaum zwei Handbreit Stoff mit Nesteln.« Der Alte stieß einen mißbilligenden Laut aus.

»Anne Katharina, ich bin entsetzt! Was führst du für unschickliche Reden!«

»Aber Großvater, habt Ihr Eure Jugend vergessen?« fuhr sie mit einem unterdrückten Lachen fort, die Ermahnung ignorierend.

»Pater Hiltprand hat mir erzählt, daß in Eurer Zeit die Jünglinge mit erschreckend kurzen, engen Schecken bekleidet waren, die Schultern wattiert, und Schnabelschuhe mit aufgebogenen Spitzen von zwei Fuß Länge …«

»Wenn er gesagt hat, daß ich diese Hoffart geteilt habe, dann lügt er, der alte Narr in seiner Bettlerkutte!« Seine Stimme war erregt, doch plötzlich hielt er inne und lachte leise. »Du läßt es am nötigen Respekt gegenüber deinem Großvater fehlen, geliebtes Kind!« Zärtlich strich er über ihr Haar. »Es gehört sich für dich wahrhaftig nicht, über Bruechs, Hosen oder Schamkapseln zu sprechen.«

»Ich werde es bestimmt nicht wieder tun«, sagte das junge Mädchen, um einen ernsten Tonfall bemüht, doch ihre Stimme zitterte ein wenig.

»Kleine Schwindlerin! Welch gute Fügung, daß deine Besuche bei Pater Hiltprand der Vergangenheit angehören. Der alte Fuchs kann dir nichts Rechtes beibringen und verwirrt nur deine Gedanken.«

Nun war es an ihr, ein wenig aufzubrausen.

»Das ist nicht wahr, Großvater. Er hat mir so vieles gelehrt, und ich konnte mit all meinen Fragen zu ihm kommen.«

Vielleicht etwas zu ruppig zog sie ihm sein Hemd über den Kopf und schloß den Schlitz an seiner Brust mit einem edlen Fürspan. »Du bist ein Mädchen. Wozu willst du deinen hübschen Kopf mit Latein und all den Geschichten der heidnischen Griechen belasten? Wenn nur dein Bruder solch Interesse für die Lateinschule aufbrächte! Er soll die Rechte studieren, um der Familie von Nutzen zu sein. Aber du sollst von deiner Schwägerin lernen, eine demütige Ehefrau zu werden, denn lange kann es nicht mehr dauern, bis Ulrich einen geeigneten Gatten für dich aussucht.«

Anne Katharina half ihrem Großvater in den langen, warm gefütterten Wollrock.

»Geeignet für mich? Doch eher geeignet, die Siedensanteile der Familie zu vermehren!«

Sie mußte sich zügeln, um ihrer Stimme die Schärfe zu nehmen.

»Ja, sicher.«

»Wenn die Frauen Eurer Meinung nach dumm und demütig sein sollen, warum erzählt Ihr mir dann so oft von den Gesetzen, den Verhandlungen des Rats und den Urteilen aus Eurer Zeit als Richter? Warum sprecht Ihr dann mit mir über den Handel und die Politik von Stadt und Reich?«

Er seufzte, als sie ihm den Umhang aus feinem, dunkelblauem Schamlot um die Schultern legte, doch ihr schien, daß er sich nicht über ihre ungebührliche Rede ärgerte. Es war eher eine sanfte Resignation.

»Mein liebes Kind. Du hast einen viel zu scharfen Verstand für eine Frau, und du hast recht. Mein Verhalten verstößt gegen die Regeln, doch mit wem soll ich denn sonst reden? Deine Brüder lassen sich im Spital nicht blicken. Nein, du brauchst jetzt nicht zu schmollen. Du bist mir nicht schlechter Ersatz für deine Brüder. Ich liebe dich und empfinde große Achtung vor deinem liebenswerten Wesen und deinem wachen Geist. Es macht mir große Freude, dir von der Vergangenheit zu erzählen und deinen klugen Vermutungen und Antworten zu lauschen. Aber versteh doch, wir sind dicht in das Netz der Zeit verwoben und müssen unserer Bestimmung folgen. Oft steigt Trauer in mir auf, wenn ich an die Zeit denke, da du eine Ehefrau sein wirst, dich um dein Haus und deine Nachkommen sorgen mußt und keine Zeit und Muße mehr aufbringen kannst, mit mir über die alten Zeiten zu plaudern und mich mit deiner Gegenwart zu erfreuen.«

Ihr war, als glitzerten Tränen in den blicklosen Augen. Heftig umarmte sie den alten Mann, der plötzlich so gebrechlich schien.

»Das wird nie geschehen! Ulrich wird dafür sorgen, daß ich einen Sieder eheliche, und daher werde ich in Hall und immer in Eurer Nähe bleiben.«

»Gott segne dich, mein liebstes Kind«, murmelte er, griff nach ihrem Arm und ließ sich in seine Kammer zurückführen.

* * *

Die Vogelmannstochter war so tief in ihren Gedanken versunken, daß sie fast mit dem Paar zusammengestoßen wäre, das ihr unter dem Tor zum Spital entgegenkam. Voller Erstaunen erkannte sie ihren jüngeren Bruder Peter, der die Junkerstochter Afra Senft am Arm führte.

»Oh, dann hatte Peter doch recht, daß wir dich hier finden würden«, zwitscherte das Mädchen und hakte sich bei Anne Katharina unter.

»Ich wollte dich abholen und mit auf den Marktplatz nehmen«, fuhr sie fort. »Der liebe Rudolf hat mir fest versprochen, ganz vorn einen Platz freizuhalten, daß wir gut sehen können und uns nicht in der stinkenden Menge drängen müssen.«

Angewidert rümpfte sie ihre sommersprossenübersäte Stupsnase.

Anne Katharina sah die Junkerstochter fragend an.

»Was gibt es denn auf dem Marktplatz?« Afra schlug fassungslos die Hände zusammen.

»Ich habe es nicht geglaubt, als dein Bruder mir sagte, du hättest sicher nicht vor hinzugehen, doch daß du es nicht einmal weißt!« Atemlos fuhr sie fort. »Heute brennen sie den Bergerhans durch die Backen. Er hat trotz mehrmaliger Warnung wieder Gott gelästert. Außerdem schneiden sie dem Müller Bert von Münkheim die Ohren ab.«

»Was hat er getan?«

»Ich glaube, zwei Hühner gestohlen.« Sie zuckte die Schultern. »Bei den fünf Kindern und einer lahmen Frau reicht das eben nicht, was er als Tagelöhner verdient, sagt mein Vater. Bei den ersten beiden Diebereien hat der Rat ja Gnade vor Recht ergehen lassen, doch jetzt sind eben seine Ohren dran. Dazu kommt, daß zwei Spielleute in die Stadt gekommen sind. Sie wollen danach musizieren. Ich habe gehört, der jüngere ist ein hübscher Kerl und kann auch noch jonglieren!«

Ihre Augen leuchteten in Vorfreude auf soviel Lustbarkeit an diesem Tag.

»Außerdem habe ich gehört, du hast die ermordete Hebamme aufgefunden.« Sie drückte der Freundin verschwörerisch die Hände. »Du mußt mir alles ganz genau erzählen! Ich finde das ja so aufregend. Endlich ist mal etwas los!«

Anne Katharina schluckte eine bissige Bemerkung hinunter und nahm sich fest vor, so wenig wie möglich die Neugier der Stättmeistertochter zu befriedigen.

Ungeduldig trat Peter von einem Fuß auf den anderen.

»Nun kommt schon, ich möchte nicht den ganzen Spaß verpassen. Schließlich bekommen wir so etwas nicht alle Tage zu sehen.«

Es war sein erster größerer Ausflug nach der langen Krankheit, und er gierte sichtlich nach Abwechslung und Zerstreuung. Ein wenig bleich und mager im Gesicht war er noch, und so brachte seine Schwester es nicht übers Herz, ein Spielverderber zu sein. Sie lächelte fröhlich und ließ sich von den beiden zum Marktplatz führen. Dort waren schon so viele Menschen versammelt, daß die jungen Leute große Mühe hatten, sich zwischen den schmutzigen, schwitzenden Leibern hindurchzudrängen, doch Pe-

ter, ganz edler Ritter, bahnte den Mädchen einen Weg bis
zu dem abgesperrten Platz vor der hölzernen Bude, wo
sich schon ein paar Junker und vornehme Bürger versammelt hatten. Sie tranken süßen Wein, aßen Honigkuchen,
Ringlein und Platz und plauderten fröhlich. Bäcker Greter, der die Bude betrieb, strahlte über das ganze Gesicht.
Das Geschäft lief blendend. Anne Katharina kaufte ihm
drei Ringlein ab und verteilte sie an Afra und Peter, die
bereits mit vollen Backen kauten, als Afras Vetter zu den
dreien herantrat. Rudolf Senft, wieder einmal prächtig in
hautengen Seidenstrümpfen, grünen, geschlitzten Pluderhosen mit gelbem Futter und passendem Wams gekleidet, grüßte freundlich. Und während Afra mit ihrem Vetter zwanglos über die körperlichen Vorzüge und auffal-
lenden Kleidungsstücke anwesender Jungfrauen plauderte, hatte Anne Katharina Zeit, sich umzusehen.
Auf einem großräumig abgesteckten Teil des Marktplat-
zes, der bis zum Pranger reichte, hatten die Stadtknechte
bereits eine große Kohlenpfanne aufgestellt, neben der
einer der Büttel stand und mit einem eisernen Haken
lustlos in der Glut herumstocherte. Neben ihm am Boden
standen zwei hölzerne Schließstöcke, in denen man für
die Urteilsvollstreckung Hände und Füße der Sünder mit
eisernen Schellen befestigen konnte. Um den einen Stock
war Sägemehl auf den Boden gestreut, um das Blut aufzufangen.
Gerade als Peter sich an seine Schwester wandte, um ihr
etwas zu sagen, schlug das Brummen der unzähligen Gespräche der Wartenden in begeisterte Schreie, schrille
Pfiffe und Gejohle um. Der Zug mit den Verurteilten näherte sich von der Henkersbrücke her, allen voran der
Scharfrichter, ganz in rotes Tuch gekleidet, das blitzende
Schwert in den Händen. Hinter ihm folgten feierlich

sechs Stadtknechte in den Haller Farben Rot und Gelb, stolz mit blanken Hellebarden. In ihrer Mitte führten sie die beiden Sünder, barfuß und in Lumpen. Der erste hielt das Haupt mit dem zerzausten, grauen Haar gesenkt, die gefesselten Hände waren unter schmutzigen Verbänden verborgen. Der zweite jedoch, jung und von kräftiger Gestalt, schritt so stolz daher, wie es die Ketten um seine Knöchel gerade eben zuließen, als würde er zu seiner Krönung, nicht auf den Richtplatz geführt. Als der Zug den abgesperrten Platz erreichte, hob der Scharfrichter sein blankes Schwert hoch, daß die breite Klinge bläulich in der Sonne schimmerte. Das Volk jubelte und schrie vor Begeisterung. Afra stieß die Freundin aufgeregt in die Seite.

»Da, sieh, das ist der Bergerhans. Sieht er nicht gut aus! Ich hoffe, er wird beim Anblick des glühenden Eisens nicht jammern wie ein Waschweib.«

Anne Katharina wußte nicht, was sie darauf antworten sollte, daher schwieg sie und sah statt dessen dem Scharfrichter zu, wie er mit erhobenem Schwert würdevoll den Richtplatz umrundete, damit ihn auch alle sehen konnten. Unterdessen hatten die Stadtknechte den klagenden und sich wehrenden Münkheimer in den Stock geschlossen. Der Bergerhans dagegen machte eine Verbeugung in Richtung Publikum und stieg dann schnell in den Schließstock, bevor ihn einer der Knüppel dazu antrieb. Rauschender Beifall war sein Lohn. Auch Afra klatschte begeistert in die Hände, und Peter brummte beifällig:

»Das ist ein echter Mann – ganz im Gegensatz zu der Heulsuse neben ihm.«

Nun übergab der Scharfrichter sein Schwert dem Hauptmann der Wache, zog einen langen Dolch aus seinem Gürtel und schritt zu dem Verurteilten. Reglos stand er

neben dem vor Angst zitternden Münkheimer. Sofort
senkte sich erwartungsvolle Stille über den Marktplatz.
Der Schultheiß Konrad Büschler trat auf den Platz hinaus
und verkündete mit lauter Stimme das Vergehen und die
verhängte Strafe. Dann forderte er den Scharfrichter auf,
das Urteil zu vollstrecken. Noch ehe die Klinge zwischen
Kopf und Ohr fuhr, brüllte und schrie der Mann schon.
Die Menge pfiff, Buhrufe waren zu hören, einzelne Kohl-
köpfe und Eier flogen über den Platz. Mit einem einzigen
Schnitt trennte der Henker das rechte Ohr ab, hob es
kurz hoch und warf es dann in einen Eimer. Das zweite
Ohr folgte. Blut rann dem Müllers Bert in Strömen am
Hals herab, färbte seinen zerrissenen Kittel rot, tropfte in
das Sägemehl. Sein lautes Schreien ging langsam in Ge-
wimmer über, wurde leiser und verklang. Der Scharfrichter, von alldem unberührt, schritt zur Glutpfanne hinüber, um das Eisen zu prüfen. Die Menschen vorn an der
Absperrung beugten sich vor, um das rötliche Glühen am
Ende des Stabes zu sehen. Es schien, als wäre das Lächeln
des Bergerhans beim Anblick des Eisens auf seinem Gesicht erstarrt. Schweißperlen traten auf seine Stirn und
rannen an den Schläfen herab, als sich das glühende Eisen seinem Gesicht näherte. Er schloß die Augen und
wurde ein wenig blaß, als sich die Spitze zischend durch
seine Wange fraß und der Gestank nach verbranntem
Fleisch zu den vornehmen Zuschauern aufstieg, doch er
gab keinen Ton von sich. Der Henker drückte ihm noch
das Mal mit dem Kreuz auf die Stirn, dann war es vorbei.
Die Wächter befreiten die beiden Männer aus dem Stock
und führten sie zum Turm zurück, wo der Bader wartete,
um Müllers Bert zu verbinden, bevor dieser zu seiner Familie zurückkehren konnte. Die Büttel kippten die Glut
neben dem Marktbrunnen aus, luden die Schließstöcke

und die Kohlepfanne auf einen Wagen und ratterten davon.

Noch bevor sich das Volk zerstreuen konnte, schlüpften zwei Männer, offensichtlich Vater und Sohn, unter der Abschrankung durch und begannen auf einer Flöte und einer Schalmei zu blasen. Kleine Glöckchen, die sie sich um die Beine gebunden hatten, klangen im Takt ihrer Tanzschritte. Afra behielt recht. Der Jüngere war mit seiner schlanken Gestalt und seinen anmutigen Bewegungen allerliebst anzusehen. Großzügig verteilte er blitzende Blicke und ein alles versprechendes Lächeln an die vielen schmachtenden Augenpaare. Nach dem Tanz warf der Jüngling im Takt der vom Vater gespielten Flötenmelodie fünf Bälle in die Höhe und wirbelte sie herum, ohne auch nur einen fallen zu lassen. Dann sprang er hoch in die Luft, drehte sich und landete sicher auf den Händen. So lief er zur Musik um den ganzen Platz herum. Die Menschen waren begeistert, und schon jetzt sprangen einige Hellermünzen klirrend über das Pflaster. Alt und jung sahen zu, bis die Darbietung beendet war, klatschten begeistert in die Hände, ließen Hellerstücke herabregnen. Auch Afra und Anne Katharina kramten ein paar kleine Münzen aus ihren Beuteln und warfen sie den Männern zu, die sich dankend verbeugten. Nur Peter hatte mal wieder nicht einen einzigen Heller bei sich.

Als sich die Menge zögerlich auflöste, ließen sich die drei mit ihr treiben und schlugen dann den Heimweg ein. Afra redete mal wieder wie ein Wasserfall, so daß den Geschwistern nur blieb, ab und zu zustimmend zu nicken.

»… und dann regt sich die Berlerin immer auf«, erzählte Afra, nicht gerade traurig über diese Gemütsregung ihrer Tante. »Ich freue mich immer, wenn Rudolf zu Besuch kommt. Er ist um so vieles unkomplizierter, nicht so ernst.« Sie seufzte und rang die Hände vor ihrer Brust. »Er ist ein Mann, bei dem so manches zarte Frauenherz brechen kann – nun ja, wenn er nicht gerade schlechter Laune ist. Nur was er an diesem widerlichen Knecht findet, der dauernd um ihn herumschwänzelt, das weiß ich nicht. Es ist manchmal geradezu unheimlich, wie lautlos und völlig unerwartet Alfred überall auftaucht. Jetzt schleicht er sogar schon bei euch im Haus herum.«

So ganz hatte Anne Katharina nicht zugehört, erwiderte jedoch abwinkend:

»Da mußt du dich irren. Ich weiß nicht einmal, wer der Knecht deines Vetters ist.«

»Ich irre mich nicht!« Beleidigt schob Afra ihre Unterlippe vor. »Ich weiß genau, was ich gesehen habe! Erst vor ein paar Stunden, als ich dich abholen wollte, sah ich ihn aus eurer Türe treten. Er wollte wohl nicht gesehen werden, denn er streckte erst den Kopf heraus und sah sich um, dann riß er die Tür auf und rannte in Richtung Stadtmauer. Ich glaube, er hat die Treppe zum Kocher runter genommen, am Keckenturm vorbei, doch das konnte ich nicht so genau sehen.«

Wenn sie sich nicht irrte, dann war das sehr interessant. Anne Katharina war mit einemmal hellwach, versuchte jedoch, sich ihre Spannung nicht anmerken zu lassen, und antwortete daher träge:

»Ich glaube dir ja, daß du ihn gesehen hast, doch war das sicher nur ein einmaliger Botengang.«

»Nein, das weiß ich genau!« rief sie triumphierend. »Erst vor vier Tagen, ja, am Montag war es, spät am Abend, habe ich ihn beobachtet. Ich konnte nicht schlafen und sah aus dem Fenster. Er wartete unten auf der Straße auf jemanden – und dieser jemand war eine Frau, die aus eurem Haus kam!« stieß sie triumphierend aus.

Heilige Jungfrau, dachte Anne Katharina, könnte er auf Els gewartet, sie nach Hause begleitet und dann ermordet haben? Els hatte am Abend vor ihrem Tod noch nach David gesehen. Aber warum hat er sie dann nicht gleich auf der Straße niedergestochen?

Das Mädchen verschob das Nachdenken darüber auf später, um zu hören, was Afra noch beobachtet hatte, doch leider, gestand diese, sei in diesem Moment ihr Vetter Gabriel in die Stube gekommen, habe sie von ihrem Lauschposten vertrieben und kräftig ausgescholten.

»Es war wirklich Pech, daß er gerade in diesem Moment heimkommen mußte und sofort in die Stube trat. Sogar seine Schaube hatte er noch an«, seufzte sie, ungehalten über soviel Ungerechtigkeit.

Die Geschwister verabschiedeten sich vor dem Senftenhaus von der Junkerstochter. Kaum war sie verschwunden und die Tür hinter ihr geschlossen, als Peter, der sich bisher gut gehalten hatte, merklich zusammensackte. Auf den besorgten Blick seiner Schwester hin fauchte er jedoch nur, daß er großen Hunger habe, schließlich sei so ein bißchen Gebäck kein Essen für einen Mann. Offensichtlich hatte ihn sein erster Ausflug mehr angestrengt, als er zuzugeben bereit war.

Ein Lächeln unterdrückend, hakte sich Anne Katharina bei ihm unter und folgte ihm nach Hause, wo er sofort in der Küche verschwand, sie selbst jedoch stieg zur hinteren Stube hinauf, um zu sehen, ob die Amme dort allein anzutreffen war, denn sie brannte immer noch darauf, Marie eingehend zu den Vorgängen zu befragen. Wieder wurde sie enttäuscht. Dafür hörte sie jedoch zwei laute, zornige Männerstimmen aus der Schreibkammer dringen, die sofort ihre Neugier weckten.

»Unser Herr Nachbar Ratsherr Baumann ist bei meinem

Gemahl«, gab Ursula der Schwägerin auf ihre Frage bereitwillig Auskunft. Sie war wieder ein Muster weiblicher Tugend, wie sie da in der Stube neben dem Körbchen des friedlich schlafenden Knaben saß und die Ärmel eines neuen Rockes aus feinem, blauem Tuch mit winzigen Stickereien verzierte.

Anne Katharina wäre gern ein wenig auf dem Flur auf und ab gegangen – vielleicht hätte sie das eine oder andere Wort verstehen können, doch Ursula klopfte einladend auf den freien Platz neben sich.

»Komm, setz dich. Du kannst das schwarzseidene Wams hier umsäumen.«

Widerwillig nahm das junge Mädchen auf der Bank Platz und ließ sich die Näharbeit reichen. Doch schon nach ein paar Nadelstichen bemerkte sie beiläufig:

»Ratsherr Baumann scheint mit Ulrich über irgend etwas nicht ganz gleicher Meinung zu sein.«

Ursula ließ ihre Arbeit sinken und zog fragend die Augenbrauen zusammen.

»Nicht gleicher Meinung? Das drückt die Sache nicht sehr trefflich aus. Sie schreien sich an, daß man es noch in der Gelbinger Vorstadt vernehmen kann!«

Das Mädchen gluckste belustigt.

»Weißt du, worüber sie streiten?«

Ursulas Blick senkte sich wieder auf ihre Stickerei.

»Nein, denn es hat die Gemahlin nicht zu interessieren, was ihr Gatte mit seinen Geschäftspartnern zu besprechen hat. Nur der Ehemann muß über jede Regung und jedes Wort der Gattin genau unterrichtet sein.«

Ihre Stimme verriet keinerlei Gemütsregung.

»Doch soweit ich es mitbekommen habe«, fuhr sie fort, »geht es um die Abrechnung einer Weinlieferung und um die Beht vom letzten Jahr. Es scheint eine größere Abwei-

chung zu geben. Schließlich ist unser diesjähriger Beht-
herr nun schon zum zweiten Mal mit vielen dicken Büchern unter dem Arm erschienen.«

Anne Katharina warf ihr einen schnellen Seitenblick zu,
doch augenscheinlich war Ursula ganz mit ihrem Silberfa-
den beschäftigt.

»Du meinst, Ulrich hat zuwenig Steuern bezahlt?«
Als keine Reaktion kam, dachte sie laut weiter.

»Das wäre ja furchtbar, wenn es zu einer Auslösung käme
und der Rat alles beschlagnahmen würde. So etwas kann
er doch nicht riskieren!« Doch plötzlich stieg ein schlimmer Verdacht in ihr auf. »Vielleicht wollte er sich deshalb
die Bücher nicht mehr von mir führen lassen.« Trotzig
schob sie die Unterlippe vor. »Ich werde ihn fragen,
schließlich betrifft es die ganze Familie, wenn wir das
Haus und die Güter verlieren und plötzlich nur noch mit
einem Säckchen Gulden dastehen – je nachdem, mit welcher Summe er unser Vermögen angegeben hat.«

»Er wird sehr erzürnt sein, wenn du dich um Dinge kümmerst, die einem Mädchen nicht gut anstehen«, warf Ursula ein. »Ich werde ihn zu einem günstigen Zeitpunkt selber fragen.«

Sie sah ihre junge Schwägerin streng an, daher nickte diese zustimmend. Ganz einig war sich Anne Katharina mit
der Gattin ihres Bruders jedoch nicht. Sie hielt Ursula ihrem Gemahl gegenüber für zu nachgiebig und zu unter-
würfig, und sie fürchtete, Ursula könnte sich durch ein
zorniges Nein einfach abspeisen lassen.

Nun, dann bleibt mir ja immer noch, meinen Bruder
selbst zu befragen.

*   *   *

Obwohl es schon sehr spät sein mußte, lag Anne Katharina hellwach unter ihrem wärmenden Federbett und starrte an die Decke. Sie war mit dem sich zu Ende neigenden Tag ganz und gar nicht zufrieden. Sie hatte immer noch nicht mit Marie gesprochen, und weder Peter noch Ursula hatten mit den geheimnisvollen Worten »Stürz den Degen« und »Weck von Aschen« etwas anfangen können. Ulrich war nach seinem Streit mit dem Behtherrn Baumann ins Wirtshaus verschwunden und bisher noch nicht wieder aufgetaucht. Anne Katharina seufzte leise. Ihre Gedanken wanderten im Kreis, ohne etwas Neues zu enthüllen.

Ein Poltern auf der Treppe und ein unterdrückter Fluch zeugten von der Heimkehr des Hausherrn. Ein paarmal hörte es Anne Katharina noch krachen und rumpeln, wenn er gegen die Wand oder eine Tür taumelte, bevor er seine Kammer und sein Bett fand, in dem seine Gemahlin schon seit Stunden auf ihn wartete. Eigentlich durfte er erst ab Sonntag sein Bett wieder mit ihr teilen, wenn sie durch die Einsegnung von der Unreinheit der Geburt befreit sein würde.

Anne Katharina kuschelte sich tiefer in ihre Federn und wog schläfrig die Vorteile eines wärmenden Körpers im Winter gegen die Nachteile eines nach Wein riechenden, schnarchenden und furzenden Gatten im gemeinsamen Bett ab und kam zu dem Entschluß, noch lange nicht zu heiraten. Sie dachte gerade über das Los einer alten Jungfer nach, als zornige Stimmen aus der ehelichen Kammer sie wieder hochfahren ließen. Einen betrunkenen Ehemann nachts zu fragen, ob er bei der Angabe seines Vermögens zur Festsetzung der Steuer betrogen habe, war sicher nicht sehr klug, und das Mädchen wunderte sich über Ursulas merkwürdige Vorstellung eines günstigen

Zeitpunkts, doch vielleicht ging es ja auch um etwas anderes.

Sie hörte ihre Schwägerin jetzt ganz deutlich: »Nein, laß mich los!« rufen. Ulrich brüllte zornig, doch die Worte waren so undeutlich, daß Anne Katharina sie nicht verstehen konnte. Lauschend saß sie im Bett. Die Anspannung in ihr wurde immer größer, bis sie es nicht mehr aushielt und mit einem Satz aus dem Bett sprang. Barfuß, nur mit einem Leinentuch um ihre Blöße und der Nachthaube auf dem Kopf, lief sie in den Flur. Erregte Stimmen, ein lautes Klatschen, dann das Poltern eines fallenden Körpers, wieder das Geräusch von Schlägen. Ursulas Schreie gingen in Wimmern über. Sie flehte ihren Gatten an, endlich von ihr abzulassen. Mit beiden Fäusten trommelte Anne Katharina gegen die verschlossene Tür und kreischte:

»Aufhören! Hört sofort auf!«

Die Geräusche in der Kammer verstummten, doch dann brüllte Ulrich, deutlicher, als das Mädchen es ihm in seinem trunkenen Zustand zugetraut hätte:

»Ich komme raus, und wenn ich dich dann noch im Flur vorfinde, verprügele ich dich, daß du es dein Leben lang nicht vergißt!«

Da die wenigen Male, als er seine Schwester in einer solchen Stimmung in seine Hände bekommen hatte, ihr noch sehr deutlich und äußerst schmerzhaft in Erinnerung waren, rannte sie in ihre Kammer und schlug die Tür hinter sich zu. Lange lag Anne Katharina noch wach, doch sie wagte sich nicht noch einmal hinaus. Wut und Haß nagten an ihr, und sie haderte mit Gott, daß er das Weib schwächlich und dem Manne untertan erschaffen hatte.

KAPITEL 14

Tag des heiligen Elko,
Freitag, der 22. März
im Jahr des Herrn 1510

Schon im Morgengrauen war Anne Katharina auf den Beinen. Ein kurzer Blick in den kleinen runden Spiegel enthüllte ihr, daß die mit Alpträumen angefüllte Nacht Spuren in ihrem Antlitz hinterlassen hatte. Schnell schlüpfte sie in ein einfaches Gewand aus ungefärbter Wolle und lief gähnend zur Küche hinunter, um zu sehen, ob Agnes schon eine Milchsuppe oder Brei gekocht hatte.

»Einen guten Morgen und einen gesegneten Tag wünsche ich Euch«, begrüßte die Magd sie freundlich und füllte ihr eine Tonschale mit dampfendem Haferbrei.

»Danke Agnes, das wünsche ich dir auch.«

Den Schemel nah ans Feuer gerückt, aß sie erst ein paar Löffel, ehe sie sich nach ihrer Schwägerin erkundigte.

»Ist Ursula schon auf?«

Agnes schüttelte den Kopf.

»Nein, ich habe die Herrin noch nicht gesehen, doch der Herr ist schon aus dem Haus gegangen – mit ein paar dicken Büchern unter dem Arm.« Anne Katharina sah erstaunt von ihrer Schüssel auf.

»Hat er gesagt, wo er hingeht?« Die Magd zuckte entschuldigend die Schultern.

»Ich hielt es für klüger, den Herrn an diesem Morgen nicht anzusprechen.«

Ihre Blicke trafen sich. Der Magd war der nächtliche Streit also auch nicht verborgen geblieben. Anne Katharina öffnete den Mund, um etwas zu erwidern, doch Agnes' entsetzter Blick ließ sie herumfahren und zur Tür sehen. Eine Hand vor Schreck vor dem Mund, konnte das Mädchen nur mühsam einen Schrei unterdrücken, als sie Ursula im bleichen Morgenlicht stehen sah: die Wange geschwollen, die aufgeplatzte Lippe dick und voll schwärzlich getrocknetem Blut. Um ihr linkes Auge, das sie nur noch halb öffnen konnte, begannen sich bereits dunkle Flecken zu bilden, das andere Auge war vom Weinen gerötet.

»O Liebes, wie schrecklich!« stieß Anne Katharina aus, sprang auf und nahm die Schwägerin in die Arme.

»Bitte, sprich nicht darüber«, sagte Ursula rauh, ließ sich aber zu einem Schemel führen.

»Agnes wird dir eine heiße Milch mit Honig machen, und ich sehe nach ein paar Kräutern, damit die Schwellung schnell zurückgeht. Ach, wenn wir doch nur Els fragen könnten!«

»Wenn die gnädige Frau einverstanden ist, dann hole ich Sara«, mischte sich die Magd ein. »Sie kann Euch etwas gegen die Schmerzen und auch etwas für eine schnellere Heilung geben.«

Ursula sah zu Agnes hoch und nickte, und so fand sich nur wenig später die Magd des Nachbarn Baumann mit einem dicken Bündel voller Salben und anderer Utensilien in der hinteren Stube ein. Da Ursula mit der Kräuterkundigen allein sein wollte, bot sich für Anne Katharina eine gute Gelegenheit, die von ihrem Bruder so sorgsam gehüteten Bücher und Schriftstücke etwas genauer zu betrachten.

Lautlos huschte Anne Katharina in die Schreibkammer und schloß die Tür hinter sich. Ein bißchen drückte sie das Gewissen schon, als sie nach dem dicken, rotbraun eingebundenen Buch griff, in das die Handelsgeschäfte eingetragen wurden. Ihr Herz schlug schneller, pochte unruhig in ihrer Brust. Was, wenn sie erwischt werden würde? Energisch schob sie diesen Gedanken beiseite, schlug das Buch auf und blätterte bis zu den Weinlieferungen aus Wimpfen, Heilbronn und Weinsberg vom Vormonat. Sie rückte die Lampe näher, ließ den Zeigefinger langsam an den Zahlenreihen entlanggleiten, stockte kurz und beugte sich dann noch tiefer über die gelblichen Papierseiten. Kein Zweifel, die Zahlen waren verändert worden! Hier aus einer Drei eine Acht oder aus einer Zwei eine Drei. Sowohl die Preise als auch die Mengen hatte jemand nachträglich manipuliert. Anne Katharina nahm sich ein Blatt Papier, rechnete, addierte, zweimal, dreimal, blätterte bis zum Schluß der Eintragungen, kaute an ihrer Unterlippe, während ihr Blick starr auf die Endsumme gerichtet blieb. Sie stimmte, kein Zweifel, sauber in Ulrichs Schrift, die langen schrägen Bogen und die gekringelten Mäuseschwänze an den Wortenden waren unverkennbar. Irgend etwas war hier faul, sehr faul sogar. Anne Katharina blätterte zum Salz, rechnete Schilpen und Eimer nach. Die Seiten, sauber gefüllt mit Zahlen und Buchstaben ihrer schmalen, sauberen Schrift, schienen unverändert. Nachdenklich malte sie mit einer trockenen Feder Kringel und Bogen auf ein abgerissenes, mit sinnlosen Wörtern, Buchstaben und Zahlen vollgeschriebenes Blatt, das aus den hinteren Seiten des Buches herausgeflattert war. Aufmerksam betrachtete Anne Katharina noch einmal die Abrechnung des Weines, dann der Tuche und des Korns. Ihr Blick blieb an einem Datum hängen. Tag des heiligen Thomas von Aquin 1510. Die Seite, erst halb gefüllt, war von der Schrift ihres Bruders bedeckt, doch sie wirkte unkonzentriert, flüchtig, schlampig – betrunken!

28. Januar – aber das kann nicht sein. Ich habe alle Geschäfte bis Mitte Februar eingetragen.

Verwirrt starrte sie auf die merkwürdige Seite, strich sie mit den Fingern glatt, als könne sie das Rätsel dadurch lösen. Die Fingerspitzen streiften rauhe, unregelmäßige Kanten.

Es fehlt eine Seite! Er hat sie herausgerissen und noch einmal geschrieben, aber warum?

Verwirrt betrachtete sie die Seite, dachte nach und malte Kringel auf das lose Blatt. Gleich einer Prozession marschierten Zahlen und Buchstaben darüber, von jeder Ziffer ein Zeile, dann eine Zeile t und l, h und k, g und j. Doch statt in peinlich präziser Ordnung, waren die Bogen mal steiler, mal flacher, die Ösen mal runder mal ovaler. Dann folgten einzelne Wörter wie »Wein«, »Faß«, »Fuder«, »Maß«. Was oben etwas krakelig begann, wurde zum Ende hin runder und schwungvoller.

Anne Katharina horchte auf. War das nicht die Stimme ihrer Schwägerin gewesen? Auf keinen Fall wollte sie hier in der Schreibkammer gefunden werden, daher schlug sie das Buch rasch zu und schob es in den Sekretär zurück. Ihr Blick blieb an der unteren Schublade hängen, in der ihr Bruder seine Privatdokumente aufbewahrte. Ihre Hand griff nach dem runden Knauf. Kurz blätterte sie die Papiere durch, konnte jedoch nichts Interessantes entdecken. Anne Katharina wollte die Lade schon schließen, als ihr hinter den Papieren ein kleines zusammengerolltes Bündel auffiel. Neugierig warf sie einen Blick darauf. – Ablaßbriefe! So viele?

Was hat er denn für Sünden begangen, daß er so viele Ablaßbriefe braucht?

Ein wenig schockiert dachte sie an die nächtlichen Schläge, an freie Weiber, an Saufgelage und unflätige Worte, während sie die kleinen gedruckten Blättchen durch ihre Hände gleiten ließ, doch dann blieb ihr Blick an den Zahlen in der unteren Ecke hängen, und ihr stockte der Atem. Rasch blätterte sie weiter, überschlug die Summe, wurde bleich.

Herr Jesus Christus, welch furchtbare Sünden muß er begangen haben, daß er Ablaßbriefe in dieser Höhe kauft!

Wieder vernahm Anne Katharina die Stimme ihrer Schwägerin, die nach ihr rief. Rasch stopfte sie die Papiere an ihren Platz zurück, eilte hinaus, schloß die Tür und begegnete, scheinbar von unten kommend, Ursula, als diese erneut rufend aus der kleinen Stube trat.

* * *

»Hallo, da bist du ja«, begrüßte Afra Senft die Freundin, als sie kurz nach der Mittagszeit die Stube im Vogelmannshaus betrat. Ursula saß mit ihrer Stickerei vor dem Ofen, Marie, mit dem kleinen Daniel an der Brust, in einer Ecke. Anne Katharina begrüßte Afra mit verhaltener Begeisterung, während sie unauffällig zu ihrer Schwägerin hinüberschielte. Sie sah schon wesentlich besser aus als noch am Morgen, doch die verräterischen Spuren der Nacht waren dennoch nicht zu übersehen.

»Ich sage dir, das war ein aufregender Morgen«, plapperte Afra los. »Gestern abend hatten Gabriel und der alte Baumann noch eine lange Besprechung, über deren Inhalt ich leider nichts mitbekommen habe, und dann kommt in aller Früh Rudolf vorbei, um sich wie üblich mit der Berlerin und mit Gabriel zu zanken. Ja, und kaum habe ich mein Morgenmahl beendet, besucht uns auch noch dein Bruder.«

»Peter?«

»Nein, Ulrich! Er schloß sich mit Gabriel in der Schreibstube ein und wollte erfahren, was Baumann meinem Vetter erzählt hat.«

Ursula hob den Kopf.

»Und du warst ganz zufällig in der Nähe und konntest gar nicht umhin, ihre Worte zu hören.«

Afra, taub für den Sarkasmus in Ursulas Stimme, nickte zustimmend.

»Ja, so war es, doch leider habe ich nicht viel erfahren, nur daß es wie üblich um viel Geld ging – und um Rudolf.«

»Was hat denn Rudolf mit Ulrich zu schaffen?« fragte Ursula abwesend, ihre Aufmerksamkeit scheinbar nur ihrer Stickerei zugewandt, doch das Senftenmädchen übersah diese Unhöflichkeit.

»Es ging um irgendeine delikate Angelegenheit.« Sie errötete und kicherte verlegen. »Nun, es ist ja bekannt, daß Rudolf den Frauen sehr zugetan ist, und sie ihm.«

Plötzlich hatte Anne Katharina das Gefühl, daß alle anwesenden Frauen atemlos und voller Neugier die Ohren spitzten, auch wenn Ursula nach wie vor konzentriert stickte und Marie den kleinen David herzte.

»Nun, die Männer waren sich einig, daß Rudolf irgend etwas angestellt hat, was sie beide vertuschen wollen. Sie schienen sehr erleichtert, daß Rudolfs Verlobung mit Helene von Rinderbach bald offiziell gefeiert wird, und hoffen, daß die Hochzeit noch in diesem Jahr folgt.« Ohne auf die erstaunten Rufe ihrer Zuhörerinnen zu achten, fügte sie noch hinzu: »Sie hoffen wohl, daß eine so schöne, reiche und energische Ehefrau ihn auf den Pfad der Tugend zurückbringt.«

»Du weißt nicht zufällig den Namen dieser delikaten Angelegenheit, ich meine, deren Beziehung – Verhältnis – zu deinem Vetter …?« Errötend brach Anne Katharina ab.

»Leider, nein.« Bedauernd schüttelte Afra den Kopf. Doch dann begannen ihre Augen zu funkeln. »Obwohl mich das sehr interessieren würde! Wartet nur ab, ich bekomme es schon noch heraus. Morgen abend ist Ratsherr Baumann zum Nachtmahl bei uns. Vielleicht weiß er ja darüber Bescheid und läßt sich etwas entlocken?«

Da das Thema erschöpft schien, wandte sich Afra ihrem zweiten Lieblingsthema zu: dem Mord an der Hebamme.

»Wie schrecklich es sein muß, so unvorbereitet vor den Schöpfer zu treten, ohne letzte Ölung, ohne den Beistand eines Priesters, der einem die Last der Sünden abnimmt, ohne Sterbesakramente. Was glaubt ihr, wie lange sie im Fegefeuer schmoren muß, bis all ihre Sünden gebüßt sind?«

»Vielleicht hat sie gar keine so große Schuld auf sich geladen. Immerhin war sie Hebamme und hat vielen Kindern auf die Welt geholfen, den Müttern guten Rat gegeben, ihnen die Schmerzen erleichtert und sie getröstet. Daher wird die Zeit der Buße sicher nicht lange dauern«, erwiderte Ursula voll Zuversicht in ihrer Stimme.

Anne Katharina dachte an die Worte der Hebamme, die sie mit dem Unbekannten gewechselt hatte, und schwieg, schaudernd bei dem Gedanken, wie viele Höllenqualen Els für diese schwere Sünde ertragen mußte, die das Mädchen nur erahnen konnte.

»Nun ja, so viele Sünden können es wirklich nicht gewesen sein«, räumte Afra ein. »Schließlich habe ich sie erst am Sonntag vor ihrem Tod bei der Beichte angetroffen. Ich wundere mich nur, daß sie bei eurem Oheim und nicht drüben in St. Katharina war. Ist nicht Pfarrer Rüttinger ihr Beichtvater?«

Anne Katharina nickte, doch wenn sie an die Anklage des Pfarrers gegen die Schloßsteinerin dachte, die im finsteren Verlies des Sulferturms ihrem sicher nicht rosigen Schicksal harrte, dann konnte sie Els' Entscheidung verstehen.

Wer weiß, was sie dem Pfarrer erzählt hat. Vielleicht nimmt es Pfarrer Rüttinger mit dem Beichtgeheimnis nicht so genau?

»Ganz kalt läuft es mir über den Rücken, wenn ich daran denke, daß die arme Els vielleicht nicht genug Geld hatte, damit ihr nach der Beichte alle Sünden vergeben wurden, oder ihr die Zeit nicht reichte, um die auferlegte Buße auszuführen«, fuhr das Senftenmädchen genüßlich fort. »Dann brennt sie jetzt im Höllenfeuer mit all den anderen gequälten Seelen, während der Teufel sie mit allen Mitteln piesackt …«

Anne Katharina sah, wie Marie bleich wurde, und unterbrach Afra, die sich mit Begeisterung weitere Martern der Hölle ausmalte, mit fester Stimme:

»Els muß für ihre Sünden eine Zeitlang leiden, doch dann wird sie die Klarheit Gottes und unseres Herrn Jesu, die Heilige Jungfrau Maria und all die anderen Heiligen in ihrer Herrlichkeit auf ewig schauen.«

»Amen«, fügte Ursula trocken hinzu.

Afra nickte, doch sie schien fast ein wenig enttäuscht.

»Ja, du hast recht. Schließlich wurde sie getauft und hat ein gottesfürchtiges Leben geführt. Aber denkt nur, wie entsetzlich es ist, wenn ein Mensch ohne Taufe stirbt.« Ihre Augen glänzten. »Dann ist die Seele auf immer verloren und muß in aller Ewigkeit in der tiefsten Hölle braten. So wie das Kind der Berlerin, das nicht einmal in geweihter Erde vergraben liegt, sondern am Waldrand auf dem Olymp. Keine Hoffnung auf Erlösung – nein, wie schrecklich!« Geradezu genießerisch sprach sie die Worte aus.

Mit einem Schrei sprang Marie auf. Das Kind eng an sich gedrückt, die Augen unruhig flackernd, stieß sie halb kreischend, halb schluchzend die Worte heraus.

»Aber es kann doch nichts dafür, das arme, unschuldige Geschöpf. Wie kann es denn schon sündigen, kaum ein paar Stunden alt?«

»Das ist egal«, antwortete Afra brutal. »Wenn es nicht getauft ist, dann ist es des Teufels!«

»Diejenigen, die verhindern, daß ein Kind getauft wird, die sollen des Teufels sein und auf ewig in der Hölle schmoren!« schrie die Amme in höchster Erregung, brach dann in Tränen aus und stürzte aus der Stube.

»Dein Sohn hat noch gelebt, als das Wasser seinen Kopf berührte. Ich schwöre es!« rief Anne Katharina ihr nach, doch sie bezweifelte, daß ihre Worte Marie noch erreichten.

»Ich will sehen, ob ich sie beruhigen kann.« Das Mädchen war schon fast an der Tür, als Ursula es zurückhielt.

»Laß nur, ich werde mit ihr reden. Sie ist immer noch ein wenig durcheinander und hat den Tod ihres Kindes noch nicht verwunden.«

Sorgfältig legte sie ihre Näharbeit zusammen und ging dann die Treppe zur hinteren Stube hoch. Afra und Anne Katharina blieben einigermaßen überrascht in der großen Stube zurück.

* * *

Anne Katharina saß immer noch grübelnd in der großen Stube, als der Hausherr Ulrich hereingepoltert kam. Sofort erhob sie sich, denn wenn es eine Person gab, mit der sie heute nicht sprechen wollte, so war das ihr älterer Bruder.

»Setz dich wieder, ich habe dir etwas zu sagen«, fuhr er sie so barsch an, daß das Mädchen sich seufzend, jedoch mit abweisender Miene wieder auf der Bank niederließ. Ulrich zog sich einen der Scherenstühle heran und setzte sich seiner Schwester gegenüber hin. Sichtlich um einen freundlicheren Ton bemüht, begann er.

»Du bist bereits siebzehn Jahre alt und damit fast eine erwachsene Frau.« Er brach ab und knetete nervös seine Hände.

Überrascht sah seine Schwester ihn mit großen Augen an. Was sollte das denn werden? Ulrich räusperte sich und setzte noch einmal an.

»Da du so viele Freiheiten in diesem Haus genießt, seit die Eltern tot sind, hattest du ja reichlich Gelegenheit dazu, die Siedergesellen und Freunde deines jüngeren Bruders kennenzulernen. Zum Beispiel auch den jungen Seyboth.«

Mißtrauisch zog Anne Katharina die Augenbrauen zusammen.

»Ja, ich kenne Michel, diesen eingebildeten, aufgeblasenen Burschen, warum?«

Ulrich zuckte bei jedem Wort zusammen.

»So schlimm kann er gar nicht sein. Übertreibe nicht so! Du mußt bedenken, er kommt aus einer der angesehensten Familien, bringt eineinhalb Sieden mit und ist mit seinen fünfundzwanzig Jahren im besten Alter …«

Ihr kam ein fürchterlicher Verdacht.

»Im besten Alter für was?«

»Nun, um zu heiraten. Ich habe mit seinen Eltern gesprochen. Ihr könnt am Anfang bei ihnen im Haus wohnen, eine Kammer und sogar eine eigene kleine Stube für euch haben. Die Verlobungsfeier soll so bald wie möglich sein, so daß die Hochzeit noch in diesem Sommer stattfinden kann. Bis auf ein paar Kleinigkeiten bei deiner Mitgift und dem Waldstück, das dir Mutter vererbt hat, ist alles schon ausgehandelt.«

Anne Katharina sprang auf und stieß einen Schrei aus, in dem sich all ihre Verbitterung, Wut und Angst vereinten. Ausgerechnet der junge Seyboth! Warum jetzt? Warum so schnell?

»Ich will nicht heiraten!« brach es aus ihr heraus, »nicht jetzt und schon gar nicht diesen, diesen Windbeutel!«

»Du wirst genau das tun, was die Familie für richtig hält.«

Sie hörte den gefährlichen Unterton, der sie warnen sollte, doch das Mädchen war zu erregt, um darauf Rücksicht zu nehmen.

»Die Familie? Du, du allein willst mich an diesen Mann verkaufen, um geschäftlichen Nutzen daraus zu ziehen. Großvater wird mir helfen. Er wird nicht zulassen, daß du mich zu so einer Ehe zwingst.«

»Laß den alten Mann da heraus. Der ist doch gar nicht mehr ganz bei Sinnen.«

»Großvater hat noch mehr Geist in sich, als du je besitzen wirst!« schrie sie erbost.

»Ja, einen wirren Geist, mit dem er dich gegen die Familie und gegen deine Pflichten aufbringt. Aber ich bin dein Vormund, und du hast dich zu fügen. Alle Frauen heiraten zum Wohle der Familie, also führ dich nicht so auf, sonst werde ich dafür sorgen, daß du den alten Mann nicht mehr besuchst!«

Beide Hände in die Hüften gestemmt, stand sie dicht vor ihm und brüllte ihn an.

»Du drohst mir? Du kannst es wohl gar nicht abwarten, mich aus dem Haus zu haben, damit du des Nachts ungestört deine Gattin prügeln kannst!«

Das Klatschen auf ihrer Wange erstaunte sie für einen Augenblick, doch das kurz darauf folgende Brennen holte sie in die Wirklichkeit zurück. Was hatte sie da gesagt! Trotzig starrte Anne Katharina ihren Bruder an. Sein Gesicht war weiß vor Wut.

»Gut, ich werde dieses Haus verlassen.« Vorsichtshalber trat sie ein paar Schritte zurück. »Deine Zeit, mich zu schlagen, läuft ab. Aber freue dich nicht zu früh. So, wie du dir das in den Kopf gesetzt hast, wird die Sache nicht ablaufen!«

Nach dieser Drohung, von der sie selbst noch nicht wußte, in welcher Weise sie sie wahr werden lassen wollte, floh Anne Katharina schnell die Treppe hinunter, bevor ihn sein Zorn zu weiteren Gewalttätigkeiten treiben konnte.

Ziellos wanderte sie durch die Stadt, vorbei am zugemauerten Limpurger Tor und an der großen Baustelle, auf der das neue Büchsenhaus entstehen würde. Sie stieg zum Langenfelder Tor hinauf, der südöstlichen Ecke der Stadt, und ging dann über den Spitalmarkt und die Klostergasse hinab zum Marktplatz. Schließlich stand Anne Katharina vor dem Marktbrunnen und tauchte ihr Taschentuch in das kalte, klare Wasser. Doch nicht nur ihre Wange bedurfte Kühlung, auch der Zorn brannte immer noch heiß.

»Heiliger Georg, warum sind die Helden nie zur Stelle, wenn man ihrer bedarf?« fragte sie die Steinfigur, die den wasserspeienden Drachen in seiner Gewalt hielt, vorwurfsvoll.

»Nun gut, der junge Seyboth will mich nicht gerade verspeisen, wie der große Wurm es mit der Königstochter vorhatte, die du gerettet hast«, räumte sie ein, »doch ihn als Ehemann zu haben stelle ich mir ähnlich furchtbar vor.«

»Mit wem hältst du solch ein inniges Zwiegespräch? Mit Simon, Georg oder Michael?«

Anne Katharina fuhr herum und sah in Pater Hiltprands gütige Augen. Sein Mund war zu einem verschmitzten Lächeln ein wenig geöffnet.

»Ich versuchte, dem heiligen Georg klarzumachen, daß ich der Hilfe ebenso bedarf wie seine Königstochter.«

Sie sah den Pater finster an, doch er schien dies nicht zu bemerken. Sanft strich er ihr über die brennende Wange und fragte sie:

»Welch Ungeheuer will dich denn verschlingen, mein armes Kind?«

»Michel Seyboth«, antwortete sie düster und fügte noch hinzu, als sie den fragenden Blick sah: »Nicht verschlingen, jedoch heiraten, was mir ähnlich schlimm vorkommt.«

Pater Hiltprand seufzte mitleidig, lehnte sich gegen die Brunnenwand und strich noch einmal zart über ihre Wange.

»Dein Bruder Ulrich hat diese Verbindung zu einer anderen geachteten Siedersfamilie sicher wohl überlegt.«

Das Mädchen schnaubte unfein durch die Nase.

»Das glaube ich ihm gleich. Aber ich will diesen aufgeblasenen Angeber nicht heiraten. Ich will gar nicht heiraten. Ich mache es wie Ihr und gehe ins Kloster.«

»Nun, bei den Barfüßern wird wohl kein Platz für eine solch schöne Jungfrau sein. Was würde der Guardian dazu sagen?«

Anne Katharina mußte doch ein wenig grinsen, obwohl

sie sich ärgerte, daß der Pater sie nicht ernst zu nehmen schien, deshalb fuhr sie ihn ungehalten an:

»Unsinn! Natürlich gehe ich in ein Nonnenkloster, nach Gnadental oder so. Meine Mitgift wird sicher ausreichen, daß sie mich aufnehmen.«

Der Pater schien zu überlegen.

»So einfach geht das nicht. Auch hierfür brauchst du die Zustimmung deines Vormundes.«

»Ich weiß. Eigentlich will ich ja auch gar nicht mein ganzes Leben bei den Nonnen verbringen, aber den Michel will ich auch nicht heiraten!«

Wie gerne hätte sie sich wie früher in Pater Hiltprands starke Arme gekuschelt, um sich den Kummer von der Seele zu weinen, doch sie war kein Kind mehr, und hier auf dem Marktplatz gab es mehr als genug neugierige Augen.

»Weißt du, auch aus aufgeblasenen Angebern können sich mit den Jahren ganz brauchbare Männer entwickeln.«

»Aus dem bestimmt nicht!« protestierte sie überzeugt.

»Hast du schon mit ihm darüber gesprochen?«

»Nein« – entschlossen straffte sie sich – »aber genau das werde ich jetzt tun. Vielen Dank für Euren Rat, Pater, und einen gesegneten Tag.«

Ohne sich noch einmal umzudrehen, schritt sie forsch auf den Haal zu, über dem eine dichte Dampfwolke hing, denn das Kaltliegen war vorbei, und seit einer Woche wurde wieder gesotten. Anne Katharina hatte sowieso vorgehabt, den Versuch zu wagen, etwas über den geheimnisvollen Fremden herauszubekommen. Und bei dieser Gelegenheit könnte es ja geschehen, daß Michel Seyboth die Lust auf eine Ehe mit ihr ganz plötzlich verginge.

* * *

»Da draußen ist ein Mädchen, das Euch sprechen will, Herr«, hörte Anne Katharina den Feurer ihren Wunsch ausrichten.

»Ist sie wenigstens jung und von hübscher Gestalt?«

»Ja, ja, des ist 'ne Jungfrau aus gutem Haus – und nicht schlecht gebaut, wenn ich das so sagen darf.«

»Na, dann wollen wir uns das Vögelchen mal ansehen, bevor es wieder davonfliegt.«

Mehr aus Wut als aus Verlegenheit schoß ihr die Röte ins Gesicht, und all die wohlüberlegten Worte lösten sich in nichts auf und ließen nur den Wunsch zurück, die Abdrücke ihrer Hand in flammendem Rot auf der Wange des unverschämten Sieders zurückzulassen. In schwarzen Kniehosen aus grobem Stoff, das weiße Hemd bis an die Brust geöffnet, verschwitzt und von der Holzkohle beschmutzt, trat Michel Seyboth blinzelnd in den grellen Sonnenschein.

»Oh, die Augenweide der Stadt kommt aus ihrer Kemenate zu mir herabgestiegen. Jungfrau Anne Katharina, welch große Ehre.« Er verbeugte sich, ein spöttisches Lächeln auf den Lippen, und wischte sich die verschmierten Hände an seiner Hose ab.

»Nun, schönste aller Jungfrauen, was wünscht Ihr?«

»Ich dachte, Ihr wüßtet noch nicht, ob Ihr diesen Titel nicht doch lieber an Anna Büschler oder Helene von Rinderbach vergeben wollt«, erwiderte sie spitz und entlockte Michel dadurch ein Lachen.

»Habe ich Euch gekränkt? Dann bitte ich untertänigst um Vergebung. Doch wie ich vermute, seid Ihr nicht gekommen, um diese Frage zu klären.«

»Da habt Ihr recht, Michel Seyboth.« Sie gab ihrer Stimme einen zuckersüßen Klang. »Ich bin gekommen, um zu sehen, ob Ihr etwas von Eurer Arbeit versteht.«

Der irritierte Ausdruck in seinem Gesicht blieb ihr nicht verborgen, doch sie tat so, als bemerke sie ihn nicht, und spazierte um einen sorgfältig aufgestapelten Holzstoß von beträchtlicher Höhe.

»Da uns das Eheband nun schon bald umschlingt, kann es ja nur von Vorteil sein, wenn ich mir Eure Mitgift frühzeitig ansehe und, um jedem Mißton in unserer Ehe vorzubeugen, Schlampereien und Mißstände jetzt schon auszuräumen suche.«

Sie sah ihn mit einem Augenaufschlag an und weidete sich an dem vor Erstaunen kreisförmig geöffneten Mund.

»Meine Mitgift?« wiederholte er fassungslos, doch Anne Katharina fuhr unbeirrt fort, während sie an einer neuen, noch glänzenden Pfanne aus Eisenblech vorbeischritt, die an der Wand lehnte.

»Liebster Michel, Ihr wißt doch sicher, daß es bei uns in der Familie schon seit langem der Brauch ist, daß die Frauen die Bücher führen und mit all ihrem Geschick das Vermögen mehren. Nicht umsonst hat mich Pater Hiltprand nicht nur Lesen und Schreiben, sondern auch Rechnen gelehrt. Ihr braucht Euch jedoch nicht davor zu fürchten, Eurer Gemahlin alles zu überlassen. Auch meine Brüder bekommen den ein oder anderen Heller zugesteckt, um mit ihren Freunden abends das Wirtshaus aufsuchen zu können.«

Wie ein Fisch auf dem Trockenen öffnete und schloß er einige Male tonlos den Mund, doch dann teilte plötzlich ein breites Grinsen seine vollen Lippen.

»Was Eure Schönheit angeht, verehrte Anne Katharina, da mögt Ihr Konkurrentinnen haben, doch was Eure scharfen Zähne und Eure spitze Zunge betrifft, so müßte man schon in einem Wolfsrudel suchen, um ein Wesen zu finden, das es mit Euch aufzunehmen vermag.«

Er schien sich der ungeheuren Beleidigung nicht bewußt zu sein, bot ihr mit einer leichten Verbeugung seinen Arm an und fuhr unbekümmert fort:

»Es ist mir ein Vergnügen, Euch vom guten Zustand unseres Haalhauses zu überzeugen und Euch in die Geheimnisse der Salzsiederei einzuweihen.«

Nun war es an ihr, nach Worten zu suchen. Der Verlauf dieses Geplänkels war Anne Katharina gar nicht recht, und schon stieg der Verdacht in ihr auf, daß all ihre Bemühungen umsonst gewesen sein könnten.

»Hier draußen vor dem Haalhaus, im Naach, lösen wir in der frischen Sole das Gewöhrd auf, um sie anzureichern. Dazu sammeln wir in der Gewöhrdstatt das salzhaltige Mauerwerk abgebrochener Herde, mit Salzschleim gelöschtes Holz, den Pfannenstein und auch den Schaum und Schlamm, der sich beim Sieden ansammelt …«

»Ich lebe schon an die siebzehn Jahre in Hall, und auch mein Bruder betreibt die Siederei, wie Euch nicht entgangen sein kann«, unterbrach sie seinen Vortrag und sah mit gerümpfter Nase in den langen, mit einer unansehnlich braunen, schaumigen Brühe gefüllten Holzkasten, von dem aus eine Leitung durch die Wand in das Haalhaus führte. Der leichte Frühlingshauch konnte den Geruch von Moder, Salz und Qualm aus den unzähligen Herdfeuern nicht vertreiben, der ihr in Hals und Nase brannte und sie zum Husten reizte, den sie nur mühsam unterdrücken konnte. Mit heftigem Blinzeln vertrieb Anne Katharina ein paar Tränen, die sich in ihre Augen schlichen, und zögerte kurz, als der Sieder ihr die Tür aufhielt.

»Kommt nur herein, in den Vorhof zur Hölle. Ihr müßt Euch nicht fürchten. Ich bin ja bei Euch.«

Wütend, daß ihr Zögern so völlig mißdeutet wurde, trat

sie rasch ein, die Schultern gestrafft, den Kopf hoch erhoben, die Röcke ein wenig gerafft, damit sie nicht über die Holzkohlereste schleiften, die überall herumlagen.

Im Innern des aus Bohlen und rohen Brettern zusammengezimmerten Hauses verdichtete sich der Rauch nicht nur unerträglich, sondern die Hitze der lodernden Feuer trieb dem Mädchen auch noch den Schweiß aus allen Poren und ließ ihn in winzigen Rinnsalen an Schläfen, Hals und Dekolleté herabrinnen. Obwohl Anne Katharina ihm nicht gefallen wollte, fragte sie sich bang, ob ihr Gesicht nun, naß und rot, ein unschönes Bild bot. Ihren vorherigen Einwand anscheinend vergessend, fuhr er mit seinen Erklärungen fort.

»Durch ein Sieb gelangt die Sole in die Vorwärmpfanne. In der zweiten Pfanne wird sie dann erst langsam angeheizt und später aufgekocht. Den schmutzigen Schaum, den Ihr dort drüben seht, muß man immer wieder abschöpfen.«

Sie vergaß ganz, daß sie ja einen schlechten Eindruck machen wollte, und stellte sich auf die Zehenspitzen, um in die riesenhafte Pfanne sehen zu können, neben der einer der Siedersknechte stand und mit einem großen Holzeimer von Zeit zu Zeit Sole aus der Vorwärmpfanne nachgoß. Schon als ganz kleines Mädchen hatten die dampfenden Haalhäuser, die Geschäftigkeit und die siedenden Pfannen, aus denen man wie durch Zauberei plötzlich Salz herausholen konnte, eine unwiderstehliche Faszination auf sie ausgeübt.

»Wozu dienen die Schalen dort am Grund der Pfanne?«

»Das sind Setzpfannen, um den groben Schmutz aufzufangen. Doch Ihr müßt mich kurz entschuldigen, die Arbeit ruft. Ihr wollt doch nicht, daß Schlamperei in Euer zukünftiges Sudhaus einkehrt!«

»Nein, nein, laßt Euch nicht aufhalten. Es ist sicher schwer, die Feurer und Knechte so geschickt anzuweisen, daß sie auch gut arbeiten, wenn der Sieder nicht mit anpackt.«

Sie legte einen gönnerhaften Ton in ihre Stimme.

»Bei Eurer Jugend ist es sicher verzeihlich, daß Ihr das noch nicht erreicht habt, doch vielleicht stellt sich der Erfolg mit den Jahren noch ein.«

Er lachte kurz auf, doch er schien ein wenig gekränkt. Das Licht im flackernden Schein der Feuer war zu trügerisch, als daß sie den Blick, den er ihr zuwarf, hätte deuten können. Schweigend sah sie den vier Männern zu, wie sie den Pfanneninhalt in vier Gölten füllten und anschließend die Pfanne mit Sole auswuschen. Erst als sich der Schmutz am Boden der großen Holzeimer abgesetzt hatte, wurde die nun geläuterte Sole in die Pfanne zurückgeschöpft.

»Meister, Blut und Bier!«

Eine gedrungene Gestalt in schmutzigen Hosen und zerrissenem Kittel trat mit zwei Holzeimern in den Händen ins Sudhaus.

»Blut und Bier? Welch satanisches Zauberwerk wollt Ihr denn vollbringen?« fragte Anne Katharina erstaunt und bemerkte, daß es doch noch viel zu lernen gab.

Michel lachte, dieses Mal wirklich belustigt.

»Das ist kein Teufelswerk.« Er machte ein geheimnisvolles Gesicht und senkte verschwörerisch die Stimme. »Es ist Alchimie!«

»Ihr nehmt mich auf den Arm!«

»Nicht jetzt, später vielleicht, Liebste.«

Wütend, daß er immer wieder die Oberhand zu gewinnen schien, schnaubte sie: »Ist Blutwurst mit Brot und Bier Eurer Meinung nach auch Alchimie?«

»Nein, nein, es dient nicht unserem leiblichen Wohl. Das

ganze Geheimnis liegt darin, daß Blut und Bier helfen, den Schmutz aufzuschäumen, so daß er leichter abgeschöpft werden kann.«

Er erzählte noch weiter, wie beim Soggen das Salz ausfällt und herausgeschaufelt wird und wie das feuchte Salz in einer Bretterform über dem Pfaunstle ausgetrocknet und dann zu sechzehn Schilpen gesägt wird, doch Anne Katharina hörte nur noch mit einem Ohr zu. Statt dessen betrachtete sie eingehend die Feurer und Siedersknechte, die im Seyboldschen Haalhaus arbeiteten, doch keiner hatte eine Ähnlichkeit mit dem Unbekannten aus dem Spital oder dem Dreifingrigen.

»Zum völligen Austrocknen werden die Schilpen dann im Löchle noch einmal mit glühenden Holzkohlen umgeben – und bereits nach sechzehn Stunden ist der Sud fertig, und wir können in den ›Wilden Mann‹ hinübergehen, um unsere durstigen Kehlen zu erfrischen.«

»… um dann völlig betrunken durch die Straße zu ziehen, eine Schlägerei anzufangen und die nächsten fünf Tage im Turm zu verbringen. So schafft Ihr also einen Sud pro Woche!«

»Eure Zunge ist gefährlicher als der Drache. Vielleicht sollten die Stadtwachen bei Gefahr Euch statt dem großen Geschütz auf einen der Türme stellen.«

Anne Katharina neigte nur lächelnd den Kopf und wechselte das Thema.

»Wie viele Männer arbeiten hier im Haalhaus für Euch?«

Michel sah sie zwar leicht irritiert an, ließ sich jedoch von ihr auf anderes Terrain geleiten.

»Die drei Feurer und außer dem Schmiederkarl noch zwei weitere Siedersknechte, die Flößer Grambenpeter …«

Sie unterbrach ihn.

»Arbeitet der Knecht, der an der linken Hand nur noch drei Finger hat, auch für Euch?«

Der Sieder zog fragend die Augenbrauen hoch.

»Der Bert? Nein, warum interessiert Ihr Euch für ihn?«

Sie überging seine Frage.

»Aber er hat doch für Euch gearbeitet?«

»Ja, für Vater war er eine Zeitlang Feurer, doch in diesem Jahr ist er wieder Flößer.«

»Für wen?«

Der merkwürdige Blick, den er ihr zuwarf, ließ eine böse Ahnung in ihr aufsteigen, und eigentlich wußte sie es bereits, bevor Michel es aussprach:

»Die meiste Zeit für Euren Bruder Ulrich und Euren Lehensherrn Gabriel Senft!«

Ihr wurde ganz schwindelig.

»Ach, deshalb habe ich ihn in letzter Zeit öfter in der Herrengasse gesehen«, sagte sie leichthin.

»Da irrt Ihr Euch wahrscheinlich und verwechselt ihn mit seinem Bruder Alfred. Die beiden sehen sich so ähnlich, daß sich Bert vielleicht absichtlich die Finger abgehackt hat, um nicht ständig mit ihm verwechselt zu werden.«

Sie lachte pflichtschuldig, doch ihre Gedanken rasten.

»Alfred ist Knecht bei Rudolf Senft, nicht?«

Michel zuckte mit den Schultern. »Ja, ich glaube schon.«

Ulrich – Gabriel – Rudolf – Alfred – Bert – das tote Kind von Marie – der merkwürdige Geheimcode, das alles wirbelte in ihrem Kopf durcheinander. Mit dem Junker konnte sie nicht sprechen, mit Ulrich genausowenig, und sich noch einmal in die Hände eines der Knechte begeben? Schon der Gedanke ließ sie erzittern. Marie! Heute abend würde sie mit ihr sprechen und ihr so lange zusetzen, bis sie ihr alles gesagt hatte, was sie wußte. Tief in ihre Gedanken versunken, hatte Anne Katharina nicht aufgepaßt, war Michel hinter einen Stoß Feuerholz gefolgt und stand nun plötzlich zwischen den gestapelten Salzschilpen, dem Feuerholz und der Wand. Michel kam langsam näher. Seine Stimme nahm einen weichen, schmeichelnden Klang an.

»Liebste Jungfrau Anne Katharina, Euer Bruder und meine Eltern haben beschlossen, daß wir heiraten, und da Ihr von hübscher Gestalt seid und eine ansehnliche Mitgift dabei ist, will ich mich auch nicht beklagen, doch solltet Ihr Euer Köpfchen nicht mit Dingen belasten, für die der Herrgott uns Männer geschaffen hat. Seht, die Frauen sind für das behagliche Heim, um Kinder zu gebären und für die Liebe gemacht. Vergeßt alles andere und gebt Euch vertrauensvoll in meine Hände …«

Anne Katharina klopfte das Herz bis zum Hals, doch sie nahm all ihren Mut zusammen, trat noch einen Schritt zurück und fragte:

»Jetzt und hier?« Sie dachte an Marie am Pranger. »Ich glaube nicht, daß unsere Familien den Skandal wollten, eine Braut mit geschwollenem Leib vor dem Altar zu sehen.«

»Welch rüde Worte für eine Jungfrau aus gutem Hause! Doch seid beruhigt, ich habe nicht vor, meiner Braut jetzt schon ihre Unschuld zu rauben.«

Er beugte sich zu ihr vor, so daß sie seinen heißen Atem spüren konnte.

»Nur einen Kuß von diesen rosigen Lippen«, flüsterte er, doch da sie rasch den Kopf wegdrehte, traf der Kuß ihre Wange.

»Wärt Ihr doch in Eurer Sprache ein bißchen zurückhaltender und in Eurem Wesen etwas forscher!« seufzte er, griff nach ihrem Kinn und drehte ihren Kopf langsam, aber unerbittlich zu sich. Sein Kuß war weich und feucht, aber überraschenderweise nicht so unangenehm, wie sie es erwartet hatte. Er mußte das kurze Zögern gespürt haben, und so ermuntert, legte er seine Hände um ihre Taille und zog den schlanken Mädchenkörper an sich. Sie spürte, wie sein Atem schneller wurde, als er keuchte:

»Ihr könnt es Euch noch nicht vorstellen, welch große Lustbarkeiten Euch erwarten, wenn Ihr schon bald in meinen Armen liegen werdet.«

Trotz der vielen Schichten Stoff fühlte es sich an, als habe er sich einen Stock in seine Hose gesteckt. Von Scham und Abscheu überwältigt, stieß sie ihn von sich.

»Laßt mich gehen, sonst schreie ich!«

Doch er hatte sich und seine Leidenschaft bereits wieder im Griff und trat lässig einen Schritt zurück.

»O nein, die Verlegenheit, ein paar rohen, schmutzigen Feuerern erklären zu müssen, Ihr wärt von Eurem zukünftigen Gatten belästigt worden, will ich Euch ersparen. Wobei ich mich frage, ob diese mich nicht noch angefeuert hätten, ihnen ein wenig von Eurer weißen Haut zu zeigen. Was meint Ihr?«

»Daß Ihr ganz und gar schamlos seid!« schrie sie, drängte sich an ihm vorbei und lief aus dem Haalhaus.

»Ja, das stimmt«, rief er ihr nach, »doch bisher hat noch keines der Mädchen sich darüber beklagt!«

* * *

In Gedanken noch bei Michel Seyboth und seinem unglaublichen Verhalten, öffnete Anne Katharina auf der Suche nach ihrer Schwägerin die Tür zur oberen Stube, fand jedoch nur Marie mit dem Kind vor.

»Die Herrin ist zum Krämer unterwegs, einige Besorgungen zu machen«, teilte ihr die Amme mit.

Das war die Gelegenheit. Anne Katharina nickte, schlenderte zum Tisch, nahm sich einen der schrumpligen Äpfel aus der Schale und rückte sich ein Kissen auf der Eckbank zurecht.

»Das trifft sich gut, ich wollte dich sowieso ein paar Dinge fragen«, sagte sie und biß herzhaft in den Apfel. Das Mädchen hatte gehofft, den Worten einen möglichst unschuldigen Klang geben zu können, doch sofort stahl sich Mißtrauen in den Blick der Amme. Sie preßte das Kind an sich und straffte den Rücken, entschlossen, jede Anschuldigung weit von sich zu weisen.

»Els hat dir doch bei der Geburt geholfen. War sonst noch jemand dabei?«

»Nein, ich war nicht im Fegefeuer bei den anderen Kranken. Sie haben mich in die kleine Kammer gesperrt.«

»Dein Sohn war doch bei bester Gesundheit, als er auf die Welt kam, oder?«

Marie versteifte sich.

»Nun, das ist bei den kleinen Würmern ja schwer zu sagen …«

»Du hast gehört, was die Pfründnerin in der Kammer daneben …«

»Ich habe mein Kind nicht getötet«, rief die Amme erregt und brach in Tränen aus. »Nie, nie könnte ich so was tun!«

»Wessen Schuld ist es dann, daß es so früh sterben mußte?« fragte Anne Katharina sanft.

»Wessen Schuld? Das weiß nur der Herr allein!«

»Und warum war Alfred, der Knecht von Rudolf Senft, an diesem Abend im Spital und trug das sterbende Kind in seinen Armen? Ist er der Vater? Triffst du dich noch mit ihm?«

Marie preßte trotzig die Lippen aufeinander.

»Ist es etwa nur ein Zufall, daß der Knecht des Junkers an einem Tag ein sterbendes Kind in den Händen hält, und nur wenige Tage später, als Knecht und Herr im Senftenhaus weilen, ein weiterer Säugling sein Leben aushaucht – noch dazu der Erbe des verhaßten älteren Bruders?«

Marie fuhr in die Höhe.

»Was unterstellt Ihr! Der Junker hat damit nichts zu tun. Er ist …«

Die Amme brach ab, als sich die Tür öffnete, um Ursula einzulassen. Überrascht sah die Herrin des Hauses von Anne Katharina zu Marie und wieder zu ihrer jungen Schwägerin. Sehr schnell bekam sie einen Eindruck von dem, was hier gerade ablief, und sagte in ihrer ruhigen Art sanft:

»Marie, setze dich wieder, du brauchst dich nicht zu fürchten. Weder der Junker noch einer seiner Knechte werden dir etwas antun können. Und du, liebe Anne Katharina, solltest nicht so in sie dringen. Sie hat doch wirklich schon genug durchgemacht und den Schmerz der Erinnerung nicht erneut verdient.«

Anne Katharina nickte beschämt und ließ sich von ihrer Schwägerin eine Näharbeit geben, doch während die Nadel gleichmäßig durch den feinen Brokatstoff glitt, dachte sie ärgerlich:

Warum mußte Ursula gerade in diesem Augenblick zur Tür hereinkommen. Marie war nahe daran, mir alles zu erzählen, doch jetzt ist die Gelegenheit ungenutzt vorüber, und es wird noch viel schwerer, ein weiteres Mal davon anzufangen. Dabei war ihre Reaktion höchst interessant. Warum verteidigte sie den Junker so eifrig? Macht ihn das nicht um so verdächtiger? Hat sie Angst vor ihm und seinem Knecht?

Nun, wenn sie an die nächtliche Begegnung des Knechts Alfred mit der Hebamme dachte, so war eine gewisse Furcht vor diesem rohen Kerl sicher nicht unbegründet.

Es war eine spannungsgeladene Stille in der kleinen Stube, in der die drei Frauen scheinbar so gelassen und konzentriert ihren Arbeiten nachgingen, bis die Sonne sank und die Lichter entzündet werden mußten.

* * *

Ulrich war äußerst erbost und konnte es kaum erwarten, bis sich alle beim Schein der Talglichter zum Nachtmahl in der großen Stube eingefunden hatten, um Peter die Neuigkeiten aus Stadt und Land zu berichten. Agnes trug gerade die Schüssel mit gekochtem Gemüse und Rindfleischstücken auf, als er schon loslegte:

»Der Nagel, dieser Verräter, dieser Hund! Nun ist er schon zweimal im Rat überstimmt worden, doch glaubt ihr, er hält still und akzeptiert die Trinkstube der bürgerlichen Ratsmitglieder? Nein! Er hat nichts Besseres zu tun, als seine Verbindungen zum Schwäbischen Bund zu nutzen und sich am Reichstag in Augsburg an Maximilian heranzumachen.«

»An den Kaiser?« fragte Anne Katharina erstaunt.

»Ja, an welchen Maximilian denn sonst!« fuhr sie Ulrich unfreundlich an. »Unterbrich mich nicht, wenn ich mit deinem Bruder über Politik spreche!«

Peter, den die ganze Geschichte offensichtlich nicht einen Deut interessierte, warf seiner Schwester einen leidenden Blick zu, sagte jedoch nichts, sondern stopfte eifrig Kohl, Rüben und vor allem die größten Fleischstücke, die er in der Schüssel finden konnte, in sich hinein.

»Nagel hat beim Kaiser erreicht, daß dieser drei Gesandte

zu uns schickt, die die Irrungen, wie er sich ausdrückt, zwischen den Ehrbaren und den Gemeinen schlichten sollen. Ist das nicht die Höhe?«

Peter nickte pflichtschuldig, obwohl er nicht zugehört hatte.

»Weiß man, wer die Schlichter sind?«

Hin- und hergerissen zwischen dem Wunsch, seine Schwester für ihre hartnäckigen Einmischungen zurechtzuweisen, und dem Drang weiterzuberichten zögerte Ulrich kurz, doch dann fuhr er fort:

»Es werden Dr. Matthes Neithart aus Ulm, Caspar Nützel aus Nürnberg und Jörg Langenmantel aus Augsburg kommen. In Neithart wird Nagel höchstwahrscheinlich einen machtvollen Waffenbruder haben. Die Dinge stehen für Büschler und für uns nicht gut …«

In diesem Moment öffnete sich die Tür, um, von Agnes geleitet, einen Gast einzulassen. Es war der Nachbar Baumann, der sichtlich erregt mit Ulrich zu sprechen wünschte. Ursula erhob sich, um den Gast zu begrüßen und ein paar höfliche Worte zu wechseln, doch der Ratsherr antwortete auf ihre Fragen nach seinem Befinden und dem der Familie Senft, bei der er soeben gespeist hatte, einsilbig, ja fast unhöflich und bat Ulrich in barschem Ton, mit ihm die Schreibkammer aufzusuchen.

Der älteste der Vogelmannsgeschwister erhob sich und geleitete den mit einem dicken Stapel Papieren beladenen Gast nach oben. Es dauerte nicht lange, da drangen die lauten Stimmen zweier zorniger Männer bis in die Stube herab. Schweigend aßen die restlichen Familienmitglieder weiter, bis Ursula energisch ihren Löffel auf den Tisch legte.

»Ich werde hochgehen und ihnen Wein anbieten. Vielleicht kühlt eine Unterbrechung ihren Zorn ein wenig ab, und sie versuchen dann mit ruhigerem Gemüt, für ihre Probleme eine Lösung zu finden.«

Anne Katharina sah ihrer Schwägerin mit offenem Mund nach. Soviel Mut, zwei Männer bei einer solch lautstarken Auseinandersetzung zu stören, hätte sie der schüchternen Ursula nie zugetraut – vor allem nicht, nachdem ihr mißhandeltes Gesicht gerade erst abzuschwellen begann.

»Und?« fragte das Mädchen begierig, etwas zu erfahren, als ihre Schwägerin nach einer Weile mit einem merkwürdigen Ausdruck in ihrem geröteten Gesicht zurückkam.

Ursula versuchte ein Lächeln.

»Ich habe mich nicht getraut.« Seufzend ließ sie sich wieder auf die Bank sinken. »Du hättest damit natürlich keine Schwierigkeiten gehabt, doch ich stand vor der Tür, mir brach der kalte Schweiß aus, meine Knie zitterten, und ich konnte mich nicht mehr bewegen.«

»Na, wenn Ulrich in solch schrecklicher Stimmung ist, dann würde ich ihn auch nicht stören«, erwiderte Anne Katharina beruhigend. »Vor allem, da er nichts mehr haßt als die Einmischung eines Weibes«, fügte sie mit einem Seufzer hinzu.

Still vor sich hinbrütend, saßen die Frauen da, während Peter die Gelegenheit nutzte, die heute reichlichen Reste zu vertilgen.

»Gut, ich verlasse mich darauf«, sagte der Ratsherr Baumann in barschem, unversöhnlichem Ton, als er die Stube, von Ulrich gefolgt, wieder betrat. »Ihr kommt morgen in der Früh mit den Büchern zu mir.« Der junge Ratsherr nickte stumm.

»Oh, verehrter Nachbar Baumann, Ihr wollt doch nicht so überstürzt von uns gehen, ohne auch nur eine kleine Erfrischung zu Euch genommen zu haben?«

Mit einem sanften Lächeln auf den Lippen, die großen

unschuldigen Augen zu dem alten Herrn erhoben, beeilte sich Ursula nun doch noch, ihren Hausfrauenpflichten nachzukommen. Der Ratsherr zögerte.

»Bitte setzt Euch. Hier, trinkt wenigstens ein wenig frischen Gewürzwein.«

Um nicht in die Küche eilen zu müssen und ihm dadurch nicht die Gelegenheit zu geben, in schlechter Stimmung das Haus zu verlassen, griff sie nach ihrem vollen Becher, den sie noch nicht angerührt hatte, und reichte ihn dem weißhaarigen Mann, dessen Lippen zu einem schmalen Strich zusammengekniffen waren. Einige Augenblicke blieb er noch unschlüssig stehen. Sein Blick wanderte über Ursula und Ulrichs jüngere Geschwister, die ihn alle wie gebannt ansahen. Schließlich entspannten sich seine Züge ein wenig, und mit einem, wenn auch noch etwas gezwungenen Lächeln nahm er den angebotenen Wein entgegen, ließ sich auf die weich gepolsterte Truhenbank nieder und sprach noch ein paar ungezwungene Worte mit Peter, ehe er sich verabschiedete.

KAPITEL 15

Tag des heiligen Marbodus,
Samstag, der 23. März
im Jahr des Herrn 1510

*E*s war sicher schon weit nach Mitternacht, doch der Ratsherr Baumann konnte keinen Schlaf finden. Nun, die Sache war ärgerlich, ja vielleicht sogar bedenklich, und sie barg einen unangenehmen Skandal, doch bisher hatte ihm kein noch so schwerwiegendes Problem den Schlaf rauben können oder solch hartnäckige Bauchschmerzen verursacht. Vielleicht waren die Krebse verdorben gewesen? Welch Schande für das Haus des Junkers! Der alte Ratsherr drehte sich stöhnend auf die andere Seite, aber der Schmerz wurde immer schlimmer. Sein Mund war trocken, die Kehle brannte. Mit einem Seufzer schlug er die Decke zurück und tappte barfuß über den eiskalten Boden in die Küche, um einen Schluck Wein zu trinken. Sein Magen beruhigte sich ein wenig, und das Stechen ließ nach; auf dem Rückweg jedoch überfiel ihn der Schmerz so heftig, daß er die Arme um den Leib schlang und mit einem unterdrückten Schrei auf die Knie fiel. Er zitterte am ganzen Leib, die Zähne schlugen laut aufeinander, doch das Sausen in seinen Ohren übertönte alle anderen Geräusche. Seine Eingeweide zogen sich zusammen. Vergeblich versuchte er, sich zu erheben. Der

Schmerz war zu stark. Auf allen vieren kroch er zu seiner Kammer, um das Nachtgeschirr unter dem Bett hervorzuziehen – zu spät. Eine braune Lache breitete sich auf dem blankpolierten Boden aus.

»Sara, Sara!« schrie er, zweifelnd, ob sie ihn hören konnte, denn seine Stimme wurde vom Brausen in seinen Ohren verschluckt. Eine heftige Übelkeit überfiel ihn plötzlich, sein Magen krampfte sich zusammen, und mit einem Schwall ergoß sich die unerkenntlich gewordene Mischung aus Krebsen, Kapaun, Spießbraten, Pastete, Gemüse, Brot und viel Wein über den Kammerboden.

»Sara, Sara«, wimmerte er noch einmal, ehe er zur Seite kippte und in der stinkenden Brühe liegenblieb.

Als seine Magd, mit Nachthaube und Umhang bekleidet und mit einer Kerze in der Hand, in seiner Kammer erschien, konnte er ihren entsetzten Aufschrei nicht mehr hören, und als sie, ihren Ekel überwindend, sich zu ihrem nackten Arbeitgeber herabbeugte, war sein Herzschlag bereits für immer erstorben.

* * *

»Großvater, Ihr werdet nicht glauben, was passiert ist«, sprudelte Anne Katharina heraus, noch ehe sie ihren nassen Umhang abgelegt hatte. »Ratsherr Baumann ist tot!«

»Und was ließ ihn aus dem Leben scheiden?«

Anne Katharina zögerte.

»Nun, seine Magd Sara fand ihn in der Nacht tot in seinem Schmutz liegen. Ulrich meint es ist die Ruhr, doch Sara hat zu Agnes gesagt – sie glaube, es sei Gift gewesen.«

Der ehemalige Richter schwieg verblüfft.

»Gift? Wer, in aller Welt, sollte denn Baumann vergiften wollen? Seine Magd?«

»Darüber zerbreche ich mir ja schon seit Stunden den Kopf, doch mir fällt keiner ein, der dem alten Mann den Tod so sehr gewünscht haben könnte. Wie kommt Ihr auf die Magd? Warum hätte Sara ihren Dienstherrn vergiften sollen?«

»Nun, dafür kann es schon Gründe geben. Wer kann sagen, was sich hinter verschlossenen Türen abspielt.«

Anne Katharina war sich nicht ganz sicher, worauf ihr Großvater anspielte. Ob der Ratsherr Sara geschlagen hatte?

»Aber das ergibt doch keinen Sinn. Wenn sie ihn vergiftet hätte, dann wäre sie geflohen oder hätte erzählt, es wäre die Ruhr gewesen. Warum sollte sie sich verdächtig machen und die Aufmerksamkeit auf das Gift lenken?«

»Das ist richtig, und ich pflichte dir bei, daß diese Tatsache die Magd unschuldig erscheinen läßt«, gab Peter Schweycker zu.

»Wer hätte sonst noch Gelegenheit gehabt, ihm Gift zu verabreichen?«

»Er war am gestrigen Abend bei den Senften zum Nachtmahl.«

Der alte Mann schüttelte den Kopf.

»Das führt uns nicht weiter, oder glaubst du, die Junker könnten etwas damit zu tun haben?«

»Nein, natürlich nicht. Andererseits ist da noch dieser unheimliche Knecht, der Els bedroht hat ...« Anne Katharina kaute nachdenklich auf ihrem Daumen herum.

»Vielleicht hatte er Besuch, nachdem er von uns wegging, oder er hat sich noch mit jemandem getroffen«, mutmaßte sie.

»Kann sein, aber das bringt uns der Lösung leider nicht näher.«

Sie grübelten noch eine ganze Weile über die unwahrscheinlichsten Möglichkeiten nach, bis der alte Mann herzhaft gähnend meinte, daß vielleicht doch die Ruhr den Ratsherrn dahingerafft habe, aber das wollte Anne Katharina nicht glauben.

All die vielen Ungereimtheiten noch einmal überdenkend, ging sie langsam nach Hause. Sie schenkte dem Barfüßermönch keine Beachtung, der seinen Blick lange auf sie gerichtet hielt, sich, als das junge Mädchen näher kam, jedoch rasch ein paar Hühnern auf einem Karren zuwandte, die ein Bauer aus dem Umland in der Stadt verkaufen wollte. Als Anne Katharina an ihm vorbei in Richtung Marktplatz schritt, erlosch sein Interesse an dem Federvieh so plötzlich, wie es entstanden war, und er folgte ihr in einigem Abstand, bis sie die Tür zum Vogelmannschen Haus in der Herrengasse erreicht hatte.

* * *

Es war bereits dunkel, als sich die Mitglieder der Familie Vogelmann an den gedeckten Tisch setzten. Die Magd Agnes trug gerade die Suppe auf, da stürzte Afra Senft ungestüm in die Stube.

»Habt ihr es schon vernommen? Die Magd des alten Baumann ist wegen Hexerei und Giftmischerei verhaftet worden. Sie soll den Ratsherrn umgebracht haben.«

»Sara soll ihren Herrn ermordet haben?« Anne Katharina war entsetzt. Hatte der Großvater nicht gesagt, auch er glaube an ihre Unschuld? Man müßte mit dem Schultheiß reden oder mit dem Stättmeister, ihnen die Gründe darlegen, die gegen eine Schuld der Magd sprachen …

»Mein Vater hat mir erzählt, daß die Leiche von Meister Gessner und von unserem Medicus, der endlich von seinen Reisen zurückgekehrt ist, untersuchte wurde, und beide sind sich sicher, daß es Gift war. Sie waren gerade erst mit ihren Untersuchungen fertig, da kam jemand zum Schultheiß und hat ihm verraten, daß Sara Hexerei betreibt. Sie soll viele Kräuter für ganz üble Zwecke in ihrer Kammer haben, Teufelszeug und sogar geweihte Hostien, um schlimmen Zauber zu wirken. In mancher Nacht soll sie sich mit einer anderen Hexe getroffen haben, um mit ihr gemeinsam ihrer Verderbtheit zu frönen. Leider wollte mir Vater nicht verraten, wer der Denunziant ist. Da half kein Betteln. Er sagt, daß bei einem Inquisitionsprozeß der Ankläger anonym bleiben kann. Zu schade!«

Afra war von den aufregenden Neuigkeiten so entzückt, daß sie die aufziehenden Gewitterwolken im Gesicht des Hausherrn nicht wahrnahm.

»Jungfrau Afra, setzt Euch!« donnerte Ulrich. »Es ziemt sich nicht für ein junges Mädchen, daß es zur Zeit des Nachtmahls in ein fremdes Haus eindringt, um üblen Straßenklatsch zu verbreiten. Nehmt einen Becher Wein und sprecht über Dinge, wie sie den Weibern anstehen!«

Völlig verdutzt sank Afra auf ein grünseiden besticktes Kissen nieder und war für einige Augenblicke sprachlos. So einen Tonfall war sie nicht gewöhnt. Sie versuchte, noch einmal auf das Thema zurückzukommen, doch der eisige Blick des Hausherrn ließ sie alsbald verstummen. Anne Katharina reicht dem jungen Mädchen weißes Schönbrot und eine Tonschale für die Suppe, doch Afra lehnte dankend ab. Nur von dem feinen Apfelkompott mit Zwiebeln nahm sie sich etwas.

Die Unterhaltung verlief schleppend und bestand hauptsächlich aus belehrenden Worten des ältesten der Vogelmannsgeschwister an den jüngeren Bruder, dessen Haltung und Mimik den störrischen Schüler zeigten, an dessen trotzigem Widerstand jedes gutgemeinte Wort abprallt und ungehört zu Boden fällt. So kam Peter die nächste Störung des Nachtmahls sehr gelegen. Erwartungsvoll blickte er zur Tür, als sich erneut der Klang von Schritten näherte.

Die Amme Marie, in Umhang und Gugel gekleidet, ein geschnürtes Bündel unter dem Arm, trat mit vor Entschlossenheit fest zusammengekniffenem Mund ein. Alle Blicke richteten sich auf sie, und plötzlich waren all die Worte, die sie sich genau zurechtgelegt hatte, wie weggeblasen, und sie stotterte nur:

»Ich kann nicht mehr. Ich will hier weg! Ich habe das vom Ratsherrn Baumann gehört, und wie er ohne Pfarrer und Beichte gestorben ist. Ich habe solche Angst vor dem Fegefeuer – wenn ich nicht beichte, dann muß ich ewig schmoren und …«

»Marie, nun setz dich doch erst einmal.« Langsam erhob sich Ursula, um die erregte junge Frau zu beruhigen, doch diese brach in Tränen aus.

»Nein, ich bleibe nicht in diesem Haus. Niemand kann mich hier beschützen. Sie werden auch mich holen …«

Blind wühlte sie in ihrem Bündel und zog einen kleinen Lederbeutel heraus. In ihre Augen trat ein wildes Leuchten, als sie ausrief:

»Jede meiner Sünden kommt in der Nacht über mich. Die Dämonen sitzen auf meiner Brust und nehmen mir den Atem. Ich brauche Absolution, nicht dieses sündige Geld!«

Mit diesen Worten schleuderte sie den Beutel auf den Tisch, das Band löste sich. Es waren nicht Heller oder Batzenmünzen, die über das glatte Holz kullerten – golden schimmerten die Gulden im Kerzenlicht.

Die Blicke der beiden Ehegatten kreuzten sich für einige Augenblicke. Mit so vielen widersprüchlichen Gefühlen beladen, sahen sie sich an, daß die jüngeren Geschwister und ihr Gast kaum zu atmen wagten. Doch Ursula faßte sich schnell wieder. Ruhig sammelte sie die Münzen ein, verstaute sie in dem Beutel und hielt ihn der Amme hin.

»Du wirst das Geld sicher brauchen, wenn du uns verläßt. Das Gold selbst ist nicht sündig.«

Ulrich stöhnte gequält und barg den Kopf in seinen Händen. Verstockt schüttelte die Amme den Kopf.

»Nein, ich rühre es nicht an. Ich gehe jetzt und …«

Sie wandte sich schon zur Tür, als Ursula sie einholte und ihr den Arm um die Schultern legte.

»Ja, ist ja gut. Vielleicht ist es besser, wenn du Hall verläßt, doch nicht jetzt mitten in der Nacht. Die Tore sind bereits geschlossen. Es reicht doch auch noch in der Früh …«

Die beiden Frauen stiegen die Treppe hinauf und ließen vier schweigende, von unterschiedlichen Gefühlen bewegte Menschen in der Stube zurück.

*　*　*

Trotz der späten Stunde erhellte das Licht zahlreicher Fackeln die verliesartige Kammer des Folterturms. Die dicke Rußschicht auf den groben Kalkblöcken über den eisernen Haltern zeugte von den Schicksalen und dem Leid vieler Jahrzehnte.

»Du weißt, warum man dich hergebracht hat?«

Die Frau, die mit ihrem geschorenen Kopf und dem fleckigen, wadenlangen Hemd als einzigem Kleidungsstück einen erbärmlichen Anblick bot, verschränkte trotzig ihre mit schmutzigen Leinen verbundenen Hände vor der Brust und sah den Stättmeister herausfordernd an.

»Ja, weil ich Euch ehrenhaften Herrn trotz Eurer Daumenschrauben nicht das gesagt hab, was Ihr gern hören wollt.«

»Gute Frau, du tust ja gerade so, als wollten wir dich zu einer falschen Aussage bewegen, dabei sind wir doch nur an der Wahrheit interessiert.«

»Aber ich bin kein Unhold, und ich hab auch die Els net umgebracht!«

Seufzend lehnte sich der Stättmeister in seinem bequemen Stuhl zurück.

»Das wird eine lange Nacht, wenn du weiterhin so verstockt bist. Ich lese dir die Anklagepunkte des ehrenwerten Pfarrers und deiner Nachbarn noch einmal vor, während dich der Scharfrichter an die Waage bindet.«

Der Junker beugte sich nach vorn und sah der Gefangenen tief in die Augen.

»Du kannst dir das doch alles ersparen. Wozu diese Schmerzen? Erzähle dem Schreiber nur offen und ehrlich, wie es war, dann können wir alle nach Hause gehen.«

Der Schreiber nickte zustimmend und gähnte herzhaft. Auch die beiden Richter, Veit von Rinderbach und Werner Keck, die zu beiden Seiten des Vorsitzenden Platz genommen hatten, waren von dem nächtlichen Verhör nicht gerade begeistert – auch wenn sie dies nicht so unverhohlen zeigten.

»Aber ich hab doch alles gesagt, Ihr Herrn Richter, so glaubt mir doch!« schrie die Schloßsteinerin, als zwei der Büttel ihr die Hände auf dem Rücken zusammenbanden und sie zur Waage schleiften. Schweißperlen traten auf ihre Stirn, als der Scharfrichter den eisernen Haken einhängte.

»Sieh dir die Waage an und überlege es dir gut«, ermahnte sie der Stättmeister noch einmal mit müder Stimme. Das ganze Schauspiel widerte ihn an. Er haßte den Geruch des Angstschweißes und die Schreie der Befragten. Wie froh konnte er sein, daß es in seiner Stadt nur wenige Fälle gab, die eine peinliche Befragung notwendig machten, doch dieses Mal war es unumgänglich. Pfarrer Rüttinger war ein angesehener Mann, auf dessen Anschuldigungen man hören mußte – außerdem war die Hebamme tot. Trotz der bedrohlichen Umgebung förderte die erneute Befragung nichts Neues für das Protokoll zutage, und so gab der Stättmeister dem Scharfrichter einen Wink.

»Na, dann woll'n wir mal.«

Der breitschultrige Riese entblößte seine gelben Zähne, spuckte in die Hände und trat an die hölzerne Trommel mit dem Rad. Gleichmäßig griff er in die Speichen. Das Seil, das, eingehakt in die Handfesseln der Angeklagten, über eine Rolle an der Decke und dann hinunter zu dem stabilen Gestell geführt wurde, wickelte sich ordentlich um die Trommel. Langsam hoben sich die Arme der Schloßsteinerin, bis es nicht höher ging. Die schwergewichtige Frau stellte sich auf die Zehenspitzen, reckte sich in die Höhe, um den Moment noch ein wenig hinauszuzögern, doch dann verlor sie den Kontakt zum Boden und pendelte leise wimmernd zwei Fußbreit über den ausgetretenen, kalten Steinen hin und her. Das Seil knarzte, die Winde quietschte leise. Mit gelangweilter Stimme laß der Schreiber erneut die Anklagepunkte vor.

»Das Fluchen und mein böses Geschwätz hab ich doch schon zugegeben«, jammerte sie unter Schmerzen.

Der Stättmeister beobachtete schweigend, wie ihr Körper Stück für Stück tiefer rutschte. In den Schultergelenken knackte es.

»Ich hab die Els net erstochen!« schrie sie und brach in Tränen aus. »Und ich bin auch keine Hexe.«

»Wenn ich einen Vorschlag machen dürfte?«

Der Scharfrichter zog die Beklagenswerte noch ein Stück höher, denn ihre Zehenspitzen hatten sich dem Boden bereits wieder genähert.

»Wenn ich ein Gewicht dranhäng' oder noch einen Spieß glüh', dann geht's bestimmt schneller.«

Die Richter zu beiden Seiten nickten zustimmend, und so gab der Stättmeister nach kurzem Zögern nach.

»Nun gut, nehmt eine der Fackeln und löscht sie.«

Das war fast so wirksam wie ein glühendes Eisen, und man mußte nicht erst warten, bis der Henker das Feuer geschürt und die Stange zum Glühen gebracht hatte.

»Nein, nein«, kreischte die Geschundene und zog die Beine an, um dem heißen Pech zu entgehen, doch mit der Abgebrühtheit, die seinem Berufsstand zu eigen ist, hob der Scharfrichter seelenruhig das zerschlissene Hemd, drückte mit fester Hand die noch schwelende Fackel auf den nackten Oberschenkel und trat dann zurück, um die Wirkung abzuwarten. Ein gelbliches Rinnsal durchnäßte das Hemd und tropfte auf den Boden, ein Schmerzensschrei hallte unter der gewölbten Decke wider. Schnell zog der Stättmeister das nach Lavendel und Veilchen duftende Taschentuch hervor, das ihm seine Tochter genäht hatte, und drückte es auf seine Nase, doch der liebliche Blütenduft konnte den Gestank von verbranntem Fleisch und Urin nicht vertreiben.

Der Schmerz ist wichtig, sagte sich der Stättmeister immer wieder. Die Schwächung des Leibes schwächt auch den Teufel und hilft, ihn zu vertreiben. Es ist wichtig, der Seele Kraft zu geben. Nur so kann sie das Böse besiegen und umkehren, zurück zur Gemeinschaft der Gläubigen. So sagten es die Prediger und Pfarrer, doch obwohl er die Worte in seinen Gedanken immer wieder wiederholte, sich daran erinnerte, wie wichtig ein Geständnis war, um das ewige Leben nicht leichtsinnig zu verspielen, stieg ohnmächtige Wut in ihm auf, und der Ekel schnürte ihm die Kehle zu. Er versuchte wegzusehen, doch seine Augen gehorchten ihm nicht, starrten auf das unglücklich wimmernde Geschöpf, das nur noch aus Angst und Schmerz zu bestehen schien.

Um die Pein noch ein wenig zu steigern, bevor das Glühen endgültig verlosch, griff der Henker nach den zappelnden Beinen, umspannte die Fesseln mit eiserner Hand und preßte das Fackelende gegen das Schienbein.

»Aufhören, ich sag alles, gesteh alles, hört auf …«

Worte und Sätze sprudelten hervor wie ein munterer Bach, der sich schnell zum Strom weitet. Auch Vergehen, deren sie keiner beschuldigt hatte, redete sie sich mit heiserer Stimme von ihrer sündigen Seele. Der Stättmeister entspannte sich und wischte sich den Schweiß von der Stirn, während der Schreiber Mühe hatte, all die Punkte, die die Angeklagte nun endlich zugab, so schnell zu Papier zu bringen.

Zufrieden nickten sich die Richter zu, erhoben sich steif und befahlen, die Geständige herabzulassen. Für die Urteilsfindung war auch am Montag noch Zeit genug.

»Und was ist mit der Hebamme?« warf der Junker Senft ein.

»Das war die Marie, die Hure. Ich hab sie gesehen!« begehrte die Schloßsteinerin noch einmal auf.

Seufzend sanken die Richter auf ihre Stühle zurück.

»Weitermachen?« fragte der Henker, doch der Stättmeister schüttelte den Kopf.

»Verhaftet die Wagners Marie, zur Zeit Amme beim Ratsherrn Vogelmann, und bringt sie mir morgen zum Verhör. Die Schloßsteinerin kann zurück in den Sulferturm.«

KAPITEL 16

Tag des heiligen Elias,
Palmsonntag, der 24. März
im Jahr des Herrn 1510

*A*ls es im Haus still geworden war, machte sich Anne
Katharina auf, um die letzte Gelegenheit zu nutzen,
die Amme allein zu sprechen, bevor diese Hall vielleicht
für immer verließ. So leise wie nur möglich, die knarren-
den Dielen meidend, schlich sie sich in die kleine Kammer, die die Amme, seit der Winter der lauen Frühlingsluft gewichen war, mit dem kleinen David teilte. Die Tür
quietschte leise.

»Marie? Marie, bist du noch wach?« flüsterte Anne Katharina, doch sosehr sie auch in die Dunkelheit lauschte,
kein Geräusch drang an ihr Ohr. Das drückende Gefühl
einer bösen Vorahnung in der Magengegend, eilte das
Mädchen in seine Kammer zurück, um ein Binsenlicht zu
holen.

Der Schein der kleinen, flackernden Flamme huschte
über die Strohmatratze, das zerknüllte Deckbett, zwei mit
grobem Leinen bezogene Kissen und die geöffnete, leere
schmucklose Holztruhe an der Wand. Die wenigen Habse-
ligkeiten der Amme waren verschwunden, und auch nach
dem zweiten Hinsehen blieben Anne Katharina und eine
kleine Maus, die sich, vom Lichtschein erfaßt, hinter der

Truhe eilig in Sicherheit brachte, die einzigen Lebewesen in der Kammer.

»Heilige Jungfrau, sie hat das Kind mitgenommen«, stöhnte Anne Katharina und ließ sich entsetzt auf die Matratze sinken.

»Nein, nein, sorge dich nicht.«

Ursulas Stimme aus der Finsternis ließ Anne Katharina erschreckt wieder hochfahren.

»Auch ich wollte noch einmal mit Marie sprechen, um sie zum Bleiben zu bewegen, doch ich kam zu spät und fand nur noch meinen schlafenden Sohn in seinem Körbchen.«

Einen dicken Wollmantel eng um sich gewickelt, trat Ursula in den Lichtschein und setzte sich neben ihre Schwägerin.

»Ich habe David in die kleine Stube gebracht – und mein Bett ebenfalls dort aufgeschlagen.« Sie stockte kurz. »Die linke Seite des ehelichen Lagers wird vermutlich für längere Zeit leer bleiben.«

Anne Katharina nickte nur, wagte jedoch nicht, zu fragen, was der Gemahl dazu sagen werde. Sanft strich sie ihrer Schwägerin über die dunkelblauen Flecken auf der Wange, die in der Nacht kein Puder verschleierte.

Eine Weile saßen die beiden Frauen schweigend im trüben Lichtschein und hingen ihren Gedanken nach.

»Weißt du, ich habe mich wirklich bemüht, ein gutes und folgsames Eheweib zu sein.«

Ursulas Stimme war nur ein leises Flüstern.

»Wie oft hat er mich ermahnt, meine Pflicht zu erfüllen und ihm endlich den begehrten Sohn zu schenken. Wie trunken vor Freude war ich bei jeder Schwangerschaft – und dann immer wieder mein Versagen ...«

»Aber es war doch nicht deine Schuld, daß die Kinder starben!« warf Anne Katharina entrüstet ein.

»In den Augen deines Bruders schon.« Sie lachte bitter. »Er warf mir vor, ihm den Erben mit Absicht zu versagen, um ihn zu demütigen und mich zu rächen, weil …« Sie brach ab und fügte nach einer Weile hinzu: »Nun ja, vielleicht war ich meinem Gatten gegenüber wirklich nicht immer willig genug.«

Anne Katharina öffnete den Mund für eine heftige Erwiderung, war die Sanftheit ihrer Schwägerin ihr doch immer als die erstrebenswerte Tugend vorgehalten worden, wenn sie sich selbst mal wieder nicht den Regeln entsprechend benommen hatte. Doch dann klappte sie den Mund wieder zu, und flammende Röte schoß in ihre Wangen. Plötzlich mußte sie an Michel denken und an seine wollüstigen Wünsche, die er nach der Eheschließung einzufordern gedachte.

Ursula erhob sich und ging zur Tür. Dort drehte sie sich noch einmal um.

»Weißt du, Anne Katharina, ich hatte immer geglaubt, wenn wir einen Sohn haben, dann wird alles besser, doch statt dessen …«

Die ungesagten Worte hingen schwer in der Luft und schmerzten Anne Katharina noch, als sie bereits unter ihrem warmen Deckbett lag.

Wie wenig kennen wir doch die Menschen, die mit uns leben. Sie lassen sich nur ganz selten in ihre Herzen schauen, und wie erschreckend ist es dann, zu bemerken, wie sehr wir uns lieblichen Illusionen hingegeben haben. Sehen wir nur das, was wir sehen wollen?

*   *   *

»Das Vögelchen ist rechtzeitig ausgeflogen.«

Gähnend sah der Stättmeister, der hinter seinem Schreibtisch saß, hoch, betrachtete schweigend den Schultheiß und die beiden Büttel einige Augenblicke und seufzte dann leise. Immer gab es Schwierigkeiten.

»Was heißt ausgeflogen?«

Der Schultheiß zuckte die Schultern.

»Die Vogelmannsfrauen sagen beide, sie hätten die Amme gestern nach Einbruch der Dunkelheit zum letzten Mal gesehen – so gegen Mitternacht sei sie jedoch nicht mehr in ihrer Kammer gewesen. Euer gnädiges Fräulein Tochter bestätigt, daß es während des Nachtmahls zu einer, äh, Szene kam, in der die Amme andeutete, sie wolle die Stadt verlassen.«

Gilg Senft schickte die Büttel hinaus und gebot dem Schultheiß, sich zu setzen.

»Während der Nacht konnte sie die Stadt nicht verlassen. Alle Tore waren verschlossen. Da müßte sie schon durch den Kocher geschwommen sein!«

Konrad Büschler nahm schwerfällig Platz und streckte die Beine, die in hohen Stiefeln steckten, weit von sich.

»Dafür hatte sie heute morgen um so mehr Zeit, sich davonzumachen.«

Beim Anblick der schon hochstehenden Sonne nickte der Stättmeister unwillig.

»Ja, wir hätten sie noch in der Nacht verhaften lassen sollen.«

Er seufzte wieder, unterdrückte ein Gähnen und erhob sich dann. Der Schultheiß sprang ebenfalls von seinem Stuhl hoch, auf dem er es sich gerade erst bequem gemacht hatte.

»Nehmt Eure Büttel und findet heraus, durch welches Tor sie entwichen ist. Schickt ihr die Hegreiter nach, ich will, daß sie sie finden und ergreifen, bevor sie das Haller Land verlassen hat!«

»Ja, wenn sie nicht gleich in die Arme der Limpurger gelaufen ist«, knurrte der Schultheiß und nahm sich vor, am Langenfelder Tor zu beginnen.

Gilg Senft sagte nichts mehr, obwohl er Konrad Büschler im stillen recht gab.

Ja, wenn die Magd schlau ist, dann hat sie bereits sicheren Limpurger Boden unter ihren Füßen. Nun ja, wenn man sie zufällig außerhalb der Grenzen erwischt, müssen die dortigen Landesherren ja nicht unbedingt davon erfahren …

Als der Schultheiß gegangen war, nahm Gilg Senft ein frisches Blatt Papier, spitzte sorgfältig die Feder und tauchte sie in die blauschwarze Tinte. Eine Weile sah er noch nachdenklich zur gewölbten Decke hoch, dann schrieb er:

> *Margarete Schloßstein beschuldigt Marie Wagner des Mordes an der Hebamme Els Krütlin.*
> *Marie Wagner wurde blutverschmiert bei der Leiche obengenannter Hebamme angetroffen.*
> *Die Beschuldigte ist bei Nacht geflohen. Das in Schande geborene Kind der Marie Wagner verstarb plötzlich.*
> *Die Hebamme Els bestätigte natürlichen Tod des Kindes.*

Er starrte auf das Blatt, sah, wie Buchstabe um Buchstabe trocknete, die glänzende Schwärze verlor, matt, grau und unauslöschlich wurde. Langsam tauchte er die Feder wieder ins Tintenfaß.

> *Die Magd Marie Wagner wird verdächtigt, ihr neugeborenes, in Unzucht gezeugtes Kind getötet, die Hebamme*

Els Krütlin zu einer Lüge getrieben und sie dann ermor-
det zu haben.
Sie ist zu suchen, zu verhaften und dem Hohen Gericht
vorzuführen.
Bei Geständigkeit soll sie zur Buße ihrer schweren Sün-
den den Tod durch Ertränken erleiden.

Er las die Zeilen noch einmal durch, nickte dann zufrieden, legte das Blatt beiseite und nahm ein neues Blatt
vom Stapel.

Der Fall Margarete Schloßstein, Eheweib des Hans
Stetter, Bader am Unterwöhrdbad:
Von mehreren Zeugen bestätigt wurden Gottesbeleidi-
gung, unchristlicher Lebenswandel, üble Nachrede,
Hader und Zank, Schädigung von Mensch und Vieh.
Die Angeklagte hat bei der peinlichen Befragung alle
Anklagepunkte gestanden.
Die Frage, ob sie eine Hexe ist, bleibt ungeklärt, auch
wenn sie nach dem Brennen mit einer Fackel die Teu-
felsbuhlschaft gestanden hat. Bereits noch in derselben
Nacht wurde dieser Punkt von ihr vehement wider-
rufen.

Welche Strafe sollte er bei der Urteilsverkündung vorschlagen? Nachdenklich kaute er an seiner Unterlippe.
Wenn auch nur der geringste Zweifel an der Hexerei be-
stehenbleibt, dann werden in Hall keine Scheiterhaufen
brennen! schwor er sich, obwohl er wußte, daß einige seiner Richterkollegen anderer Meinung waren.
Seufzend zog der Stättmeister die Akte Sara Döllin, Magd
des ehrenwerten Ratsherrn Hans Baumann, hervor und
las die Eintragungen des ersten Verhörs.

»Schon wieder Hexerei«, stöhnte er und überflog die aufgezählten Gerätschaften, die in der Küche des Ratsherrn neben dem Herd gefunden worden waren. Unwillig schüttelte er den Kopf. Einige der Kräuter und Salben, gab die Magd zu, habe sie erworben oder selbst gesammelt, jedoch nur zum Wohl der Leidenden, die um ihre Hilfe baten. Sie räumte auch ein, daß so manche Mischung, falsch eingenommen, Schaden bewirken könnte. Einen der Töpfe jedoch, der laut Meister Gessner ein starkes, schnell wirksames Gift enthielt, behauptete die Magd, nie vorher gesehen zu haben. Auch wisse sie nicht, wie die tote schwarze Katze in die Küche gelangt sei. Gilg Senft überflog Meister Gessners Liste der aufgefundenen Kräuter und deren Wirkungsweisen, bis er zu der Eintragung »…wirken in größeren Mengen tödlich für die Leibesfrucht …« kam. Angewidert verzog der Stättmeister das Gesicht. Wie konnte sich eine Frau nur zu solch einer Todsünde hergeben? Schnell las er weiter, als sein Gewissen ihm das Bild einer jungen, hochschwangeren Magd unterschob, die den Namen ihres Buhlen trotzig verschwieg und mit gleichmütiger Miene der Verkündung ihrer Strafe lauschte.

Als er fertig war, schob er die Papiere von sich und starrte nachdenklich vor sich hin.

»Es wird also noch eine peinliche Befragung geben«, sagte er zu sich und schrieb die Anweisung unter die letzte Zeile, als die Tür aufschwang und seine Tochter, festlich gekleidet und frisiert, das Amtszimmer betrat.

»Du mußt dich rasch umziehen, Vater, wenn wir nicht zu spät zur Prozession kommen wollen!«

»Prozession?« Er sah sie verwirrt an und hörte plötzlich von überallher das Glockengeläut. »Ach ja, die Prozession.«

»Dein Festgewand liegt auf deinem Bett«, rief sie ihm nach, als er die Treppe hinaufeilte. Wie zufällig trat Afra an den Schreibtisch und ließ den Blick neugierig über die Dokumente wandern.

* * *

Die ganze Stadt hatte sich herausgeputzt und strahlte in ihrem Festtagsgewand mit der Frühlingssonne um die Wette. Viele der Bürger hatten frisches Grün an Türen und Fenstern befestigt, bunte Bänder flatterten im Wind, und auch die Bürger und Besucher, die sich auf den Straßen drängten, machten in ihrem feinen Sonntagsstaat dem Fest alle Ehre. Auf so manchem Platz und in den Gassen erklangen fröhliche Pfeifen, Flöten und Trommeln, die jäh verstummten, wenn sich einer der Pfarrer oder ein Mönch näherte, nur um wieder lustig zu ertönen, sobald die Geistlichkeit um die nächste Ecke verschwunden war. Der Krämer und sein Junge drängten sich mit einem kleinen Bauchladen durch die Menge, verkauften gezuckerte Mandeln, kandierte und getrocknete Früchte und scherzten mit den Mädchen.

Die Familie Vogelmann hatte sich vollzählig in der Nähe des Markbrunnens versammelt, von wo aus man die Prozession gut sehen konnte, wenn sie von jenseits des Kochers her, über die Ritterbrücke, durch die untere Stadt und die Sporengasse auf dem Marktplatz ankommen würde. Neben den Vogelmanns fand sich die Junkersfamilie Senft ein. Rudolf ignorierte Bruder und Schwägerin und plauderte statt dessen liebenswürdig mit Ursula. Peter hörte sich mit finsterer Miene Ulrichs Lobeshymnen auf das Studentenleben und die später glorreichen Aussichten als Advokat an, und Agnes versuchte, den lauthals

brüllenden David zu beruhigen. So konnte Anne Katharina ihren schwermütigen Gedanken nachhängen, die so
gar nicht zu dem freudigen Feiertag paßten. Noch bis
heute nacht hatte sie gehofft, daß die Amme Opfer und
nicht Täter sei, doch durch ihre Flucht erschien nun alles
in einem anderen Licht.
Warum nur? fragte sie sich immer wieder und haderte damit, daß sie die ganze Wahrheit nun sicher nie erfahren
würde.
Über das unruhige Summen der Menge erhob sich plötzlich der Gesang heller Knabenstimmen, die den Palm-
sonntagsumzug ankündigten, dann fiel der Chor der
Mönche ein, um das frohe Ereignis zu verkündigen: Jesus
Christus, der Heiland, unser Herr, hält seinen Einzug.
Freuet euch, ihr Gläubigen.
Alle reckten die Köpfe, bewunderten die üppig bestickten
Gewänder der Geistlichen, freuten sich an den lieblichen
Knaben und ihren engelsreinen Stimmen und ließen sich
vom Gesang in feierliche Stimmung versetzen. Die Menschen hoben die frischen Frühlingszweige in die Höhe,
winkten und jubelten der geschnitzten Christusfigur zu,
die auf ihrem hölzernen Esel vom Stättmeister Gilg Senft
und von seinem Vorgänger Hermann Büschler über das
holprige Pflaster gezogen wurde, gefolgt von Hellebardenträgern und Hegreitern. Dahinter drängten die Besucher, streckten die Arme aus und versuchten, so dicht wie
möglich an die heilspendende Figur heranzukommen.
Nur die Wächter mit ihren blitzenden Brustschilden und
Helmen und den stolz erhobenen Hellebarden konnten
die Menschen davon abhalten, die beiden Ratsherren vor
Begeisterung zu erdrücken.
»Früher haben die Büttel den Palmesel zur Kirche ge-
-zogen«, hörte Anne Katharina die junge hübsche Metz-

gerstochter Seckel hinter sich ihrem kleinen Sohn erzählen.

»Als ich so alt war wie du, da kam der König Maximilian – damals war er erst König und noch nicht Kaiser – nach Hall, um der Prozession beizuwohnen. Er sagte zu den hohen Ratsleuten: ›Haben die Herrn von Hall sonst niemanden, das Bild Christi zu führen, als die Schergen?‹ Und seitdem führen zwei der Ratsherren unseren Herrn Jesus nach St. Michael.«

… doch sie scheinen sich der hohen Ehre nicht bewußt zu sein, dachte Anne Katharina mit einem Blick auf das leidende Gesicht des Stättmeisters, dessen Wangen und Stirn glühten. Schweiß tropfte in den weißen Hemdkragen, die groben Seile gruben sich in seine weichen Handschuhe, als er den störrischen Holzesel durch ein schlammiges Loch zerrte. Dem reichen Hermann Büschler ging es nicht besser. Seine teuren Schuhe aus feinem Leder waren schlamm- und kotbespritzt und seine Stirn schweißbedeckt, doch heldenmütig zeigte er ein leicht verzerrtes Lächeln im Gesicht.

Ja, ja, der Weg ins Himmelreich ist voller Dornen, dachte Anne Katharina und verbiß sich ein schadenfrohes Lächeln. Wer weiß, ob die hohen Herren diese Ehre nicht schon bald an die jüngeren Mitglieder des Rates abgeben werden.

Am Fuß der Freitreppe wartete der Prediger Pfarrer Brenneisen, sprach einen Segen, tauchte das junge Grün in Weihwasser und besprenkelte die heilige Figur, die erschöpften Begleiter und die Menschen, die sich dicht genug herangedrängt hatten. Der Knabenchor sang, die Glocken begannen zu läuten, und der Zug erklomm feierlich die weitgeschwungene Treppe.

Nun schlossen sich auch die Vogelmanns und Junker

Senften der Menge an und ließen sich in Richtung Kirche treiben. Afra drängelte sich zwischen den Menschen hindurch und hängte sich bei Anne Katharina ein. Ihre Augen funkelten.

»Es gibt aufregende Neuigkeiten«, platzte sie heraus. »Ganz zufällig habe ich erfahren ...«

Ulrich sah zu Afra hinüber und schüttelte langsam den Kopf, der Junker Rudolf unterbrach seine Unterhaltung mit Ursula und spitzte die Ohren, Peter rückte neugierig ein Stück näher. Nur die Magd Agnes bekam nichts davon mit, denn der kleine David brüllte schon wieder aus Leibeskräften.

KAPITEL 17

Tag der heiligen Irene,
Montag, der 1. April
im Jahr des Herrn 1510

Nach Palmsonntag hatte der Regen begonnen. Nicht nur in Hall, auch oben auf der Alb trieb der böige Westwind die tiefhängenden, grauen Wolken heran, schob sie übereinander, türmte sie auf und ließ sie ihre nasse Fracht mit Donnergetöse über Mensch und Tier, Wald und Wiesen ausschütten. Erst einzelne dicke Tropfen, die auf den Dächern zersprangen, immer dichter wurden und unter Blitz und Donner in einem undurchsichtigen Vorhang herabrauschten. Der Wolkenbruch ging in den seichten, nimmer endenden Regen über, der die Konturen der Wolken auflöst und sie zu einer wabernden Masse verschwimmen läßt, so daß der Himmel keinen Anfang und kein Ende mehr hat, sondern irgendwo mit dem nassen Graugrün des Waldes verschmilzt. Erst nach Tagen riß die Wolkendecke für einige Stunden auf, und ein paar Sonnenstrahlen kämpften sich bis zum aufgeweichten Erdboden durch; doch bevor die Menschen erleichtert aufatmen konnten, schob sich schon die nächste Wolkenwand heran. Kleine Rinnsale wurden zu Bächen, von den steilen Hängen rann das Wasser, tropfte von den aufragenden Kalkklippen, sammelte sich, plätscherte glucksend, sprang über Steine, riß Erdreich und Äste mit sich und ließ den träge dahinfließenden Kocher über seine Ufer treten. Eine braunschäumende Flut wälzte sich von Aalen her durch das schmale Tal, schwoll mehr und mehr an, riß im Land der Schenken einige bereits wackelig gewordenen Brücken ein, überflutete die Talauen, riß eine Scheune um und setzte dann ihren Weg durch die freie Reichsstadt bis hinunter zum Neckar fort.

Eine Windböe wirbelte Papiere durcheinander, als die dickverhüllte Gestalt die Tür aufriß, rasch eintrat und sie hinter sich wieder schloß. In kleinen Rinnsalen tropfte das Wasser von Mantel und Kapuze, und die Stiefel hinterließen bei jedem Schritt einen schlammigen Abdruck. Mit einem hohlen Husten befreite sich der Haalmeister von seiner nassen Schaube, warf sie nachlässig über eine Truhe und eilte dann die Treppe zum großen Versammlungsraum hoch.

»Guten Morgen und einen gesegneten Tag, Meister Dötschman«, rief ihm der Schreiber kopfschüttelnd nach, ließ sich in der Halle auf die Knie sinken und begann die Papiere aufzulesen und erneut zu sortieren, die ihm der Wind aus den Händen gerissen hatte.

Ungeduldig sah der alte Michel Seyboth durch die nassen Scheiben des Haalgerichts, das die Bürger nur Neues Haus nannten, zu den verwaist und kalt im Regen liegenden Haalhäusern hinüber.

Immer muß er zu spät kommen, dachte er mürrisch, als er die Turmuhr schlagen hörte.

Lutz Blinzig, von Natur aus eine verträgliche Seele, faltete die Hände über seinem gutgenährten Bauch, gähnte herzhaft und schloß die Augen. Ein kleines Schläfchen würde sicher nicht schaden. Wer weiß, wann sie endlich anfangen konnten. Was Gertrud heute wohl kochen würde?

Der vierte und jüngste der Haalmeister, Ulrich Vogelmann, blätterte in den Rechnungsbüchern, überschlug
die Zahlen noch einmal im Kopf, verrechnete sich und
begann noch einmal von vorn, bis die Zahlen vor seinen
Augen verschwammen.

Er hatte sich geehrt gefühlt, zu den zehn von den letzt-
jährigen Viermeistern dem Rat als Nachfolger vorgeschla-
genen Kandidaten gehört zu haben, doch wie groß waren
die Freude und das Staunen erst gewesen, als er erfuhr,
daß er gewählt worden war. In diesem Jahr gehörte er
also zu den Meistern, die die Geschicke des Haals be-
stimmten.

Das ungestüme Öffnen der Tür unterbrach seine Gedanken.

»Da nun auch Dötschman den Weg hierhergefunden hat,
können wir ja anfangen«, knurrte der alte Seyboth säuerlich, erntete von dem Gerügten jedoch nur ein spöttisches Lächeln. Der Schreiber, der bis dahin seine feuchten Hosen und Stiefel am Kamin zu trocknen versucht
hatte, rückte seinen Stuhl heran, spitzte die Feder und
wartete ungeduldig, daß die Herren endlich beginnen
mochten.

Wichtige Dinge mußten heute entschieden werden. Die
Viermeister sprachen über die diesjährige Höhe der Löh-
ne für Siedersknechte, -mägde und Tagelöhner. Über di-
verse Regelübertretungen und die Höhe der Bußgelder
wurde ausgiebig und heftig gestritten. Wo konnte man
noch bessere, preiswertere Bleche und Roheisen erwer-
ben, aus denen die Schmiede die benötigten Salzpfan-
nen, aber auch Zangen, Siebe, Pickel und all die anderen
Gerätschaften herstellten, die während eines Suds gebraucht wurden? Wie viele Pfannen mußten erneuert werden?

»Ich sage, die aus der Oberpfalz sind immer noch die besten!« Der alte Seyboth pochte auf den Tisch.

»Schon, aber wenn man den langen Transportweg bedenkt, die Zwischenhändler in Nürnberg – das treibt den Preis in die Höhe. Wäre es nicht besser, die Beziehungen in den Odenwald oder Schwarzwald stärker auszubauen?« gab Ulrich Vogelmann ruhig zu bedenken.

Der alte Haalmeister schnaubte, doch die Herren Blinzig und Dötschman nickten wohlgefällig. Man mußte darüber reden. Der Schreiber seufzte, zog das nächste weiße Papier vom Stapel und tauchte die Feder ein.

Dann kamen sie auf die Probleme beim Absatz des Schilpen- oder Faßsalzes zu sprechen. Die Lage der Konkurrenz und verschiedene Möglichkeiten gewinnbringender Rückfrachten wurden erörtert. Bisher war der Handel mit Speyer oder Straßburg am begehrtesten, da die Fuhrleute auf dem Rückweg ihre Karren mit Fässer voll von süßem Mosel- oder Rheinwein beladen konnten. Auf Kosten und zum Gewinn der Sieder, versteht sich.

»Vielleicht werden wir uns in diesem Jahr mehr nach Süden verlagern müssen. Der Baseler Markt scheint vielversprechend.«

»Warum nicht lieber den Rhein abwärts, Michel?« fragte der Haalmeister Dötschman. »Weiter Richtung Koblenz?«

Der Alte verzog seinen Mund zu einer Art Lächeln.

»Du denkst wieder nur an deinen Weinkeller, nicht an die höheren Zölle und die Schwierigkeiten mit dem Frankfurter oder Kölner Salz.«

»Auf jeden Fall sollten wir zusehen, daß wir soviel wie möglich den Neckar und den Rhein nutzen. Auf den Flüssen ist die Fracht zuverlässiger, schneller und billiger zum Markt gebracht – auch wenn ein wenig mehr Zoll anfällt«,

faßte Ulrich zusammen und erhielt zustimmendes Nicken, doch plötzlich kicherte Lutz Dötschman.

»Das mit der Zuverlässigkeit möchte ich zur Zeit ein wenig
bezweifeln. Seht aus dem Fenster, seht Euch die schmutzigen, außer Rand und Band geratenen Wassermassen an!«
Eine Weile schwiegen alle.

»Ja, was wir im Februar zum Flößen zuwenig an Wasser
hatten, haben wir jetzt zuviel.«

»Ich weiß nicht, warum du immer so schwarzsehen mußt,
Michel.« Der dicke Blinzig lachte freundlich.

»Wir haben im Februar und März kaum genug Holz für
die ersten Haalwochen flößen können, nun bietet sich die
Gelegenheit, den Rest aus den Limpurger Wäldern zu holen. Wenn der Regen nachgelassen und der Strom sich
ein wenig beruhigt hat, dann können wir die Flößer und
Auszieher losschicken.«

Der Viermeister Dötschman nickte langsam.

»Bisher sind die Pferriche noch in Ordnung. Mal sehen,
wie sich das Wetter in den nächsten Tagen entwickelt ...«

»Da wir uns nun schon mit dem Thema Holz befassen«,
mischte sich Ulrich ein, die verschlossenen Mienen geflissentlich übersehend, »sollten wir uns doch auch Gedanken über den großen Schwund seit dem letzten Jahr machen. Natürlich ist das nicht unser Verlust, sondern der
der Bauern und Pächter der Grafschaft Limpurg oder an-
derswo, doch die Großpächter und Mannen des Schenken fangen bereits an, Druck auf den Rat auszuüben, und
wollen, daß die Haller Schreiber die Hölzer bereits an
den Wölzen auszählen. Und dann wäre der Schwund unser Problem!«

»Wahrscheinlich haben die Schenken das Holz wieder
ausziehen lassen, um uns wegen der Zölle zu erpressen«,
schimpfte der alte Michel. »Wie damals vor siebenund-

dreißig Jahren. Doch wir lassen uns nicht erpressen! Wir werden uns bewaffnen und nach Süden ziehen. Sie sollen sehen, was wir Sieder für Gegner sind! Für jeden einzelnen Stamm werden sie büßen!«

Er schlug so hart mit der Faust auf den Tisch, daß der Schreiber zusammenzuckte. Ein großer Tintenfleck breitete sich über das halbbeschriebene Blatt aus. O nein!

Der dicke Blinzig unterdrückte ein Kichern, Lutz Dötschman verdrehte leidend die Augen. Ulrich Vogelmann sah erstaunt von einem zum anderen. Geduldig warteten die Haalmeister, bis sich der Alte wieder beruhigt hatte, erst dann wagte es Lutz Dötschman, ihm zu widersprechen.

»Dieses Mal liegt der Fall anders …«

Am Abend hatte die Familie Vogelmann das zweifelhafte Vergnügen, die gesamte Sitzung der Viermeister noch einmal rezitiert zu bekommen. Mit mehr oder weniger großem Desinteresse ließen sie es über sich ergehen. Die Frauen versuchten, wenigstens den Ausdruck von gespannter Anteilnahme in ihren Mienen anzudeuten, doch Peter gähnte demonstrativ. Als jedoch die Holzprobleme zur Sprache kamen, horchte Anne Katharina plötzlich auf. Kerzengerade saß sie da und lauschte dem Monolog ihres Bruders. Ihre schläfrigen Gedanken waren plötzlich hellwach und huschten flink umher.

»Ich sollte dich in den nächsten Tagen einmal zu deiner Arbeit auf den Haal begleiten«, sagte sie zu Peter, als die Magd die Reste des Nachtmahls abtrug. Es war eine Feststellung, die keine Widerrede duldete. Überrascht sah Peter seiner Schwester nach, als sie sich verabschiedete, um sich in ihre Kammer zurückzuziehen.

KAPITEL 18

Tag des heiligen Isidor,
Donnerstag, der 4. April
im Jahr des Herrn 1510

*B*ereits in den Abendstunden nach der Sitzung der
Viermeister ließ der Regen nach, und am anderen
Morgen strahlte die Sonne vom frischblauen Himmel, als
sei nichts gewesen. Die Fluten des Kochers standen zwar
immer noch hoch, und das Wasser floß schnell, doch mit
jeder Stunde nahmen die Strudel ab, wurde der Fluß ruhiger.
Am Mittwoch in aller Früh sattelten einige der Flößer und
Treiber ihre Pferde und ritten nach Süden, um den Bauern an den Wölzen beim Einwerfen der Stämme zu helfen. Andere reparierten eilig die am Montag doch noch
gebrochenen Abfangrechen beiderseits des Unterwöhrds.
Das Treiben begann, kaum hatte sich die Sonne von den
Wipfeln der an den steilen Talhängen wachsenden Bäumen gelöst. Eigentlich war es Sache der Bauern, die Hölzer bis an die Stadtgrenze zu bringen, doch die Flößer
und Treiber von Hall hatten es sich zur Gewohnheit gemacht, bei den limpurgischen Pächtern noch ein paar
Münzen hinzuzuverdienen. Vor allem die Großbauern
und reichen Waldbesitzer gaben diese Arbeit gern an die
Haller ab, war doch das Treiben der Stämme bei Hoch-

wasser nicht ungefährlich, und schon manch einer der jungen, kräftigen Männer hatte in den letzten Jahren seine Arbeit mit dem Leben bezahlt.

In Hall am Unterwöhrd wurden die Stämme von den hölzernen Fangrechen aufgehalten. Geschickt leiteten die Flößer sie zum Ufer, wo sie auf der Kocherinsel oder vor dem Haaltörle an Land gezogen wurden.

Anne Katharina war an diesem Tag schon im Morgengrauen auf den Beinen. Bekleidet mit einem Hemd aus grobem Barchent und einem kurzen Rock aus ungefärbter Wolle, der kaum ihre Knöchel bedeckte, erschien sie in der Stube, schlang schnell ihren Haferbrei hinunter und schloß sich dann ihrem Bruder auf seinem Weg zum Haal an. Peter war alles andere als begeistert, mit seiner Schwester im Schlepptau auf dem Unterwöhrd zu erscheinen, und machte seinem Unmut auf ihrem Weg die vielen Stufen zum Kocher hinunter ausgiebig Luft. Er schimpfte und grummelte, jammerte und fluchte, bis sie den Mühlendamm erreichten und Anne Katharina unvermittelt stehenblieb.

»Nun hör aber auf. Ich werde dir schon nicht am Schürzenband kleben und dich vor deinen Freunden lächerlich machen. Überhaupt frage ich mich, was das für Freunde sind, wenn der Anblick deiner Schwester genügt, um deinen Ruf bei ihnen für immer zu schädigen!«

Erbost sah sie ihn an, und er wurde zu ihrer Genugtung sogar ein wenig verlegen.

»So habe ich das ja nicht gemeint. Ich wollte dich nur darauf hinweisen, daß das ein rauhes Volk ist, drunten auf dem Haal und auf dem Unterwöhrd und ...« Verlegen schwieg er.

Anne Katharina lachte spöttisch.

»Ja, ja, die rauhen Sitten und lockeren Sprüche könnten

einer keuschen Jungfrau die Röte in die Wangen treiben.«

»Da besteht bei dir ja keine Gefahr«, giftete er, um seine
Unsicherheit zu überspielen. Seine Schwester hakte sich
bei ihm unter und lächelte ihn versöhnlich an.

»Du bist doch heute auf dem Unterwöhrd. Also werde ich
zum Haaltörle am kleinen Eckturm gehen und mir dort
das Ausziehen ansehen. Dann bleibt dir mit Sicherheit
jegliche Peinlichkeit erspart«, fügte sie noch hinzu.

»Aber dann bist du völlig ohne meinen Schutz!« rief Peter.

Seine Schwester unterdrückte ein Lachen und antwortete
trocken.

»Ich glaube nicht, daß mich die Flößer am hellichten Tag
vor den Augen der Sieder und Meister verspeisen werden.
Außerdem hast du noch vor wenigen Augenblicken betont, wie lästig es dir wäre, meine Amme spielen zu müssen.«

Da die Geschwister den Steinernen Steg inzwischen hinter sich gelassen hatten und in dem bunten Durcheinander der Auszieher und Baumstämme, Flößer und Zug-
pferde, Ausschreier und Anschreier auf den dicken Hans
Blinzig und den vierschrötigen Hermann Eisenmenger
trafen, brach ihr Streitgespräch jäh ab.

Hans verbeugte sich linkisch und riß seine verbeulte Kappe vom Kopf, daß seine stumpfbraunen Haare nach allen
Richtungen abstanden. Auch Hermann grüßte, wie es der
Anstand gebot, jedoch mit einem anzüglichen Grinsen
auf den Lippen.

Anne Katharina knickste, verabschiedete sich von ihrem
Bruder und seinen Freunden, drehte sich um und schritt
in Richtung Sulfurt davon. Schmutzigbraun rauschte das
Wasser zu ihren Füßen dahin. Wäre es Sommer, so hätte

sie die Röcke gerafft und wäre durch die Furt gewatet, doch heute floß das Wasser nahezu hüfthoch über die großen, ausgefahrenen Steinplatten. Es blieb ihr also nichts anderes übrig, als den Weg in die Stadt zurück über den Steinernen Steg und dann die Haalstraße hinunter zu nehmen. Seufzend wollte sie sich gerade auf den Weg machen, als sich ein mit Ballen und Fässern hochbeladenes Fuhrwerk näherte. Der dicke Fuhrmann, dessen braun-samtenes Wams sich straff über den von Wohlstand zeugenden Bauch spannte, winkte ihr zu.

»Einen gesegneten Tag wünsche ich, schöne Jungfrau«, rief er und lachte über sein fleischig-rotes Gesicht. »Kann ich Euch mit rübernehmen?«

Anne Katharina zögerte einen Augenblick, doch dann nahm sie dankend an, griff nach der dargebotenen Hand und ließ sich neben den Kaufmann auf den Kutschbock ziehen. Geschickt lenkte er die vier kräftigen Pferde die steinerne Rampe hinunter, bis das Wasser um die Räder schäumte. Während er den schweren Wagen sicher ans andere Ufer brachte, schwatzte und lachte er, und als sie das Tor unter dem Sulferturm passierten, hatte Anne Katharina das Gefühl, bereits die gesamte Lebensgeschichte des freundlichen Kaufmanns zu kennen.

Das junge Mädchen winkte ihm noch einmal zu und schritt dann auf dem schmalen, schlammigen Pfad zwischen Haalhäusern und Stadtmauer zum Törle am Haaleck. Dort unter dem kleinen, eckigen Fachwerkturm, der auf dem Mauereck aufsaß, wo sich auch die heimlichen Gemächer der Sieder befanden, herrschte am schmalen Uferstreifen rege Geschäftigkeit. Anne Katharina achtete darauf, niemandem im Wege zu stehen, lehnte sich mit dem Rücken an die rauhen Steine der Stadtmauer und beobachtete das Treiben. Jeder schien genau zu wissen, was er zu tun hatte, und nach längerem Hinsehen erhielt das Treiben eine strenge Ordnung.

Vorn am Pferrich zogen die Männer mit ihren Flößerhaken die Blöcke ans Ufer. Einer der Auszieher schlug seine Axt tief ins Holz und drehte den Stamm so, daß das Mal zu erkennen war, das der Anschreier laut verkündete. Unmittelbar daneben am Ufer hatte der Haalschreiber unter einem provisorisch zusammengezimmerten Schutzdach, das auf vier windschiefen Pfählen ruhte, hinter einem Pult seinen Platz eingenommen und kratzte für jedes gerufene Mal in der entsprechenden Spalte einen Strich in sein Wachsbuch. Erst am Abend würde der Schreiber im Haalgericht die Summen in die großen, gebundenen Bücher übertragen, nach denen die limpurgischen Bauern ihr Geld ausbezahlt bekommen würden. War der Block notiert, dann nahmen ihn zwei Männer auf die Schulter und trugen ihn zum Holzlagerplatz, den man die Hospet nannte. War das Holz zu schwer, wurde es von Pferden, robusten kleinen Tieren mit kräftigen Beinen und großen Hufen, weggeschleift. Sowohl der Anschreier als auch der Haalschreiber kannten all die zahlreichen Mäler, so daß es nur ganz selten vorkam, daß eines der Zeichen im Mälerbüchlein nachgeschlagen werden mußte.

»›Dick dick‹, ›Mir wohl‹, ›Zweikerffa‹, ›Heffalin‹«, rief der Anschreier in seinem eigenartig singenden Tonfall.

»›Lust im Haus‹, ›Muß dich haben‹, ›Komm mein Herz‹«, klang es über das Scherzen und Stöhnen der Flößer und Sieder. Es war auch so manche Obszönität unter den Mälernamen dabei, so daß die Arbeiter und Gaffer immer wieder in Gelächter ausbrachen.

»›Alter Hofmann‹, ›Dreispan‹, ›Nimms in acht‹, ›Duck dich‹, ›Birnwiesel‹, ›Stürz den Degen‹.«

Da war es! Anne Katharina unterdrückte einen Aufschrei,

ihr Herz klopfte wild. Mälernamen! Die Vermutung, die vor ein paar Tagen so unverhofft in ihren Gedanken aufgeblitzt war, verwandelte sich nun in Gewißheit, und wie zur Bestätigung rief der Anschreier:

»›Weck von Aschen‹, ›Zuofeder‹, ›Cromatvogel‹, ›Löffelmaul‹.«

Sie hatten über Mäler gesprochen, der Junker und der dreifingrige Bert. Die Enttäuschung wälzte sich wie eine Flut durch ihre Gedanken. Hatte sie nur ein normales Gespräch zwischen Herrn und Knecht belauscht? Sie dachte mit Schaudern an ihre Begegnung mit dem Dreifingrigen, an seine heftige Reaktion. Nein, das konnten keine normalen Mälernamen sein. Irgendein dunkles Geheimnis war mit ihnen verbunden. Wie zufällig schlenderte Anne Katharina näher an die Hütte des Haalschreibers heran, stand eine Weile still neben dem schmächtigen Mann mit dem schütteren, schon leicht ergrauten Haar, ehe sie, als es beim Ausziehen zu Stockungen kam, beiläufig fragte:

»Kennt Ihr die Eigentümer der Mäler ›Weck von Aschen‹ und ›Stürz den Degen‹?«

Das Männlein schreckte hoch und sah das Mädchen aus großen, grauen Augen an. Erst als sie die Frage noch einmal wiederholte, strich er mit seinem bräunlichen Zeigefinger die langen Symbolreihen in seinem Wachsbuch entlang, bis er auf die genannten Mäler stieß.

»Nein, die Pächter oder Besitzer kenne ich nicht. Es sind keine Alteingesessenen. Erst im letzten Jahr wurden sie in die Liste aufgenommen.«

Anne Katharina stellte sich auf die Zehenspitzen, prägte sich die Zeichen ein, auf die der schmutzige Finger tippte.

»Das sind aber viele Striche«, sagte sie erstaunt.

»Ja, da muß jemand einen großen Wald gepachtet, gekauft oder geerbt haben«, nickte der Schreiber. »Oder irgend jemand holzt eine Fläche ab, um einen Hof zu bauen oder Felder anzulegen.«

»Wo könnte ich denn erfahren, wem diese Zeichen gehören?«

»In den Büchern im Haalgericht ist alles genau verzeichnet, aber warum wollt Ihr das wissen?«

Plötzlich schwang Mißtrauen in seiner Stimme. Sein Blick fixierte das junge Mädchen in ihrer einfachen Tracht. Er wollte noch etwas hinzufügen, doch der Anschreier rief:

»›Veilkraut‹, ›Weck von Aschen‹, ›Schlag nix ab‹, ›Duck dich‹.« Rasch ritzte er die Striche ins Wachs. Als er wieder von seiner Tafel aufsah, da war das Mädchen verschwunden. Einen Augenblick dachte er noch über sie nach, machte bei »Alter Hofmann«, »Veilkraut«, »Birnwiesel« und »Milzringle« sorgfältig, so wie sie ausgerufen wurden, seine Striche und vergaß dann die Begegnung sogleich wieder.

Anne Katharina schlenderte noch eine Weile zwischen den Arbeitenden umher, sah sich die Männer genau an, doch der Dreifingrige war nicht unter ihnen. Ob man ihr im Haalgericht die Bücher zeigen würde? Was sollte sie als Grund dafür angeben, daß sie die Namen erfragte? Grübelnd schritt sie auf das Haaltörle zu und stieß beinahe mit einem einfach gekleideten Mann zusammen, der dort im Schatten stand und das Ausziehen beobachtete.

»Oh, Herr Junker, seid gegrüßt. Entschuldigt, ich hätte Euch fast nicht erkannt«, stotterte sie und ließ ihren Blick an dem Gewand herabgleiten, das sich kaum von denen der Siedersburschen unterschied.

Rudolf Senft zog ein säuerliches Gesicht, neigte jedoch grüßend den Kopf, trat einen Schritt zurück und ließ die Siederstochter passieren, die in Richtung Haalgericht davonschlenderte.

*   *   *

Der Büttel trat unruhig von einem Bein auf das andere. Noch war ein Besucher beim Schultheiß. Noch konnte er den unangenehmen Augenblick hinauszögern. Wie sollte er es ihm nur sagen? Nervös räusperte sich der kleine, untersetzte Mann, kratzte sich den ungepflegten Bart, um die Flöhe zu verscheuchen. Schließlich war es nicht nur seine Schuld, doch da er beim Würfeln verloren hatte, mußte er die schlechte Nachricht überbringen. So schritt er nun ängstlich vor der Schreibstube auf und ab und wartete auf das Donnerwetter, daß über ihn hereinbrechen und ihn vielleicht zerschmettern würde.

Wenn ich das heil überstehe, dann trinke ich einen Krug Wein in einem Zug runter, schwor er sich.

Wenige Augenblicke später stand er mit schweißnassen Händen vor dem Sekretär des Schultheißen. Fragend hob Konrad Büschler die Augenbrauen, verschränkte die Hände vor seinem Bauch und wartete, bis der Büttel hervorstieß:

»Sie ist weg, aber das ist nicht meine Schuld.«

»Könntest du dich etwas deutlicher ausdrücken?«

»Nun ja, wir haben die Hexe nach dem Urteil und nachdem sie die Urfehde geschworen hat, zum Turm zurückgebracht, wie Ihr das angewiesen habt ...«

»Die Schloßsteinerin ist nicht wegen Hexerei verurteilt worden! Deshalb muß sie auch nicht auf den Scheiterhaufen, sondern genießt das milde Urteil, lebenslang im Turm vermauert zu werden«, berichtigte der Schultheiß, der Schlimmes zu ahnen begann.

»Sie ist doch eine Hexe! Wir haben sie ganz fest verschlossen und immer genau aufgepaßt, doch die Hexe hat sich in einen Raben verwandelt und ist aus dem kleinen Fenster der Kammer einfach davongeflogen. Wir konnten sie nicht halten. Ein Wunder, daß sie uns nicht alle mit ihren

Zaubersprüchen getötet hat. Aber vielleicht trifft uns ihr Fluch noch später. Mir zwickt es schon im Bein und im Rücken«, fügte der Büttel düster hinzu.

Der Schultheiß sprang auf.

»Ihr habt sie aus dem Turm entwischen lassen?«

»Aber sie ist doch einfach davongeflogen ...«

»So ein Blödsinn!« schrie der Schultheiß erbost. »Gesoffen habt ihr sicher und die Tür nicht richtig versperrt!«

»Aber nein, wir haben genau aufgepaßt ...« Unter dem drohenden Blick seines Vorgesetzten verstummte der Büttel kleinlaut.

»Nun ja, zwei Krüge Wein hatten wir schon, um uns zu wärmen, und ein wenig gewürfelt haben wir auch ...«

Konrad Büschler unterbrach ihn mit einer Handbewegung.

»Darüber reden wir später. Wann habt ihr die Schloßsteinerin zuletzt gesehen?«

»Kurz vor der Abenddämmerung«, antwortete der Dicke eifrig. »Ich brachte ihr Wasser und Brot – und sie hat mich beschimpft. Sie hat ›blöder Fettwanst‹ gesagt und ...«

»Halt den Mund! Vielleicht ist sie noch in der Stadt. Wir brechen sofort auf. Geh zum Marstall und laß zehn Pferde satteln. Ein Trupp Wächter sucht die Stadt ab, zwei Gruppen reiten ins Umland. Wir werden sie wieder einfangen!«

Der Schultheiß griff nach seinem Umhang und eilte hinaus. Froh, vorerst einer Strafe entgangen zu sein, rannte der Büttel zum Marstall hinunter, um den Befehl weiterzugeben.

* * *

Als die Magd Agnes den Hahn des großen Weinfasses zudrehte, ließ ein raschelndes Geräusch sie zusammenfahren.

Bestimmt nur eine Ratte, beruhigte sie sich selbst, hob aber doch das Talglicht in die Höhe und spähte hinter die Fässer. Schmutz und ein Haufen Lumpen, nichts Gefährliches. Beruhigt wandte sie sich ab und hob den Krug Wein vom Boden hoch, als sie aus den Augenwinkeln eine Bewegung wahrnahm. Das Lumpenbündel erhob sich vom Boden. Kreischend ließ Agnes die Lampe fallen, die sofort erlosch. Auch der Weinkrug fiel klirrend zu Boden. Zähneklappernd drückte sich die Magd an das glatte Holz des Fasses und betete lautlos, doch als eine fremde kalte Hand nach der ihren tastete, stieß Agnes einen gellenden Schrei des Entsetzens aus.

»Sei doch ruhig«, beschwor sie eine rauhe Frauenstimme. »Ich tu dir doch nichts.«

Agnes atmete stoßweise, und die eisige Todesangst verebbte.

»Wer bist du, und was tust du hier?«

»Ich will mit dem Vogelmannmädchen reden – bitte«, fügte die Unbekannte nach einer kurzen Pause hinzu.

Die Magd war empört.

»Du dringst in das Haus eines Ratsherrn ein und verlangst, die junge Herrin zu sprechen? Was denkst du dir eigentlich? Außerdem hast du noch immer nicht gesagt, wer du bist.«

»Ich bin die Margarete Schloßstein, das Weib vom Hans Stetter. Bitte, nur die Anne Katharina wird mir helfen. Sie hat doch auch die Marie aus dem Spital geholt.«

Die Magd sog scharf die Luft ein und wollte gerade fragen, warum die Verurteilte nicht im Turm sitze, als ein Licht auf der Treppe erschien.

»Agnes? Ist etwas passiert? Wo bist du?«

Der Lichtschein huschte durch die Halle und blieb dann an den beiden Frauen hängen.

»Aber das ist doch die Schloßsteinerin«, stieß Ursula entsetzt aus.

Kurz darauf saßen vier ratlose Frauen in der hinteren Stube. Ursula und Anne Katharina zerbrachen sich den Kopf, was sie mit der Entflohenen machen sollten, Agnes saß schweigend etwas abseits, und die Schloßsteinerin stopfte Brot und Käse in sich hinein und spülte mit viel Wein nach. Mit Bangen folgte sie den Beratungen.

»Wir müssen sie zum Schultheiß bringen«, beschwor Ursula ihre junge Schwägerin. »Du weißt, wie sehr sie gesündigt hat – auch wenn der Vorwurf der Hexerei fallengelassen wurde. Wenn sie ihre Strafe nicht bekommt und ihre Vergehen nicht sühnt, dann setzt sie ihre Seele aufs Spiel. Willst du das? Willst du schuldig sein, daß ein Mensch das ewige Leben verwirkt?«

»Nein, doch findest du die Strafe nicht ein wenig hart? Lebenslange Vermauerung? Wenn sie beichtet und die Absolution bekommt, dann hat der Herr ihr doch verziehen, oder?«

»Ja, ich will ja Buße tun und nie wieder fluchen und böses Zeug daherreden, aber bitte net einmauern!« flehte das vierschrötige Weib mit vollem Mund.

»Selbst wenn wir sie nicht verraten, die Tore sind bereits geschlossen. Sie kommt nicht aus der Stadt heraus, und bei dem Hochwasser könnte selbst ein kräftiger Mann sich nicht über den Kocher retten.«

Anne Katharina kaute auf ihrer Unterlippe.

»Ja, heute nacht kommt sie nicht mehr aus der Stadt heraus, aber vielleicht morgen?«

»Sie wird diese Nacht nicht in unserem Haus verbringen!

Sollte es jemand erfahren, kann das unsere ganze Familie ins Unglück stürzen. Denk auch an deine Brüder. Ulrich ist Ratsherr!« ereiferte sich Ursula.

»Ja, ich weiß, aber wenn sie ins Barfüßerkloster geht, dann müssen die Mönche ihr Asyl gewähren, und der Guardian könnte ihr die Beichte abnehmen …«

»Nein, ich will net ins Kloster. Das ist ja fast so schlimm wie der Turm.«

»Hier bleibt sie jedenfalls nicht!« wiederholte Ursula beinahe hysterisch. »Bring sie weg. Ulrich kann jeden Augenblick nach Hause kommen.

»Du hast recht«, stimmte Anne Katharina ihr zu. »Das Kloster ist die einzige Möglichkeit.«

Schwerfällig erhob sich die Schloßsteinerin und zog sich ihren löchrigen Umhang enger um die Schultern, obwohl es in der Stube angenehm warm war.

»Wenn's denn sein muß, dann geh ich halt zu den Mönchen.«

»Ich begleite dich.«

Schweigend schritt Anne Katharina neben der Badersfrau die Herrengasse entlang. Die arme Frau aus der Vorstadt wirkte abstoßend, war nicht angenehm anzusehen und hatte keine Schule besucht. Ihre Sprache war derb, die Umgangsformen waren grob, und sie stank – und doch, war sie vielleicht im Recht und der Rat im Unrecht? Wer konnte das sagen?

Vielleicht sollte ich mich doch wieder mit dem Pater treffen – heimlich, damit Ulrich nichts davon erfährt …

In einer dunklen Nische unweit der Klosterpforte bewegte sich etwas. Nur undeutlich waren zwei Schatten zu erkennen. Ab und zu scharrte ein Stiefel auf dem Pflaster, ein leises, nervöses Räuspern erklang. Zwei Augenpaare beobachteten die beiden Frauen und lauschten dem

Klappern der Holzsohlen, als Anne Katharina und die entflohene Badersfrau sich der Klosterpforte näherten. Erst als das junge Mädchen den Klopfer betätigte, wurden die Schatten lebendig, traten mit ein paar schnellen Schritten aus der Nische und bauten sich vor den beiden Frauen auf, die vor Schreck und Angst keinen Ton herausbrachten. Das winzige Fenster in der Klosterpforte öffnete sich einen Spalt, wurde dann aber mit einem Knall sofort wieder geschlossen. Das Klicken von Stein auf Stahl, ein Funke, dann ein Flämmchen. Der Schein der Lampe erhellte die Gesichter und ließ den letzten Hoffnungsschimmer verfliegen, als Anne Katharina die beiden Büttel erkannte.

»Sieh da, die alte Hexe hat sich doch noch nicht in Luft aufgelöst. Los, Karl, halte sie, damit sie nicht davonfliegt. Ich nehme die Komplizin fest.«

Nur zögernd legte der junge Mann seine Hand auf den Arm der Entflohenen, während sein Kamerad seine Pranken um Anne Katharinas Handgelenke schloß.

»Faß mich net an«, schrie die Schloßsteinerin, »sonst trifft dich mein Fluch. Deine Glieder werden dir abfaulen, und langsam, qualvoll wirst du krepieren ...«

Erschreckt ließ der Büttel sie los, trat einen Schritt zurück und hob beide Arme schützend vors Gesicht, als könne er den Fluch dadurch von sich ablenken. Die Schloßsteinerin kreischte, Schaum trat vor ihren Mund und tropfte auf das Pflaster. Sie schien von tausend Dämonen besessen, doch der andere Büttel blieb unbeeindruckt. Er riß seinen Knüppel heraus und ließ ihn auf Margarete Schloßsteins Kopf herabsausen. Ein häßliches Knirschen, die Frau verstummte, wankte, drehte sich einmal um ihre Achse und brach zusammen.

Die beiden Büttel seufzten erleichtert auf und machten

sich daran, sie zu knebeln. Unauffällig versuchte Anne Katharina, in der Dunkelheit unterzutauchen, doch ein eiserner Griff hielt sie zurück.

»Du kommst mit uns! Wenn du es wagst, auch nur den Mund zu öffnen, dann bekommst du den Knüppel zu spüren!«

Der Jüngere stieß seinen Kameraden in die Seite.

»Du, Rick, das ist die Kleine vom Ratsherrn Vogelmann, ich meine, das könnte ganz schön Ärger geben.«

Der bärtige Riese näherte die Laterne Anne Katharinas Gesicht, sah sie prüfend an und ließ den Blick über ihren Rock gleiten.

»Wie heißt du?« fragte er barsch.

»Anne Katharina Vogelmann«, antwortete sie leise und wagte nicht, dem noch etwas hinzuzufügen. Die Büttel sahen sich unentschlossen an.

»Wir können dem Schultheiß ja sagen, daß sie bei der Schloßsteinerin war. Dann kann er sie immer noch verhaften, wenn er das für nötig hält«, schlug der Büttel Karl vor.

»Gute Idee«, nickte der Ältere.

»Geht nach Hause, Mädchen. Dies ist weder der Ort noch die Zeit, wo eine Jungfrau aus gutem Haus sich herumtreiben sollte.«

Anne Katharina zögerte einen Moment, warf einen Blick auf die am Boden liegende Badersfrau, die qualvoll stöhnend langsam wieder zu sich kam. Nein, hier konnte sie nichts mehr tun. Ohne ein weiteres Wort an die beiden Büttel zu richten, schritt das Mädchen davon. Es wollte gar nicht sehen, wie die Männer die geknebelte Gefangene unsanft durch die nächtlichen Straßen davonschleppten.

KAPITEL 19

Tag des heiligen Petrus Martyr,
Samstag, der 6. April
im Jahr des Herrn 1510

*B*edächtig schritt der Bader durch alle Räume, kontrollierte, ob alles reinlich war, die Öfen gut eingeheizt, die Wasserbehälter gefüllt, die Schälchen mit duftenden Blumen und Kräutern verteilt und genügend frische Zweige geschnitten. Dann trat er vor die Tür, blies das Signal und hängte den Wedel auf, das Zeichen, daß das Unterwöhrdbad nun geöffnet war.

Heißer Dampf schlug den beiden jungen Burschen entgegen, als sie die Tür zum Badehaus öffneten. Eine Magd, nur mit einem dünnen Rock aus billigem Barchent bekleidet, der sich eng um ihren Körper legte und die üppigen Formen betonte, begrüßte sie freundlich.

Der große, blonde Jörg Firnhaber verbeugte sich tiefer, als es nötig gewesen wäre, und ließ, als er sich wieder aufrichtete, seinen Blick über den hervorquellenden Busen der Badersmagd wandern. Peter Vogelmann nickte nur kurz und fragte:

»Sind die anderen schon da?«

»Die Herren Feyerabend, Blinzig und Seyboth sitzen schon in der Wanne«, gab die Magd bereitwillig Auskunft. »Was kann ich für Euch tun?«

Jörg senkte die Stimme und blinzelte der Magd, die gut zehn Jahre älter war als er, verschwörerisch zu.

»Ein Schwitzbad, Massage, eine Kräuterwanne – mit allen Extras, die einen schwerarbeitenden Sieder wieder zu guter Laune verhelfen können.«

Die Wangen der Magd röteten sich. Leise kichernd führte sie die Freunde in den trockenen Vorraum, wo sie ihre Gewänder über hölzerne Stangen legten. Sie wählten ein paar frisch begrünte Wedel aus und traten dann vorsichtig, um auf dem feuchten Holzboden nicht auszugleiten, in den vor Nässe triefenden Baderaum. Der Steinofen sandte glühende Hitze und den Duft von Lavendel und Rosen aus. Stöhnend ließ sich Jörg auf eine Bank nieder, reckte die Glieder, ließ die Gelenke knacken, streckte sich lang aus und schloß die Augen. Peter flegelte sich auf die Bank gegenüber und beobachtete verstohlen das junge Mädchen, das aus einem Eimer Wasser auf die glühenden Steine schöpfte. Sie konnte kaum zwölf oder dreizehn Jahre alt sein. Der nasse, nur knielange, nahezu durchsichtige Kittel klebte an ihrem schlanken Körper. Wassertropfen glänzten in ihrem hochgesteckten, blonden Haar. Die Kleine sah Peter aus ihren unschuldigen, blauen Augen an und fragte, ob er noch einen Wunsch habe. Unfähig, ein Wort herauszubekommen, schüttelte er den Kopf, preßte die Schenkel zusammen und betete darum, seinen Körper unter Kontrolle halten zu können. Erleichtert seufzte er auf, als sie die Tür hinter sich geschlossen hatte.

»Netter Käfer«, bemerkte Jörg, ohne sich zu rühren. »Da kann's einem schon heiß in den Lenden werden. Schlanke Gestalt, frisch knospende Brüste, feste Schenkel – es wäre schon eine Überlegung wert, mal zwischen sie zu schlüpfen.«

»Sie ist viel zu jung für dich!« entrüstete sich Peter. Sein Freund lachte nur leise.

Kurz darauf gesellte sich der ewig rauflustige Hermann Eisenmenger mit der gebrochenen Nase zu ihnen. Sie plauderten und schwitzten und ließen sich von dem Mädchen ab und zu mit lauwarmem Wasser bespritzen. Dann, als sie der Hitze überdrüssig wurden, jagten sie sich lachend um den großen Behälter mit kaltem Wasser, schlugen mit den Wedeln aufeinander ein, bis die Haut glühte, und kippten Eimer mit eisigem Wasser übereinander aus. Als sie etwas zur Ruhe gekommen waren und sich auf den gepolsterten Bänken ausgestreckt hatten, kam der Bader Stetter, ließ die Finger knacken und begann mit seinen großen, fleischigen Händen, Jörg den Rücken zu massieren.

»O nein, ich möchte lieber zarte Frauenhände auf meiner geplagten Haut«, protestierte er, doch der Bader ließ sich nicht beeindrucken, sondern griff herzhaft zu, so daß sich Jörgs Finger verkrampften und die wechselnden Grimassen in seinem Antlitz wahre Lachstürme bei seinen beiden Freunden hervorriefen. Peters Lachen ging in zufriedenes Grunzen über, als das blonde Mädchen seinen Rücken sanft mit duftendem Öl einrieb. Aus dem Nebenraum, in dem an den vier Wänden verteilt zehn Badezuber standen, erklangen die Stimmen der anderen Siederburschen. Sie grölten ein Lied, dann war ein Platschen zu hören, eine Frau kreischte, die Sieder lachten. Unwillig runzelte der Bader die Stirn und sah zur Tür, durch die die schwarzhaarige Veronica gerade eintrat. Sie nickte ihm beruhigend zu. Alles in Ordnung. Noch mußte er nicht eingreifen.

Peter, Jörg und Hermann wurden mit lautem Hallo begrüßt. Sie suchten sich jeder eine Wanne mit frischem, heißem Wasser aus und ließen sich wohlig seufzend hineingleiten. Der Müller von der Dorfmühle, der schon eine Weile das junge, laute Volk unwillig gemustert hatte, verließ seinen Zuber und trat den Rückzug an. Sechs Siederburschen auf einmal, das war ihm dann doch zu turbulent.

Die Badersmagd brachte sauren Wein und dunkles Bier herein, verteilte scharfen Ziegenkäse und grobes Brot auf den Tischchen zwischen den Holzbottichen und scherzte mit den jungen Männern.

»Kann ich noch ein paar Zwiebeln haben?« rief der dicke Blinzig der Magd nach. »Ich liebe es, wenn es so schön blubbert und schäumt.«

Die anderen lachten dröhnend. Peter sah Veronica nach. Sie war zwar schon über dreißig, doch gegen die massige Schloßsteinerin sicher ein guter Tausch.

»Meinst du, die heiratet den Bader, jetzt, wo die Schloßsteinerin im Turm sitzt?« fragte Jörg, der gerade den Schmutz unter seinen Fingernägeln herauskratzte. »Lang wird sie dort nicht leben.«

»Weiß nicht. Für sie ist es sicher besser, Badersfrau denn Magd zu sein, und er wird sich darüber freuen, mehr hübsches Fleisch und weniger giftiges Mundwerk in seinem Bett zu haben.«

»Ja, der kann froh sein, seine Olle so einfach loszuwerden«, fügte Hermann hinzu und gähnte herzhaft. »Nur wir haben nichts davon, daß sie dort im Turm verrottet. Kein hübsches Feuerchen ...«

»Das ist nicht gesagt. Jetzt, wo sie ihren Urfehdeeid gebrochen hat und ausgebüxt ist, wird sie sicher eine saftige Strafe bekommen. Es könnte also auch für uns noch was zum Gucken rausspringen«, grinste Michel.

Der Bader, der gekommen war, um nach seinen Kunden

zu sehen, biß die Zähne zusammen und tat so, als habe er das Gespräch nicht gehört. Eine Weile würden die Leute noch reden, das mußte er ertragen. Ihr würde es in jedem Fall schlimmer ergehen, egal, ob sie einen schnellen oder einen langsamen, qualvollen Tod erleiden mußte.

»Veronica!« rief Michel übermütig. »Schick mir doch mal die Ruth vorbei. Ich bin so einsam in meiner Wanne.«

»O ja«, rief Jörg. »Und die süße Blonde kannst du Peter geben. Ich zahle heute für unseren Kleinen!«

Die anderen lachten. Peter lief rot an und überlegte, ob er protestieren sollte, doch da stieg das Mädchen, eine duftende Seife in der einen, die Bürste in der anderen Hand, in ihrem kurzen Hemdchen schon hinter ihm ins Wasser und begann ihm sorgfältig den Rücken zu waschen. Die Burschen amüsierten sich königlich über den sich wandelnden Gesichtsausdruck ihres jungen Freundes, als die schmalen Hände erst zur Brust vor und dann langsam immer tiefer wanderten.

Der Bader kam immer mal wieder herein, um nach dem Rechten zu sehen. Er gestattete zwar manche Freiheit – sollten sich die jungen Leute ruhig erfreuen –, doch alles hatte seine Grenze! Die junge Magd würde hier nicht ihre Unschuld verlieren. Schließlich war das Bad kein Hurenhaus, und der Bader scheute sich nicht, selbst manchen Junker, der seine Spielchen zu weit trieb, dorthin zu verweisen.

»Vielleicht bekommen wir jetzt endlich eine Hexe auf den Scheiterhaufen«, nahm der dicke Hans das Gespräch wieder auf, dem Michels genießerisches Lächeln und das Gekicher und Geplansche im Zuber nebenan auf die Nerven ging.

»Wen denn?« Der schmächtige Caspar Feyerabend riß die Augen auf.

»Na, die Magd vom Baumann, du Dummer. Sie soll ja allerhand Hexenzeug in ihrer Küche gehabt haben – sogar eine tote schwarze Katze sollen die Büttel gefunden haben.«

»Dann ist sie dran!« Hermann senkte die Stimme und gab ihr einen unheimlichen Klang. »Ich höre schon die Flammen knistern.«

»Das ist doch alles Schnee von gestern«, warf Michel Seyboth mit schleppender Stimme zwischen zwei Küssen ein.

»Du bist einfach nicht richtig informiert. Nach den ganzen Befragungen und Verhören hat sie eine große Kommission gefordert, vor der sie einige interessante Dinge erzählen will. Vor dem Büttel oder dem Schultheiß war sie gesprächig wie ein Fisch, aber dem Stättmeister, der extra zu ihr in den Turm kam, wollte sie nichts preisgeben. Sie will alles, was sie beobachtet hat, nur dem gesamten Rat erzählen. Auch den Namen des echten Mörders will sie dann verraten!«

»Warum haben sie sie nicht einfach peinlich verhört? Unter der Folter würde sie schon reden«, wunderte sich Jörg. »Ich verstehe eh nicht, warum sie sich nicht gleich reinwäscht, wenn sie unschuldig ist.«

»Es geht wohl nicht um irgendeinen Knecht oder Tagelöhner aus der Vorstadt. Es ist eine Affäre, in die angesehene Bürger verwickelt sind. Ich verrate nicht zuviel, wenn ich sage, daß es für ein paar Personen in der Oberstadt unangenehm werden könnte. Nun, in drei Tagen wissen wir mehr.«

Die Worte hingen in der heißen, feuchten Luft, schlugen sich mit den Wassertropfen nieder und zerrannen.

»Weißt du, um wen es geht?« fragte der junge Feyerabend aufgeregt.

Michel schüttelte den Kopf.

»Das wußte meine Quelle leider auch nicht.«

Hermann lachte dröhnend.

»Ich gehe jede Wette ein, daß seine Quelle, wie er es so schön nennt, hübsche, lange Beine hat, die normalerweise unter langen Röcken verborgen sind.«

Michel nickte.

»Sehr hübsche Beine und feste kleine Brüste.« Bei diesen Worten kniff er die Badersmagd in ihre rosigen Brustwarzen, so daß sie empört aufschrie und schmollend den Zuber verließ.

Nachdenklich kaute Peter auf seiner Unterlippe, streichelte abwesend dem Mädchen die dünnen Beine und nahm sich vor, diese aufregende Geschichte den anderen beim Nachtmahl zu berichten. Anne Katharina mit ihrer Leidenschaft für Geheimnisse würde Augen machen!

KAPITEL 20

Tag der heiligen Beata,
Montag, der 8. April
im Jahr des Herrn 1510

*I*ch bring den Wein für die Gefangene«, sagte der Knabe laut und kam sich dabei sehr wichtig vor.

Der Wächter, der gerade ein wenig vor sich hingedöst hatte, fuhr erschreckt in die Höhe und begann seine Kleidung zu ordnen, bis er den Dreikäsehoch bemerkte, der mit dem Weinkrug in der Hand vor ihm stand. Erleichtert sank er wieder auf den Holzklotz zurück, der ihm als Ruhestätte gedient hatte, gähnte herzhaft und kratzte sich das unrasierte Kinn.

»Was willst du hier, Bengel?«

»Ich soll den Wein für die Gefangene bringen«, wiederholte er und stellte den Krug auf dem Boden ab. »Für die Hexe, die von dem Ratsherrn«, fügte er noch hinzu, da der Wächter offensichtlich schwer von Begriff war.

»Die hat ihr Brot und Wasser schon bekommen! Wer schickt dich denn?«

Der Kleine trat nervös von einem schmutzigen, nackten Fuß auf den anderen und knetete verlegen seinen zerrissenen Kittel.

»Ich weiß nicht mehr den Namen, aber ich soll den Wein hierherbringen. Es ist ein Befehl vom Stättmeister.«

»Ja, ist gut, laß das Zeug hier und schleich dich.«

Unschlüssig blieb der Junge stehen, streckte den mageren Arm aus, hielt dem Wächter bettelnd die Handfläche unter die Nase und sah ihn aus großen blauen Augen flehend an.

»Ne, nicht einen Heller«, brummte der Wächter. »Verschwinde, sonst steckst du ein paar Backpfeifen ein, du dreckiger Bengel.«

Der Junge streckte dem Wächter die Zunge heraus, duckte sich flink unter seiner zum Schlag erhobenen Hand hindurch und rannte davon, als seien alle Dämonen der Hölle hinter ihm her. Er lief an der Stadtmauer entlang durch die Weilervorstadt, schlüpfte durch das Heimbachtörle hinaus, winkte den Frauen zu, die am Bach Wäsche wuschen, und rannte dann über die Wiese zu seinem Baum, der hinter den dichten Zweigen ein tiefes Astloch verbarg. Verstohlen sah sich der Junge um. Erst als er sich ganz sicher war, daß ihn niemand beobachtete, schwang er sich in das helle Frühlingsgrün hinauf, das in der Abendsonne leuchtete. Stolz betrachtete er seine Schätze: ein kleines braunes Tintenfaß, an dem nur ein Stück des Randes abgebrochen war, ein mehr als drei Fuß langes, goldbesticktes Band, das eine der reichen Damen verloren haben mußte, zwei Hellermünzen, ein kleines hellblaues Vogelei, ein Stück hartes Brot und eine Tonschale mit Sprung. All diese Kostbarkeiten – außer der Tonschale – legte er vorsichtig wieder in die schützende Baumhöhle zurück, ehe er ein kleines Päckchen, das er sich sicherheitshalber in die Bruech geschoben hatte, hervorzog und behutsam auswickelte. Da lagen die heiß begehrten Köstlichkeiten in dem feinen Leinentuch vor ihm. Mit spitzen Fingern legte er sie in die Tonschale: zwei kandierte Kirschen, eine Feige mit Mandelsplitter und ein Stück Latwerg. Das Wasser lief ihm im Munde zusammen, doch er wollte seine Schätze noch eine Weile betrachten, ehe er sie aß. Sollte er alle essen oder nur eines und den Rest aufheben? Unentschlossen kaute er auf seiner Unterlippe.

»Ach, was soll's, heute bin ich ein Junker!« Gierig schob er sich die Kirschen in den Mund, schmeckte die Süße, kaute und schmatzte, leckte sich die Finger ab und biß dann ein großes Stück vom Latwerg ab.

Im Gerberturm starrte der Wächter auf den Krug, roch daran und trank dann ein kleines Schlückchen.

»Viel zu schade für das Weibsstück«, brummte er, trank ein paar tiefe Züge und leckte sich die Tropfen, die an beiden Mundwinkeln herabflossen, aus dem Bart.

Was, wenn sie der Stättmeister beim Verhör fragt, ob sie den Wein bekommen hat? Könnte das Ärger geben?

Unentschlossen setzte er den Wein ab und sah in den halbleeren Krug.

Ach was, ein paar Schluck noch, der Rest reicht allemal für die Hexe.

Als der Wächter Volkhard einige Stunden später zur Wachablösung kam, fand er den Kameraden zusammengesunken auf dem Boden sitzend, das Kinn gegen die Brust gedrückt, die Arme um den Leib geschlungen.

»Jos? He, Jos, verdammt, was denkst du dir, dich während deiner Wache so zu besaufen?«

Er rüttelte den Wächter unsanft an der Schulter.

»Was glaubst du wohl, was der Schultheiß mit dir machen würde, wenn ...«

Der Rest des Satzes blieb ihm im Hals stecken, als der leblose Körper zur Seite kippte und er in die starren, weit aufgerissenen Augen sah.

»Herr im Himmel, hilf«, stöhnte Volkhard, streckte zögernd seine Hand aus, tastete über Gesicht und Hals und fühlte die kalte, feuchte Haut.

»Er ist tot, heiliger Sebastian, das kann doch nicht sein, er ist tot!«

Die blicklosen Augen ließen ihn erschaudern. Nur mühsam konnte sich der junge Mann dazu durchringen, dem Toten die Lider zu schließen. Nun sah er wieder so aus, als ob er nur schliefe. Aber er war tot! Warum?

Die Hexe! fiel es ihm plötzlich ein. Die Hexe ist geflohen und hat ihn umgebracht.

Mit drei langen Schritten war er am Angstloch und ließ die Laterne ein Stück hinab. Der Lichtstrahl tanzte über die Steinquader, das faulige Stroh und eine zusammengekauerte Frauengestalt. Sie war noch da!

»He du, Hexe, komm mal her«, rief er barsch, doch sie rührte sich nicht.

»Sara Döllin, ich möchte mit dir sprechen, bitte komm näher ins Licht.«

Nichts geschah.

Man müßte zu ihr hinuntersteigen, dachte er. Doch was passiert, wenn das ein Trick und sie wirklich eine Hexe ist? Unruhig schritt der junge Mann auf und ab, vermied jedoch peinlich, den Toten anzusehen.

Ich muß Hilfe holen, und doch darf ich meinen Posten nicht verlassen. Er trat auf den Wehrgang hinaus, sah nach allen Seiten, konnte jedoch keine Menschenseele entdecken. So drehte er sich kurz entschlossen um, eilte die schmale Treppe hinunter und rannte durch die Weilervorstadt zu Mutters kleinem Häuschen.

»Rugger, Rugger, komm schnell, es ist was passiert«, keuchte er, während er seinen Bruder aus dem Bett zerrte.

KAPITEL 21

Tag der heiligen Waltraud,
Dienstag, der 9. April
im Jahr des Herrn 1510

*F*rüh am anderen Morgen, noch bevor die Sonne sich über die bewaldeten Hänge des Galgenbergs schob, war der Henkersknecht bereits mit seinem Karren unterwegs, sammelte die Kadaver ein, die am Straßenrand lagen, und erschlug mit seinem Knüppel zwei streunende Katzen. Die eine war zu nichts mehr zu gebrauchen, doch die andere hatte ein schönes Fell. Flink schnitt er das noch zuckende Tier auf, löste geschickt den seidigen Pelz ab und packte ihn sorgfältig in sein Bündel. Den blutigen Rest warf er auf die Ladefläche. Ein freches Lied pfeifend, schob er den Karren durch die leeren Straßen und schippte noch so manchen Dunghaufen auf die Ladefläche. Als er seine Runde beendet hatte, lagen nicht nur Tierkadaver und Dung auf dem Karren, sondern auch die magere, halbnackte Leiche eines schmutzigen Straßenjungen, für dessen Beerdigung keiner auch nur einen Heller bezahlen würde.

* * *

»Wißt Ihr, was man sich auf der Straße erzählt?« Ohne eine Reaktion abzuwarten, fuhr Anne Katharina erregt fort. »Sara, des verstorbenen Ratsherrn Baumann Magd, sei nicht im Verlies gestorben. Sie soll mit Hilfe eines Dämonen ihren Körper verlassen haben, aus dem Angstloch des Gerberturms gefahren sein, den Wächter getötet haben und dann mit ihrem Teufelsbuhlen durch die Lüfte davongeritten sein!«

»Und du glaubst das nicht?« fragte der Alte ruhig.

»Nein! Sicher gibt es Hexen, doch ich glaube nicht, daß Sara eine war. Sie hat den Ratsherrn bestimmt nicht ermordet. Vielleicht bekam er schon beim Nachtmahl etwas in den Wein oder das Essen gemischt.«

»Die Junker Senft als Mörder? Geht da deine Phantasie nicht ein wenig mit dir durch?« Der Großvater runzelte die Stirn.

»Nun ja, eigentlich glaube ich das nicht, aber Afra hat solche Andeutungen gemacht.«

»Ich dachte, du hieltest ihr Geplapper nur für Phantastereien als Folge unzähliger schlechter Romane?«

»Ihr habt recht, Großvater, doch glaubt Ihr an die Geschichte, die man sich erzählt?«

»Nein, das ist Unsinn. Vielmehr bin ich überzeugt, daß es jemanden gibt, der nicht wollte, daß die Magd peinlich verhört wird oder vor der großen Ratskommission aussagt. So scheint der Fall mit ihrem Tod für alle zufriedenstellend gelöst zu sein, und keiner wird nach dem richtigen Mörder suchen.«

»Die wichtigste Frage ist doch, wer war am Tod des Ratsherrn interessiert? Wer hatte Streit mit ihm?«

Ganz kurz erklangen in ihrem Innern die wütenden Stimmen zweier Männer, die hinter verschlossenen Türen über Steuern und anderes stritten, doch der Gedanke war zu absurd und führte nicht weiter.

»Wer ist eigentlich der Erbe?« überlegte Anne Katharina laut. »Baumann hatte doch keine Kinder, und der alte Herr war bestimmt über zweitausend Gulden schwer.«

»Ein Neffe, eine Nichte, ein Patenkind …« Der Großvater zuckte die Achseln. »Ich werde es herausfinden.«

Schon am Nachmittag wußten sie die Antwort. Der Stättmeister schickte einen seiner Schreiber ins Spital, um dem ehemaligen Richter die gewünschte Information zu bringen.

»Ein kleiner Teil geht an die Stiefsöhne des im letzten Jahr verstorbenen Kantengießers Conrad Baumann, doch nahezu zweieinhalbtausend Gulden vermacht er seiner Patentochter Helene von Rinderbach.«

»Heilige Jungfrau«, Anne Katharina zog scharf die Luft ein. »Wenn Afra recht hat, dann ist Rudolf Senft mit ihr verlobt!«

KAPITEL 22

Tag des heiligen Stanislaus,
Donnerstag, der 11. April
im Jahr des Herrn 1510

*U*nruhig schritt Anne Katharina über die glatten Sandsteinplatten. Die Schritte klangen wie Glockenschläge in ihren Ohren, und plötzlich fand sie die Idee, sich abends mit einem mutmaßlichen Mörder zu treffen, nicht mehr so gut, wie sie ihr bei Tageslicht noch erschienen war. Energisch verscheuchte sie die Gedanken, was ihr Großvater oder ihre Brüder dazu sagen würden.

Vielleicht kommt er ja gar nicht. Noch habe ich die Möglichkeit, einfach nach Hause zu gehen und die ganze Sache zu vergessen.

Das Mädchen blieb stehen und sah an den in den bleichen Abendhimmel aufragenden schlanken Mauern empor. Schon erkannte man in dem halbrunden Chor zehn aneinandergefügte Kapellennischen, die den großen Heiligen, den Bildern, kleinen Altären oder lebensechten Statuen Heim werden sollten. Über den Nischen konnte man bereits die hohen Spitzbogenfenster ausmachen, die, wenn sie erst mit buntem Glas gefüllt waren, den dreiflügeligen Hauptaltar und das darüber schwebende Kruzifix mit dem leidenden Christus in sanftes und doch strahlendes Licht hüllen würden. Nein, hier konnte ihr nichts geschehen. Dies war ein heiliger Ort und gehörte zur Kirche, auch wenn das Gewölbe noch nicht vollendet war und die Gerüste wie die Rippen eines riesigen Tieres in den Abendhimmel ragten. An diesem Ort konnte kein Verbrechen geschehen!

»Habt Ihr nach mir geschickt?«

Anne Katharina hatte ihn nicht kommen hören. Erschrocken fuhr sie zusammen, und obwohl seine Stimme eher ungläubig denn drohend klang, klopfte ihr das Herz zum Zerspringen.

»Ja, ich habe dir die Nachricht geschickt.«

Sie versuchte, stark, ruhig und überlegen zu wirken.

»Ich wollte mich mit dir über ein paar merkwürdige und schreckliche Dinge unterhalten, die in den letzten Wochen geschehen sind.«

»Welche Dinge? Und was habe ich damit zu tun?«

Anne Katharina verschränkte die Arme vor der Brust.

»Wie wäre es mit einem Gespräch über ein totes Kind, das blaue Flecken um die Nase aufwies und dessen Tod trotzdem als Gottes Wille betrachtet wurde? Wir könnten auch noch über nächtliche Drohungen sprechen, über ein Messer an der Kehle, über einen Beutel voller Münzen, über eine von hinten heimtückisch erstochene Hebamme, über einen vergifteten Ratsherrn, über …«

Der Knecht hob abwehrend die Hände.

»Ich habe niemanden ermordet. Wie kommt Ihr auf solch eine Idee? Nur weil ich das sterbende Kind zur Kapelle getragen habe?«

»Schon eher, da ich hörte, wie du Els bedroht hast, und weil ich weiß, daß ihr, du und dein Herr, etwas zu verbergen sucht. Nun, erzähle es mir. Wer ist der Mörder, wenn du es nicht bist?«

Der Knecht sah sie trotzig an.

»Egal, was Ihr behauptet, belauscht zu haben, wer soll Euch das glauben? Warum habt Ihr es nicht gleich dem Stättmeister erzählt? Von Eurem Verdacht gegen seinen Neffen mit ihm gesprochen? Ich sage Euch die Antwort: Weil Ihr genau wißt, daß Euch niemand Glauben schenken würde. Ich frage Euch daher noch einmal: Warum habt Ihr mich hierherbestellt? Glaubt Ihr, ich falle hier vor Euch auf die Knie und gestehe irgendwelche Sünden? Wen habt Ihr versteckt, damit er das Gespräch mit anhören und bezeugen kann?«

»Es hat sich hier niemand versteckt«, versuchte sie sein Mißtrauen zu zerstreuen. »Ich wollte einfach mit dir reden, um zu verstehen, was vorgefallen ist. War es dein Kind? Wo ist Marie? Hast du ihr zur Flucht verholfen? Geht es ihr gut?«

»Ein bißchen viele Fragen auf einmal, findet Ihr nicht?«

Der Knecht sah sich um, versuchte, die immer tiefer werdenden Schatten zu durchdringen.

»Es ist außer uns niemand hier?« fragte er ungläubig.

»Dann seid Ihr entweder leichtsinniger oder dümmer, als ich es für möglich gehalten hatte.«

»Denkt daran, wir sind in einer Kirche!«

Furchtsam wich das Mädchen einen Schritt zurück. Der Knecht lachte häßlich.

»Glaubt Ihr wirklich, daß ich mich – angenommen, ich wäre der kalte Mörder, für den Ihr mich haltet – von ein paar Mauern und halbfertigen Kapellen davon abhalten lassen würde, meine Klinge durch Euren zarten Hals zu ziehen? Meint Ihr, eine der Statuen würde lebendig werden, stiege von ihrem Sockel und käme, um Euch zu helfen?«

Anne Katharina kam sich plötzlich schrecklich dumm vor, versuchte jedoch, die Angst, die ihr den Atem nahm, zu unterdrücken.

»Gott würde dich für diese Tat strafen!« sagte sie fest.

»Mag sein, doch er würde Euch nicht retten. Hat er die Heiligen vor dem Scheiterhaufen bewahrt? Hat er den Geschundenen und Geschlagenen den Schmerz erspart?«

Langsam kam Alfred näher, folgte Anne Katharina, die zurückwich, bis sie an dem glatten Stein der aufragenden Wände lehnte und nicht mehr ausweichen konnte. Er sah ihr tief in die Augen, die die panische Furcht nicht verbergen konnten. Sein Blick war starr und kalt, verriet nichts von seinen Gefühlen. Stumm und steif standen sie da und sahen einander einfach nur an.

Das Geräusch von Schritten schreckte beide auf. Eine wie im Gebet murmelnde Stimme und ein sich nähernder Lichtschein erweckten den Knecht wieder zum Leben. Flink, gewandt und lautlos huschte er davon.

»Im Rahmen der *artes* aber nimmt die Architektur eine Stellung zwischen den *artes liberales* und den *artes mechanicae* ein, denn …«

»… unter den Künsten stehen die der Weisheit näher, die nach den höheren, übersinnlichen Ursachen zielen, so wie die Kunst der Architektur der Weisheit ähnlicher ist als die übliche Kunst.«

Wie in Trance sprach Anne Katharina die Worte mit.

»Von wem stammen diese Worte?«

»Vom heiligen, hochverehrten Albertus Magnus.«

»Brav gelernt, mein liebes Kind.«

Mit einem gütigen Lächeln auf den Lippen trat Pater Hiltprand näher, betrachtete das Mädchen aufmerksam, die sich noch immer blaß und steif an die Wand drückte.

»Es ist sehr schön, mit dir hier gelehrsam über Kunst und Architektur zu plaudern, über das Wachsen dieses heiligen Wunderwerks zu Ehren des Allmächtigen zu staunen, doch vielleicht wäre es sinnvoller, dies im glänzenden Sonnenlicht zu tun, meinst du nicht auch?«

Anne Katharina nickte nur stumm, sah den Pater an, sein geliebtes, gütiges Antlitz, und ihr war, als müsse sie gleich in Tränen ausbrechen. Er schien davon jedoch nichts zu bemerken, bot ihr den Arm, führte sie hinaus auf den Kirchhof und an der Armenschüssel vorbei die geschwungene Freitreppe hinunter, ohne in seinem leichten Geplauder innezuhalten. Erst als sie in der Herrengasse das Vogelmannshaus erreichten und er sich vor der Haustür von ihr verabschiedete, ihr einen sanften Kuß auf die Stirn hauchte, wurde seine Miene ernst, beinahe grimmig.

*　*　*

»Die Sünderin Margarete Schloßstein, des Baders Hans Stetter eheliches Hausweib, wegen Beleidigung Gottes, unchristlichen Lebenswandels sowie Schädigung ihrer Mitmenschen und des Viehs zu lebenslanger Vermauerung verurteilt, entwichen und wieder eingefangen, hat sich des Brechens der Urfehde schuldig gemacht, in der sie schwor, die gerechte Strafe anzuerkennen und niemandem, der mit ihrer Gefangennahme oder Verurteilung in Verbindung stand, Schaden zuzufügen.

Sie trat die Gnade und Barmherzigkeit, die der hochwohllöbliche Rat bei ihrer ersten Verurteilung hat walten lassen, mit Füßen und brach ihren Eid. Angesichts dieser schweren Vergehen sind die Richter des Hohen Gerichts der freien Reichsstadt Hall zu einem gerechten Urteil gekommen.

Am Tag der heiligen Lidwina soll Margarete Schloßstein vom Sulferturm über den Marktplatz zur Henkersbrücke geführt, in den Käfig verschlossen und dann in den Fluten des Kochers ertränkt werden. Sieben Tage sollen ihre sterblichen Überreste im Käfig für alle Bürger und Fremden zur Mahnung zu sehen sein, dann sollen sie in Stücke gehauen und ins Wasser geworfen werden.«

Seufzend ließ der Stättmeister das Dokument sinken, spitzte die Feder an, tauchte sie in das Tintenfaß und setzte schwungvoll seinen Namen darunter. Die Streubüchse in der Hand, las er das Schreiben noch einmal durch, ehe er das Siegel mit der Hand und dem Kreuz darauf drückte.

KAPITEL 23

Tag der heiligen Lidwina,
Sonntag, der 14. April
im Jahr des Herrn 1510

Die Sonne strahlte vom dunkelblauen Himmel herab, wärmte Mensch und Tier wohlig und gab einen Vorgeschmack auf den Sommer. Es war ein Tag, zum Leben und nicht zum Sterben gedacht. Und dennoch strömten die Menschen in ihrer fröhlich bunten Kleidung nach der Messe aufgeregt und erwartungsvoll zur Henkersbrücke und suchten sich einen Platz, von dem aus sie den eisernen Käfig, der an einem hölzernen Gelenkarm mit einer stabilen Kette befestigt war, gut sehen konnten. Es wurde gelacht und gescherzt, gegessen und getrunken, in nervöser Spannung die Ankunft der Verurteilten erwartet. Eine Hinrichtung! Wie viele Jahre hatte es keine mehr gegeben. Wer Hexen brennen sehen wollte, der mußte schon nach Welzheim, Nördlingen oder Würzburg reisen. Nun konnten die Haller wenigstens einer Hinrichtung durch Ersäufen im Brückenkäfig beiwohnen. Um sich die Zeit angenehm zu vertreiben, wärmten die Nachbarinnen noch einmal alle Klatschgeschichten über die Schloßsteinerin auf.

»Weißt du noch, als sie die Schmiedin, trotz ihrer Schwangerschaft, als Unholdin beschimpft und ihr den Tod gewünscht hat?« sagte die Witwe Rebecca Wüest mit ihrer tiefen, rauhen Stimme.

»Ja, ja«, nickte die alte Walckerin. »Sie soll ja der Veronica, dem Bader seiner Magd, die gute Kunst beigebracht haben.«

»Nein, was du nicht sagst«, staunte die Frau des David Spankuchs und sah zu der hübschen, schwarzhaarigen Magd hinüber, die mit gefalteten Händen bleich neben dem Bader stand.

»Das Kalb von der Witwe vom Kocherklaus hat sie auch auf dem Gewissen. Das war Teufelswerk, das haben wir schon damals gesagt«, rief die Walckerin und hob drohend die Faust.

»Daß die den Thomas Schmidt am Fuß geschädigt hat, das hat sie ihm ja ins Gesicht gesagt. Das hab ich selbst gehört«, bestätigte die Knechtlerin, und alle waren sich einig, daß die Schloßsteinerin ihre Strafe auf alle Fälle verdient hatte.

Auch die Familien Vogelmann und Senft hatten sich auf der Henkersbrücke eingefunden. Während die Junker und im Rat vertretenen Bürgersfamilien hinter einer Absperrung nahe dem eisernen Käfig standen oder auf weich gepolsterten Stühlen Platz genommen hatten, drängten, schubsten und rauften sich Handwerker und Kaufleute, Mägde und Knechte, Bettler, Taugenichtse und Straßenkinder um die übrigen Plätze. Alle wollten an dem aufregenden Schauspiel teilhaben.

»Das ist wirklich noch spannender als die Leibstrafen auf dem Marktplatz«, flüsterte Peter seiner Schwester ins Ohr. Anne Katharina verzog zweifelnd das Gesicht und sah zu Afra hinüber, die neben ihrem Vater stand und ungeduldig an den Bändern ihres Leibchens nestelte. Plötzlich sah sie auf, und ihre Augen leuchteten erwartungsvoll.

Bin ich hier die einzige, der das Ganze zuwider ist? fragte sich die Vogelmannstochter erstaunt, doch der leidende Blick ihrer Schwägerin zeigte, daß diese ebenfalls nichts von dieser Art von Vergnügen hielt.

Trommeln und Pfeifen kündigten die Verurteilte an. Das Raunen und Tuscheln der Menge steigerte sich zu einem ohrenbetäubenden Lärm. Die Burschen pfiffen auf den Fingern, die Weiber der Vorstädte kreischten und schrien Obszönitäten, die von den Männern mit begeistertem Klatschen oder zotigen Bemerkungen quittiert wurden. Die Menschen reckten die Köpfe. Sie wollten die Sünderin sehen. Würde sie ruhig in den Tod gehen? Versuchen zu fliehen? Schimpfen, Gift und Galle spucken? Flüche ausstoßen? Jemanden verwünschen?

Schon konnte man die blanken Hellebarden in der Sonne blitzen sehen, als der Zug sich vom Marktplatz her näherte. Trommelwirbel und Pfeifenklang schwangen sich in die warme Frühlingsluft.

»Da ist sie«, erhob sich eine helle Knabenstimme über das ganze Getöse hinweg.

Ja, da kam sie, die Verurteilte Margarete Schloßstein, hinter dem wie immer ganz in Rot gekleideten Henker, den Trommlern und Pfeifern, bewacht von acht Hellebardenträgern. Barfuß, im langen weißen Büßergewand gekleidet, die kaum zwei Finger langen, grauen Stoppeln auf ihrem Kopf von Schmutz verklebt und die vor der Brust gefesselten Hände in blutige Leinen gewickelt, war die burschikose Badersfrau kaum wiederzuerkennen. Die Ketten um ihre Fußknöchel erlaubten ihr nur kleine Schritte, so daß sie Mühe hatte, mit ihren Bewachern Schritt zu halten, und immer wieder strauchelte.

Als der Zug vor der Absperrung angekommen war und sich der Stättmeister Senft von seinem Stuhl erhob, kehrte

Ruhe ein. Mit lauter Stimme verlas er noch einmal die Anklagepunkte und das Urteil, das mit kräftigem Beifall begrüßt wurde. Mißmutig ließ das Oberhaupt des Haller Rates seinen Blick über die aufgeregte Menge schweifen. Nicht daß er Mitleid mit der Angeklagten hatte oder das Urteil für nicht gerechtfertigt hielt, nur der Auflauf, die Massen und das Getöse waren ihm unangenehm. Er sehnte das Ende dieser unerfreulichen Zeremonie herbei. Dann würde er sich mit einem Becher süßen Wein in seine Schreibstube zurückziehen, es sich auf seinem hochlehnigen, gut gepolsterten Stuhl bequem machen und in Stille den restlichen Sonntag genießen. Sollten die anderen Ratsherrn nur zechen gehen, er würde nicht mitkommen. Ein Aufschrei der Verurteilten rief ihn wieder zum Richtplatz zurück.

»Verschwinde, du verlogener Pfaffe!« kreischte die Badersfrau, als Christoph Rüttinger von St. Katharina sich ihr mit einer Bibel in der Hand näherte.

»Du hast mich beim Schultheiß angeschwärzt. Wegen dir werd ich jetzt wie eine Ratte ersäuft!«

Der Pfarrer lächelte sie sanft an, seine fleischigen Wangen waren gerötet, die kleinen, dunklen Äuglein blickten ernst drein.

»Ich konnte doch nicht einfach zusehen, wie eines meiner Schäfchen seine unsterbliche Seele dem Teufel verschreibt. Bereue, tue Buße und geh mit reinem Herzen in den Tod. Dein sündiger Leib wird verderben, doch deine Seele wird gerettet werden.«

»Ich will aber noch nicht sterben! Ich schwör's, ich hab nie jemandem geschadet. Das war doch alles nur Geschwätz, um die dummen Klatschweiber zu ärgern.« Ihr Blick fiel auf ihren Gemahl. »Hans, sag doch was. Hilf mir!«

Betreten senkte der Bader den Kopf und schwieg. Was hätte er auch tun können? Die Schloßsteinerin sah von ihm zu der schwarzhaarigen schlanken Magd und wieder zu ihrem Mann.

»Ach, du wartest nur darauf, daß mich die Fisch fressen, damit du mit der Schlampe rumhuren kannst!« schrie sie, doch dann traten ihr plötzlich Tränen in die Augen, sie barg das Gesicht in den verbundenen Händen und schluchzte.

Der Pfarrer versuchte noch einmal, sie zur Reue zu überreden, um ihr die Absolution erteilen zu können, doch sie fauchte nur wie ein wildes Tier.

»Sollen wir anfangen?«

Fragend sah der Henker zum Stättmeister hinüber, der sich, zur Freude des Volkes, nicht entschließen konnte, das Schauspiel zu beenden.

»Wartet einen Moment!«

Mit diesen Worten bückte sich Pfarrer Bernhart Vogelmann unter der Absperrung hindurch und trat auf die Frau zu, die, auf der Erde hockend, leise weinte. Ungeachtet des Schmutzes kniete er vor ihr nieder. Die Wächter sahen sich unsicher an, doch da weder der Stättmeister noch der Henker eingriff, ließen sie den Pfarrer gewähren. Bernhart Vogelmann ergriff die geschundenen Hände und redete leise auf die Unglückliche ein. Der feiste Pfarrer Rüttinger preßte die Lippen zusammen, bis das Blut aus ihnen wich, umklammerte seine Bibel und musterte den Kollegen von der anderen Seite des Kochers unwillig.

Als Margarete Schloßstein mit Pfarrer Bernhart betete, ihm die Hand küßte und den Segen empfing, war es mucksmäuschenstill. Erst nachdem sie sich mit des Pfarrers Hilfe mühsam vom schmutzigen Pflaster erhoben hatte, gab der Stättmeister dem Henker einen Wink. Mit unbeweglicher Miene trat dieser an den Käfig heran und öffnete die eiserne Tür. Die Verurteilte zitterte nur unmerklich, als Pfarrer Bernhart sie zum Henker führte. Dieser schob sie in den Käfig und verschloß die Tür, doch sie wehrte sich nicht. Erst als die Büttel die Kurbel in Bewegung setzten, die rostige Kette kreischte und der Korb sich schwankend über das Brückengeländer senkte, stieß sie einen spitzen Schrei aus. Die Beine schon im Wasser, klammerte sie sich an den Gitterstäben fest, zog sich hoch und schnappte nach Luft, während die braune, wirbelnde Flut ihr bis zum Hals stieg. Ein letzter Schrei, gellend, voller Todesangst, dann war sie versunken. Luftblasen stiegen auf, platzten an der Oberfläche, tanzten noch eine Weile als weißer Schaum. Dann war das Wasser wieder glatt und floß ungerührt um die rötliche Kette herum dem Neckar entgegen.

Der Stättmeister wartete noch einige Augenblicke, dann gab er den Befehl zum Hochziehen. Schwitzend mühten sich die beiden Büttel an der Kurbel und drehten Glied um Glied auf die Rolle, bis sich der Korb wieder aus den Fluten erhob. Der Bader wischte sich mit einer raschen Handbewegung die Tränen von der Wange, die Neugierigen stellten sich auf die Zehenspitzen. Anne Katharina verkrampfte sich und biß die Zähne aufeinander, doch als der Körper sichtbar wurde, noch immer in die Gitter verkrallt, das Gesicht nach oben gereckt, die Augen weit aufgerissen, der Mund den letzten Schrei formend, da war es mit Anne Katharinas Selbstbeherrschung vorbei. Sie tauchte unter der Abschrankung hindurch, zwängte sich durch die Menge und rannte davon, um die ruhige Einsamkeit der blühenden Weite vor der Stadt zu suchen. Am Marstall vorbei lief sie durch das Eichtor hinaus, folgte dem schmalen, ausgefahrenen Weg zwischen Kocher und Sumpf, vorbei am Fischerhaus und am Erkerbad nach Norden bis zu den drei Mühlen. Langsam beruhigte sich ihr aufgewühltes Gemüt, und als sie über die Brücke, die zur ersten Mühle führte, schritt, war es ihr sogar schon ein wenig peinlich, so unbeherrscht reagiert zu haben. Schließlich hatte die Schloßsteinerin gesündigt. Zum Glück war sie nicht ohne kirchlichen Segen gestorben. Ein warmes Gefühl wallte in ihr auf, als sie an ihren Oheim dachte.

Seufzend ließ sich Anne Katharina an der steilen Uferböschung ins trockene Gras sinken und starrte in das Wasser, das aufgewühlt um den hölzernen Rechen wirbelte und dann unter der Mühle verschwand, um das große Rad zu treiben und das Korn zu feinem, weißem Mehl zu mahlen. Sosehr sie sich auch bemühte, an etwas anderes zu denken, immer wieder tauchte das verzerrte Antlitz vor ihr auf. Und bald bildete sie sich ein, in den Tiefen des Wassers ein aufgedunsenes Gesicht zu erkennen. Ärgerlich schloß sie für einige Augenblicke die Augen, betete ruhig, dachte an den Großvater und an ihre Brüder, dann an Pater Hiltprand. Nein, an ihn wollte sie jetzt nicht denken. Als sie die Augen wieder aufschlug, war das Gesicht immer noch da. Von tief unten aus dem Wasser sahen zwei blinde Augen aus einem bleichen Gesicht zu ihr hoch. Warum mußte sie plötzlich an Marie denken? Gebannt starrte Anne Katharina ins Wasser. Langsam stellten sich ihre Nackenhaare auf. Eiskaltes Grauen stieg in ihr hoch, umklammerte sie und zwang sie, sich vorzubeugen und hinabzusehen. Das aufgelöste Haar wallte wie die Wasserpflanzen in der Strömung, Beine und Rock hatten sich im Rechen verfangen, der linke Arm war wie hilfesuchend nach oben gereckt, doch Finger und Hand fehlten. Als ein kleiner Fisch in die halbgeöffneten Lippen schlüpfte, fiel die Lähmung von dem Mädchen ab. Es sprang auf die Beine, raffte die Röcke und rannte über die Mühlenbrücke. Anne Katharina hörte sich selbst schreien, doch es klang so weit weg, als schreie die ganze Welt um sie herum. Sie lief, atmete schwer, keuchte, und doch war ihr, als komme sie nicht vom Fleck, als greife die Tote nach ihr und zöge sie in die nasse Tiefe.

Zwei kräftige Arme umschlangen das Mädchen. Anne Katharina schlug um sich, kreischte und tobte und biß in die männlichen Hände, die nicht locker ließen, sie nur noch fester an den rauhen Stoff preßten, der die kräftige Brust verhüllte. Endlich drang die gütige Stimme zu ihr durch, die beruhigend auf sie einredete. Erschöpft und verwirrt ließ sie die Fäuste sinken, als sie Pater Hiltprand erkannte.

Lange saßen sie schweigend nebeneinander im Gras, bis sie soweit war, ihm von dem gräßlichen Fund zu erzählen. Es war beruhigend, die schwere Last auf seine breiten Schultern zu laden.

Erst am Abend, nachdem der Oheim, der überraschend zu Besuch gekommen war, sich verabschiedet hatte und Anne Katharina allein in ihrem Bett lag, stieg die Frage in ihr auf, was der Pater wohl bei den drei Mühlen unterhalb der Gelbinger Vorstadt gesucht hatte.

* * *

»Der Fall ist abgeschlossen!«
Der Tonfall des Stättmeisters verbot jeden Widerspruch, trotzdem zuckte es unwillig um die Mundwinkel des Schultheißen. So ganz überzeugte ihn der Abschlußbericht nicht, doch er unterdrückte das ungute Gefühl, das

in ihm aufstieg. Nicht jetzt, nicht vor all den Richtern und Ratsherren.

Konrad Büschler las das Dokument noch einmal durch. Die wegen Unzucht verurteilte Magd Marie Wagner sollte also an dem Tod ihres Kindes schuldig sein, die Hebamme Els Krütlin zu einer falschen Aussage gedungen, sie dann ermordet und sich später aus Gewissensbissen selbst im Kocher ertränkt haben. Als Selbstmörderin durfte sie natürlich nicht in geheiligter Erde beigesetzt, sondern mußte bei den Tierkadavern außerhalb der Stadt von den Henkersknechten verscharrt werden.

Irgend etwas daran gefiel ihm nicht, doch mit diesen Zweifeln schien er im großen Ratssaal der einzige zu sein. Die Ratsherren und Richter nickten alle zustimmend, legten Feder, Tinte und Streubüchse zurecht, unterschrieben das Dokument und gaben es dann dem Schreiber zurück, auf daß diese unliebsame Affäre nun endlich beendet sei. Aufatmend goß man sich die Becher voll, prostete einander zu, freute sich, daß nun das beschaulich ruhige Leben wieder Einzug hielt.

Der Schultheiß dachte an den verstorbenen Ratsherrn Baumann, an den merkwürdigen Tod der Gefangenen und des Wächters. Wieder plagte ihn der Zweifel. Nachdenklich sah er zu dem Junker Gilg Senft hinüber, überlegte, ob er unter vier Augen mit ihm über seine Bedenken sprechen sollte. Als habe er die Gedanken gespürt, sah der Stättmeister unvermittelt auf, die Blicke der Männer kreuzten sich, und plötzlich war sich der Schultheiß sicher, daß auch der Junker nicht so recht an das Schreiben glaubte. War ihm das Ende der Untersuchung wichtiger als die Wahrheit? Verwirrt verließ der Schultheiß den Ratssaal.

Er will, daß Gras über die Sache wächst. Wie interessant!

Nun, dann will ich die Sache ebenfalls schnell vergessen. Es war noch nie förderlich, gegen den mächtigsten Mann der Stadt zu arbeiten. – Und doch würde es mich sehr interessieren, was wirklich vorgefallen ist und was hinter der ganzen Sache steckt. Ob man nicht heimlich ein paar Nachforschungen anstellen könnte, ohne daß der Stättmeister davon erfährt?

* * *

»Ich habe mir die Leiche angesehen«, begann der Mönch ohne Einleitung.
Der alte Mann hob den Kopf.
»Und wie ist deine Einschätzung?«
»Sie hat eine häßliche Wunde am Hinterkopf, und der Schädelknochen ist eingedrückt. Die Verletzung muß sofort tödlich gewesen sein.«
»Du verstehst immer noch etwas davon«, nickte der Blinde. »Kann sie sich das nicht durch den Sturz zugezogen haben?«
Der Besucher zuckte die Schultern.
»Ein Selbstmörder, der sich rückwärts mit dem Kopf voraus ins Wasser stürzt? Interessante Vorstellung!«
»Mach dich nicht über mich lustig!« brauste der Alte auf, beruhigte sich aber gleich wieder. »Und nachher? Könnte die Wunde erst im Wasser nach ihrem Tod entstanden sein?«
»Kann ich mir nicht vorstellen. Denke nur, mit welcher Wucht sie gegen ein Hindernis hätte getrieben werden müssen, daß der Schädel zu Bruch geht. Und ein Tier würde ich ebenfalls ausschließen.«
»Es ist also noch nicht zu Ende.«
Peter Schweycker nickte langsam und faltete die knochi-

gen Hände in seinem Schoß. Pater Hiltprand wartete schweigend.

»Du weißt, was du mir versprochen hast?«

»Ja, und ich werde mein Versprechen halten!«

*   *   *

In den nächsten Tagen kehrte in das Haus der Familie Vogelmann in der Herrengasse der Alltag zurück, und doch war nichts mehr wie bisher. Der Hausherr wurde immer knurriger und gereizter, sprach kaum noch ein Wort und hielt sich meist außer Haus auf. Vielleicht konnten die anderen Familienmitglieder gerade deshalb ein wenig aufatmen. Peter stürzte sich mit Eifer in die Arbeit auf dem Haal, schuftete von Sonnenaufgang bis Sonnenuntergang, schlurfte dann erschöpft nach Hause, jammerte ein wenig über die Schwielen an den Händen, die Schmerzen in Schultern und Rücken und ließ sich von den Frauen verwöhnen. Ursula hatte sich an die neue Amme, an deren ruhiges, angenehmes Wesen, rasch gewöhnt. Trotzdem wurde die junge Ehefrau von Tag zu Tag verschlossener und zog sich häufig in die winzige Kammer unter dem Dach zurück, die sie – trotz heftigen Widerstands ihres Gatten – für sich eingerichtet hatte. Mit wachsender Hoffnung sah Anne Katharina die immer häufiger werdenden Besuche des Oheims Bernhart bei ihrer Schwägerin und die langen Gespräche, zu denen sich die beiden zurückzogen. Vielleicht würde es ihm gelingen, sie wieder ins bunte Leben zurückzuführen. Für Anne Katharina jedenfalls brachten seine Besuche geistliche und gelehrte Dispute mit sich, die sie wehmütig an ihre Studien im Kloster erinnerten. Beim flackernden Kerzenschein saß sie mit dem Oheim in der Stube, forderte ihn heraus und brachte ihn oft zum Schwitzen und ins Grübeln.

»Das Böse ist mit dem Weib in die Welt gekommen«, sagte der Oheim bestimmt, als Anne Katharina eines Abends mal wieder darauf zu sprechen kam, wie wenig den Frauen doch erlaubt und wieviel mehr ihnen – im Gegensatz zu Männern und Burschen – verboten ist.

»Das Weib trägt Schuld daran, daß die Menschen aus dem Paradies vertrieben wurden. Es übertrat die Gebote Gottes und trägt seit dieser Zeit das Böse in sich.«

Er dachte an Kriege, Fehden, Überfälle und grausige Vergeltungsschläge, die der Habgier der Mächtigen dienten. Wo ganze Dörfer niedergebrannt wurden, die Männer ermordet, Frauen und Kinder geschändet und dahingemetzelt, um einem Ritter oder Grafen einen Denkzettel zu geben, ihn zu warnen oder einfach nur um seine Einkünfte zu schmälern. Ausgeführt von Männern für Männer.

»Nein«, widersprach das Mädchen, »die Schlange, Dienerin des Satans, war es, die das Weib dazu verführte. Sie trägt also das Böse in sich. Warum hat sie nicht Adam verführt? Vielleicht wäre er der Schlange genauso erlegen!«

Der alte Geistliche lächelte und fuhr sich mit seiner faltigen Hand durch das ergraute, schüttere Haar.

»Ein ganz neuer Gedanke. Doch das Weib ist schwächer, impulsiver, weniger vom Geist des Verstandes durchdrungen.«

»Dann ist der Satan so schwach, daß er sich nur an dem Weib vergreifen konnte?«

Der Oheim hob resignierend die Hände.

»Du solltest mit Pfarrer Brenneisen disputieren, nicht mit mir. Ich bin mehr Advokat denn Kirchenmann.«

Und ich bin nicht einmal von dem überzeugt, was ich laut ausspreche.

»Er disputiert aber nicht mit Weibsleuten. Das Weib schweige in der Gemeinde!«

»Dein Ton sagt mir, daß du damit nicht einverstanden bist.«

»Nun, ich will dem Apostel nur ungern widersprechen, doch warum hat der Herr Jesu Christ sich nach der Auferstehung zuerst den Frauen gezeigt, wenn er sie so geringschätzt?

»Vermutlich wußte er, daß die Nachricht dann sehr viel schneller verbreitet werden würde.«

Anne Katharina unterdrückte ihren Unmut über diese Antwort und fragte statt dessen:

»Warum nahm er die Hure, die Sünderin, zu sich?«

»Unser Herr verzeiht auch dem größten Sünder. Maria Magdalena bereute ihre Sünden und versprach Besserung.«

»Warum sitzt die heilige Jungfrau im Himmel neben Gott dem Herrn?«

»Nun ja, Maria ist die Mutter Gottes. Sie wurde geheiligt, als sie noch im Mutterleib war, sie ist frei von der Erbsünde und führte ein keusches, gottesfürchtiges Leben – und sie empfing als Jungfrau den heiligen Samen Gottes …«

»Dann wird das Weib durch die Fleischlichkeit, durch die Vereinigung mit dem Mann, zur Sünderin und zum verderbten Wesen?«

Sie dachte an Michel Seyboth und an ihr Treffen im Haalhaus.

»Doch sind es nicht die Männer, die darauf drängen? Die die Weiber aus diesem Grunde begehren? Ist es nicht der Ehegattin Pflicht, dem Gemahl gehorsam zu sein?«

Der Geistliche fühlte sich unangenehm berührt.

»Nun ja, die Sünde besteht in der Verlockung, mit der das Weib die Männer vom Pfad der Tugend abbringt, um sich in der Wollust zu verlieren.«

Anne Katharina runzelte die Stirn.

»Nun, wenn alles Fleischliche Sünde ist, wie können die Menschen dann Gottes Auftrag ausführen, fruchtbar zu sein, sich zu mehren und die Welt zu bevölkern? Wenn das Weib wirklich von Natur aus schlecht ist, warum hat Gott es dann so erschaffen? Es war doch der Allmächtige, nicht der Satan, der Adam eine Gefährtin gegeben hat. Er schuf sie zu seinem Bilde als Mann und Weib – und dann soll das Weib böse, verderbt, niederträchtig und wollüstig sein?«

Das Eintreten des Hausherrn gab dem Oheim einen willkommenen Anlaß, das Gespräch mit seiner Nichte zu beenden, um mit Ulrich zur Tagespolitik überzugehen. Erbost gesellte sich Anne Katharina zu Agnes in die Küche.

Seit einigen Tagen konnte man das Mädchen häufig bei der Magd in der Küche antreffen. Sie half ihr beim Kochen und Säubern des Geschirrs und hing ihren Gedanken nach. Täglich besuchte Anne Katharina den Großvater im Spital. Sie wunderte sich, daß ihr Bruder Ulrich sich nicht mehr dafür interessierte und es keine Schelte und keine Verbote gab. Ab und zu sah sie von weitem Pater Hiltprand, wie er, wohl mit irgendeinem Auftrag, eiligst durch die Straßen schritt. Dann dachte sie daran, ihr Versprechen gegenüber ihrem Bruder zu brechen und ihre Studien hinter den dicken Klostermauern fortzusetzen. Doch irgend etwas hielt sie zurück. Angst vor der Strafe, wenn er es entdecken würde? Vielleicht. Es war dieser haßerfüllte Ausdruck in Ulrichs Augen, wenn er über Pater Hiltprand sprach, der in Anne Katharina eine bis dahin ungekannte Furcht auslöste. Zu welchen Handlungen würde ihr Bruder fähig sein, fragte sie sich bang. So manchesmal führten die Toten in ihrem Kopf einen makaberen Tanz auf und drängten sich wieder in den Vordergrund, doch Anne Katharina sprach ihre Namen nicht mehr aus. Auch mit dem Großvater unterhielt sie sich nun wieder über die große Politik, über die Vorgänge im Rat und die großen und kleinen Probleme der Bürger der Stadt. Nur wenn sie allein in ihrem Bett lag und in die Finsternis starrte, dann stürmten die unbeantworteten Fragen auf sie ein.

Warum sehe nur ich die ungelösten Rätsel? fragte sie sich oft. Wie haben der Rat, der Schultheiß, der Stättmeister die Ungereimtheiten gelöst? Oder wollen sie diese gar nicht sehen? Ist der ausufernde Zank zwischen Bürgern und Junkern soviel wichtiger als die Toten?

Die ganze Stadt sprach von nichts anderem mehr, je näher der Besuch der kaiserlichen Schlichter rückte. Flammende Reden für und gegen die bürgerliche Trinkstube wurden gehalten und mit den wildesten Gerüchten die Gegner denunziert. Immer wieder brodelte es in den Straßen, erhitzte Gemüter schritten zum Marktplatz und forderten den Rat auf, dieses oder jenes zu tun oder zu unterlassen, bis sich herausstellte, daß es sich wieder nur um ein völlig unbegründetes Gerücht gehandelt hatte – oder doch nicht?

»Wo Rauch ist, ist auch Feuer«, sagten die Sieder, die sich mit so etwas auskennen, und liefen mit Äxten und Spießen bewaffnet, in leicht angetrunkenem Zustand, grölend und randalierend zum Rathaus. Zum Glück konnte Hermann Büschler den heißen Zorn seiner Anhänger etwas abkühlen und sie dazu überreden, alle weiteren Fragen der Politik bei gutem Wein im »Wilden Mann« zu besprechen. Die Junker atmeten auf und wischten sich den Schweiß von der Stirn.

KAPITEL 24

Tag der heiligen Gisela,
Dienstag, der 7. Mai
im Jahr des Herrn 1510

Zweimal mußte der Pfarrer ihren Namen rufen, ehe sie den Oheim, der gerade aus der Tür des Senftenhauses trat, bemerkte.

»Welch schwere Gedanken bewegen dich, liebe Nichte?« fragte er heiter und schloß sich ihr auf ihrem Weg nach Hause an.

»Großvater und ich haben über die Juden gesprochen.«

Der Pfarrer hob erstaunt die Augenbrauen und fragte vorsichtig:

»Was gab es denn zu besprechen? Es gibt doch, dem Herrn sei Dank, gar keine Juden mehr in Hall.«

»Ich weiß, und trotzdem nennt man die Häuser zwischen dem Sulverturm und dem Sulmeisterhaus das Judenviertel. Ich habe ihn gefragt, warum sie weggezogen sind …«

»… und da hat er dir diese unerfreuliche Geschichte erzählt, die nun schon über hundertfünfzig Jahre zurückliegt.« Der Pfarrer schüttelte mißbilligend den Kopf.

»Die Stadtknechte haben die Juden – Männer, Frauen und Kinder – in den Folterturm gesperrt und sie allesamt verbrannt!«

»Nun ja, das erzählt man sich, doch du mußt bedenken,

sie sind die Mörder unseres Herrn Jesu Christ, sie schänden Hostien und sollen sogar ein Neugeborenes für ihre sündigen Rituale getötet haben.«

Anne Katharina sah ihren Oheim fest an, doch der Geistliche wich ihrem Blick aus.

»Großvater sagt, es ging um Geld. Die Kirche und der Rat waren wie Judas und haben die Juden verkauft.«

»Die Stadt mußte achthundert Gulden für den Totschlag der Juden und den Frevel am Gut der Getöteten an König Karl bezahlen«, erwiderte der Gottesmann und fragte sich, wen er eigentlich zu verteidigen suchte.

»Dafür, daß sie das vielfach größere Vermögen der Juden unter sich aufteilten – von den hohen Schulden, deren Rückzahlung sie sich dadurch ersparten, ganz zu schweigen. Und dann noch die Scheinheiligen von Bielriet, die erst die Barmherzigen spielten, die wenigen Geflüchteten mit Hab und Gut bei sich aufnahmen und sie dann, des Letzten beraubt, wieder davonjagten!«

Bernhart Vogelmann seufzte.

»Ja, es ist sicher Unrecht geschehen, doch du darfst nicht vergessen, daß sie bösartige, verschlagene Menschen sind, die mit ihren Wucherzinsen die armen Christen bis zum letzten Tropfen Blut auspressen.«

Er war froh, daß sie die Stubentür erreichten und das unliebsame Gespräch damit sein Ende fand. Mit Ulrich und Peter wandte er sich nun erleichtert der aktuellen Politik zu. Anne Katharina stemmte die Hände in die Taille, betrachtete die sich ereifernden Männer einige Augenblicke schweigend und gesellte sich dann mit einem Seufzer zu Agnes in die Küche.

»Was ärgert Euch so?« fragte die Magd mit einem Blick auf die zusammengekniffenen Lippen, ohne ihre Arbeit zu unterbrechen.

»Männer sind die einzigen Wesen in Gottes Natur, die immer recht haben, sich in der Politik auskennen, Entscheidungen treffen können und das Beste für Frau und Kind im Sinn haben, ohne sich auch nur einmal nach deren Wünschen zu erkundigen.«

Die Magd zuckte die Schultern, hackte mit einem fast einen Fuß langen, scharfen Messer geschickt eine Zwiebel in winzige Würfel.

»Daran müßt Ihr Euch gewöhnen. Laßt die Männer doch in diesem Glauben. Er ist so tief und fest wie die Überzeugung der Kinder, wenn ein paar Kisten zur Ritterburg werden und ein Stück gelbes Papier zur goldenen Krone des Herrschers. Männer und Kinder muß man mit leichter Hand führen, so daß sie es nicht merken und meinen, ihr Wille geschehe.«

Anne Katharina sah die Magd erstaunt und neugierig an, doch diese schnitt mit unbeweglicher Miene Rüben und Lauch in dünne Scheiben.

Als die Vogelmannstochter einige Zeit später die Treppe zu ihrer Kammer hinaufstieg, kamen ihr der Oheim und die Schwägerin mit dem Kind auf dem Arm entgegen.

»Wir gehen nach St. Michael, um gemeinsam zu beten«, verabschiedete sich Ursula, und zum ersten Mal seit vielen Tagen sah Anne Katharina ihre Schwägerin wieder glücklich lächeln.

»Ihr braucht mit dem Nachtmahl nicht zu warten, Hochwürden bringt mich später sicher nach Hause«, sagte sie noch, ehe sie Bernhart Vogelmann in das warme Licht der untergehenden Sonne hinaus folgte.

So saß die Familie friedlich beim Mahl, während sich die Schatten verdunkelten und die Dämmerung sich von zartem Grau in tiefes Nachtblau wandelte. Die Mondsichel schob sich über den bewaldeten Horizont und erhellte matt die menschenleeren Straßen. Satt und zufrieden träumten die Bürger in ihrer behüteten Sicherheit dem neuen Tag entgegen, als plötzlich ein Schrei die Nachtruhe zerriß und die scheinbare Idylle Lügen strafte. Eine Frau stürzte die schmalen Stufen von der Pfarrgasse her zur Herrengasse hinunter, ein Bündel fest an ihren Leib gepreßt. Noch einmal schrie sie gellend um Hilfe, rannte weiter, strauchelte, fing sich jedoch wieder. Das Bündel in ihren Armen fing zu wimmern an und brüllte dann aus Leibeskräften, doch die Mutter hatte keine Zeit, das Kind zu beruhigen. Fenster und Türen öffneten sich. Die Nachbarn, manche nur mit Nachtmütze und einem rasch übergeworfenen Mantel bekleidet, versuchten neugierig oder ärgerlich zu erfahren, was der nächtliche Aufruhr zu bedeuten hatte. Anne Katharina beugte sich aus dem Stubenfenster. Peter und Ulrich liefen, eine Lampe in der Hand, die Treppe hinunter. Gerade als Ulrich die Haustür aufstieß, stolperte ihm sein hysterisch schreiendes Weib in die Arme. Der Hausherr legte Peter behutsam den Knaben in die helfend entgegengestreckten Hände und zog dann seine Gattin, die schluchzend auf dem Boden zusammengesunken war, energisch hoch. Ihre Hände waren feucht und mit Schmutz verschmiert, und auch auf ihrem Mantel glänzten frische, dunkle Flecken.

»Er ist tot«, schrie sie, »erstochen!«

Im Schein der Lampe erkannten die Männer voller Schrecken den dunklen Schmutz als frisches Blut. Ulrich schüttelte seine Gemahlin an den Schultern.

»Wer ist tot? Sprich! Was ist geschehen?«

Doch sie starrte ihn nur aus weit aufgerissenen Augen an. Der irre Glanz jagte Ulrich einen eisigen Schauder über den Rücken. Er schleppte sie hinauf in die Stube, setzte sie auf die Bank und wiederholte seine Frage, doch sie reagierte nicht.

»Weib, sprich!« schrie er sie an, schlug ihr hart ins Gesicht.

Anne Katharina und Peter, der das Kind inzwischen der Obhut der Amme überlassen hatte, sprangen auf, um Ursula zu schützen, doch die brutale Behandlung riß sie aus ihrer Lethargie. Ein Zittern lief durch ihren Körper.

»Der Oheim Bernhart ist tot«, flüsterte sie. »Ein Fremder überfiel uns, als wir von der Kirche kamen, und weil der Oheim uns schützen wollte, hat der Mann ihn erstochen, oben an der Staffel zur Pfarrgasse. Dann lief er weg, und ich rannte nach Hause.«

Die Geschwister waren erschüttert.

»Bist du sicher, daß er tot ist?« fragte Anne Katharina leise. Ursula nickte stumm. Einige Augenblicke sahen sich die Geschwister an, hilflos und entsetzt, bis Anne Katharina sich faßte.

»Wir müssen zu ihm und sehen, ob sich Ursula irrt. Vielleicht kann man ihm doch noch helfen. Jemand müßte den Schultheiß benachrichtigen …«

Ulrich straffte sich und unterbrach seine Schwester barsch.

»Geh mit Ursula nach oben und laß sie nicht aus den Augen. Bereite ihr am besten einen Schlaftrunk. Ich sehe nach dem Oheim. Peter, du holst den Schultheiß – Agnes soll den Medicus holen.«

Anne Katharina schwankte zwischen Erleichterung, nicht noch einen Toten in seinem Blut liegend sehen zu müssen, und der Enttäuschung, mal wieder abgeschoben und ausgeschlossen zu sein, doch sie schluckte die Worte der Erwiderung herunter, lächelte ihre Schwägerin beruhigend an und führte sie in die kleine Stube. Da Ursulas

Kräuterkasten nicht aufzufinden war, mußte das Mädchen in der Küche nach etwas Brauchbarem kramen, und schon bald drückte sie der Schwägerin einen dampfenden Becher in die Hand.

»Trink das, es wird dir guttun.«

Ursula schüttelte den Kopf.

»Ich kann nicht schlafen! Schon allein der Gedanke, die Augen zu schließen, jagt mir furchtsame Schauder über den Rücken. Die Dämonen – wenn ich schlafe, dann dringen sie in mich ein, treiben ihren Spott mit mir und quälen mich. Ich habe Angst!«

»Ich weiß, Liebes. Es dauert eine Weile, bis uns die schrecklichen Bilder in Frieden lassen, doch du darfst dich nicht unterwerfen. Kämpfe gegen sie an und zeige, daß du stärker bist als die Truggestalten. Dann lassen sie dich irgendwann in Ruhe. Wenn du nicht schläfst, wirst du immer schwächer und eine leichte Beute für sie.«

Gehorsam nickend nahm die junge Frau den Becher in beide Hände, trank Schluck für Schluck und fiel bald darauf in einen unruhigen Schlummer. Anne Katharina wich nicht von ihrer Seite, hielt ihre Hand und sprach beruhigend auf sie ein, wenn die Alpträume sie plagten und sie sich unruhig hin und her warf.

* * *

Als Peter mit dem Schultheiß kam, hatte Ulrich den leblosen Körper des Oheims bereits die wenigen Stufen in die Pfarrgasse hinaufgetragen und an einer Stelle mit möglichst wenig Unrat niedergelegt. Anwohner kamen mit Fackeln und Lampen in den Händen und umringten den Toten schweigend. Jemand lief zur Michelbacherin, um sie und ihren Sohn zu holen. Laut weinend warf sie sich über den Toten, beklagte den Vater ihres Sohnes, der bleich und stumm wie eine leblose Puppe an der Wand lehnte und auf das Unfaßbare starrte, ohne es zu begreifen.

»Gute Frau, Ihr müßt aufstehen, damit ich mir den Herrn Pfarrer ansehen kann«, forderte der Schultheiß die Köchin ruhig und respektvoll auf, als habe er die Witwe des Verstorbenen vor sich.

Nun, im Grunde ist sie das ja fast, dachte er, als die Nachbarn die Frau behutsam wegführten.

Der Schultheiß sank in die Hocke, betrachtete den Leichnam aufmerksam und drehte ihn dann mit Ulrichs Hilfe vorsichtig auf den Bauch, eifrig darauf bedacht, seine Strümpfe und den Wams nicht mit dem Blut des Geistlichen zu besudeln.

»Ein Stich im Rücken, zwei in der Brust«, murmelte er und wischte sich die Hände nachdenklich an seinem Taschentuch ab.

»Ist er hier gestorben?«

Ulrich schüttelte den Kopf.

»Er lag dort auf der Staffel. Ich habe ihn die wenigen Stufen heraufgetragen. Dort unten ist es viel zu eng, um irgendwelche Untersuchungen anzustellen.«

Der Schultheiß nickte langsam, unterdrückte eine unhöfliche Bemerkung und ließ statt dessen seinen Blick über die blutbefleckten Ärmel des jungen Ratsherrn und Neffen des Toten wandern.

»Habt Ihr auch das Messer mitgebracht?«

»Welches Messer? Ich habe keines gesehen. Meint Ihr das Messer des Übeltäters?«

»Ja, welches denn sonst«, knurrte Konrad Büschler unwirsch, beherrschte sich jedoch gleich wieder und fügte in freundlicherem Ton hinzu, um den Ratsherrn nicht zu erzürnen:

»Es könnte uns helfen, den Mörder zu finden, wenn wir die Waffe hätten. Vielleicht habt Ihr sie in der Aufregung übersehen.«

Mit einem kurzen Befehl schickte er die beiden Büttel, die bisher schweigend im Hintergrund gewartet hatten, auf die Suche.

»Wie geht es Eurer Gattin und dem Knaben?«

»Dem Herrn sei Dank, sie blieben unverletzt. Sie ruhen jetzt unter der Aufsicht meiner Schwester. Das alles war ein böser Schock für sie.«

»Es wäre sehr freundlich, wenn ich mich in den nächsten Tagen einmal mit Eurer Gemahlin unterhalten könnte – wenn sie den furchtbaren Schrecken verwunden hat.«

Bevor Ulrich Vogelmann antworten konnte, kam Bewegung in die immer größer werdende Menge, die sich um den Toten drängte. Eine schmächtige Gestalt mit schütterem, schwarzem Haar und einem sorgfältig gepflegten, spitz zulaufenden Kinnbart bahnte sich einen Weg durch die Menschen, die respektvoll zur Seite wichen. Der Medicus, seit seiner Rückkehr nur noch in kostbare Seide und Brokat gekleidet, ließ seinen Lehrbuben erst ein Leinentuch über den Straßenschmutz legen, ehe er sich zu dem blutigen Körper hinabbeugte.

»Er ist tot«, stellte das Männchen überflüssigerweise fest.

»Was soll ich hier? Habt Ihr mich nachts aus meinen Gemächern geholt, um zu sehen, daß ich keine Toten wiedererwecken kann? Bin ich vielleicht der Allmächtige?«

Ärgerlich sah er in die Runde.

»Vielleicht, edler Medicus, könnt Ihr uns etwas über die Wunden sagen. Welche von ihnen den Tod herbeigeführt hat, zum Beispiel«, regte der Schultheiß in ehrerbietigem

Ton an, auch wenn er innerlich tobte und diesem eingebildeten, arroganten Zwerg gerne seine Meinung ins Gesicht geschleudert hätte.

Warum haben die Welschen ihn nicht behalten, dachte er,
dann würde uns sein ständiges Prahlen über seinen großen Triumphzug durch Padua, Bologna, Florenz – und
wie all die Städte heißen – erspart bleiben. Wenn ich länger darüber nachdenke, dann kann ich jedoch verstehen,
daß sie ihn zu uns zurückgeschickt haben, ging es ihm nun
schon fast belustigt durch den Kopf, als er dem Doctore
zusah, wie er sorgfältig die Spitzenmanschetten seines feinen Seidenhemdes hochschob und dann, seine Abscheu
kaum verbergend, die scheußlichen Wunden untersuchte.
»Die Einstiche vorn an der Brust waren die tödlichen«,
sagte er nach einer Weile in einem Ton, der jeden Zweifel
von vornherein ausschloß, und erhob sich. Sorgfältig
wusch er sich die Finger in der silbernen Schale, die der
Junge ihm reichte, trocknete sie ab und polierte seine fünf
Ringe blank, ehe er das Tuch an den Knaben zurückgab.
»Die Leiche kann entfernt werden. Ich glaube nicht, daß
mein fachkundiger Rat hier weiter vonnöten ist, daher
werde ich nun in meine gemütliche Stube zurückkehren.«

Sprach's, nahm seinen zierlichen Spazierstock entgegen
und trippelte mit schwankenden Hüften davon. Ein
Hauch teuren Duftwassers hing in der Luft, bis der Nachtwind ihn verwehte und der Geruch von Blut und Tod zurückkehrte.

Schlimmer als ein Weib, dachte der Schultheiß voller Abscheu. Wahrscheinlich treibt er es mit seinesgleichen oder
gar mit Knaben. Pfui Teufel! Der Herr möge ihn strafen.

KAPITEL 25

Tag des heiligen Desideratus,
Mittwoch, der 8. Mai
im Jahr des Herrn 1510

*W*as machst du denn da?« fragte die Junkerstochter Afra
Senft, die sich nahezu lautlos in die Küche geschlichen hatte, die kräftige Gestalt, die ihr den Rücken zukehrte.
Der Knecht ihres Vetters fuhr herum, das lange Messer,
das er eben in einem Wasserkübel abgespült hatte, noch
in der Hand.

»Oh, Jungfrau Afra, Ihr habt mich aber erschreckt.«
Unauffällig ließ Alfred das Messer in den Eimer gleiten,
doch das Mädchen hatte die Bewegung wohl bemerkt. Sie
trat näher, besah sich einige Augenblicke schweigend das
rötlich gefärbte Wasser, runzelte nachdenklich die Stirn,
tauchte ihre Hand in den Eimer und zog das scharfe Messer heraus.

»Wen wolltest du denn mit diesem netten Spielzeug meucheln?« Sie betrachtete noch einmal das Wasser. »Oder
muß ich besser fragen, in wessen Fleisch hast du diese
Klinge bereits versenkt?«

»Aber Jungfrau Afra, so etwas werdet Ihr doch nicht denken.« Der Knecht lachte nervös. »Ich fand das Messer auf
der Schwelle vor der Haustür, als ich mit dem Herrn vor
wenigen Augenblicken hier eintraf.«

»Ach so, natürlich. Ich hatte ganz vergessen, daß wir es uns zur Gewohnheit gemacht haben, jeden Abend blutige Messer auf die Schwelle zu legen. Das hilft gegen Hexen, Alpträume, Magendrücken und Schwielen an den Füßen, weißt du.«

»Gebt es mir wieder.« Alfred zwang sich zu einem Lächeln. »Es ist von gutem Stahl, und wenn ich es gesäubert habe, lege ich es zu den anderen Messern drüben in die Kiste.«

Afra trat einen Schritt zurück und richtete die Dolchspitze auf den Knecht.

»Da wird der Schultheiß aber gar nicht erfreut sein, wenn die Klinge, die er so sorgfältig die Pfarrstaffel hinauf und hinunter sucht, die dem ehrenwerten Pfarrer Vogelmann die Seele vom Leib getrennt hat, hier in der Küche verschwindet und sich als nächstes in den Eingeweiden eines Kapauns oder Hasen wiederfindet. Du mußt zugeben, das wäre ein unverzeihlicher Frevel.«

Der Knecht wurde bleich und hielt sich mit zitternden Händen an der Tischkante fest.

»Ihr glaubt doch nicht etwa, ich hätte mit dem Mord an dem Pfarrer etwas zu tun? Bitte, gebt mir das Messer zurück, der Junker hat gesagt …«

Er verstummte, biß sich auf die Lippen und wurde noch eine Spur bleicher.

»Der Junker? Ach ja, dein Herr und Gebieter. Ein vortrefflicher Gedanke, zu hören, was er dazu meint. Du bleibst hier in der Küche, während ich mit meinem lieben Vetter ein interessantes Gespräch über blutige Messer am Morgen führen werde.«

Alfred sackte zusammen. Der Wunsch, einfach wegzulaufen, weit weg, wo niemand ihn kannte, flackerte in seinem Kopf auf. Am besten als Söldner zu den Eidgenossen oder nach Süden zu den Welschen fliehen. Was würde der Herr mit ihm machen? Er stöhnte leise und verfluchte alle Frauen. Wozu nur hatte der Allmächtige solch unnütze Geschöpfe erschaffen? Schon im Paradies hatte sich das Unglück abgezeichnet, das die Weiber auf ewig über die Männer bringen würden. Ängstlich wartete er auf das drohende Strafgericht und wagte nicht, sich auch nur einen Schritt fortzubewegen.

* * *

Am Nachmittag ließ Afra Senft nach der Freundin schicken. So viele aufregende Neuigkeiten! Sie mußte einfach mit Anne Katharina darüber reden. Ganz unrecht war es der Vogelmannstochter nicht, ihre Stickerei beiseite zu legen und aus der überhitzten Stube entfliehen zu können. Dennoch fühlte sie das schlechte Gewissen an ihrer Freude und Erleichterung nagen.

»Kann ich dich hier wirklich für eine Weile allein lassen?« Sie ergriff die Hände der Schwägerin und sah in das blasse Gesicht mit den dunkel umschatteten Augen.

»Aber ja, Liebes. Ich bin ja nicht allein. Christine ist doch bei mir.« Sie nickte der neuen Amme zu, die gerade David an ihre üppige Brust legte. »Außerdem kannst du auf dem Rückweg ein paar Besorgungen für Agnes machen.«

»Danke, ich bleibe nicht lange.« Anne Katharina drückte einen sanften Kuß auf die heiße Stirn, kitzelte den kleinen David an seinem Stupsnäschen, strich ihre Röcke glatt und schloß dann leise die Stubentür hinter sich.

»Das gnädige Fräulein ist noch nicht von seinen Einkäufen zurück«, teilte ihr eine Magd mit, als sie wenige Augenblicke später am Senftenhaus anlangte.

»Die Herrin hat sie noch nach Garn und Goldfäden geschickt«, fügte das kaum den Kinderschuhen entwachsene Mädchen hinzu, als sie Anne Katharinas irritierten Blick bemerkte.

»Ihr könnt gerne in der Stube auf ihre Rückkehr warten. Es dauert sicher nicht sehr lange.«

Da Anne Katharina die Vorliebe der Junkerstochter für endlose Klatschgeschichten kannte, bezweifelte sie die letzte Bemerkung, folgte aber der spindeldürren Magd in die große Stube, erleichtert, nicht der Hausherrin Gesellschaft leisten zu müssen. Sie ließ sich auf ein weiches, hübsch besticktes Kissen sinken und faltete züchtig die Hände im Schoß.

Wie lange es wohl dauert, bis Afra zurückkommt?

Unruhig stand sie auf, trat zum Fenster und sah durch die blaßfarbenen Scheiben auf die Straße hinunter. Es war ruhig im Senftenhaus. Der Junker war sicher außer Haus, die Berlerin in der Kemenate und die Magd unten in der Küche.

Die Idee war verrückt und gefährlich, doch einmal in ihren Gedanken, ließ sie sich nicht mehr so leicht vertreiben. Entschlossen drehte sich Anne Katharina um, huschte zur Tür, öffnete sie leise und sah sich um: Niemand zu sehen. Nur ein paar Atemzüge später stand das Mädchen vor dem rötlichen Nußbaumsekretär mit den herrlichen Schnitzereien in Gabriel Senfts privatem Schreibzimmer, zog Schubladen auf, blätterte dicke, in Schweinsleder gebundene Bücher und lose Papiere durch, las Briefe und Anordnungen – immer ein Ohr aufmerksam zur Tür gerichtet.

Nichts! Gar nichts Ungewöhnliches.

Sorgfältig räumte die Vogelmannstochter die Bücher an ihren Platz zurück, als ihr ein kleines, in helles Leder gebundenes Büchlein hinten in der tiefen Lade auffiel.

Rasch warf sie einen Blick hinein. Ihre Augen wanderten über Zahlenreihen. Verblüfft ließ sie sich auf den Scherenstuhl sinken, blätterte nach vorn und las noch einmal. Aufgeregt spitzte sie die Lippen zu einem lautlosen Pfiff. Ein Verdacht stieg in ihr auf und verdichtete sich.

Welch raffinierter Betrug – aber wozu? Der Vorteil, den er davon hat, wenn man das große Vermögen des Junkers in Betracht zieht, ist minimal – es sei denn …

»Kleine Schnüfflerin!«

Anne Katharina ließ vor Schreck das Buch fallen, sprang in die Höhe und starrte den Knecht Alfred, der lautlos die Schreibkammer betreten hatte, fassungslos an. Wie konnte ihr das nur passieren!

»Habt Ihr vor, hier Wurzeln zu schlagen?« zischte er. »Und stumm seid Ihr plötzlich auch!«

Mit zwei schnellen Schritten war er bei ihr, hob das Buch vom Boden auf, schob es in die Lade zurück, schloß den Sekretär und zog die immer noch wie versteinerte Vogelmannstochter in den Gang hinaus. Von unten erklang Afras zwitschernde Stimme. Schwere Schritte polterten durch die Halle. Anne Katharina riß sich los und funkelte den Knecht hochmütig an.

»Faß mich nicht an, ich bin von Fräulein Afra eingeladen!« wies sie den Knecht scharf zurecht, drehte sich um, schritt in die Stube zurück und schloß die Tür hinter sich, gerade als die Senftenbrüder mit ihrer jungen Cousine im Schlepptau die Treppe heraufkamen.

»Eingeladen, so, so, aber bestimmt nicht, um im Schreibzimmer die Bücher durchzusehen«, murmelte Alfred und schlüpfte an den Herrschaften vorbei die Treppe hinunter.

* * *

Nachdem sich Anne Katharina von Afra verabschiedet hatte, eilte sie durch die Stadt, um die von Ursula gewünschten Besorgungen zu machen. Auf ihrem Heimweg gesellte sich plötzlich Rudolf Senft zu ihr. Er grüßte höflich, zog den verschwenderisch mit Federn ausgestatteten Hut und kräuselte die Lippen zu einem Lächeln, doch etwas Lauerndes lag in seinem Blick.

Unschuldig begann das Mädchen über das Wetter zu plaudern, doch der junge Stadtadelige ließ sich nicht beirren.

»Wollt Ihr in den Holzhandel einsteigen, Jungfrau Anne Katharina?«

Seine Stimme klang weich. Fast kam er ihr wie ein großer, hungriger Kater vor, der schnurrend vor dem Mauseloch lauert, die scharfen Krallen in den Samtpfoten verborgen.

»Wir kaufen nur das Holz, das wir in den Siedewochen verfeuern. Der Handel mit Salz und Wein ist uns genug – außerdem habe ich damit nichts zu tun und führe nur die Rechnungsbücher für meinen Bruder.«

»Und trotzdem fragt ihr den Anschreiber aus, macht Euch die Mühe, im Haalgericht Unterlagen über Pachtland anzusehen, Verträge über Käufe und Verkäufe …«

Anne Katharina schwieg einen Augenblick und suchte fieberhaft nach einer plausiblen, harmlosen Erklärung, ehe sie erwiderte:

»Von vertrauenswürdiger Seite wurden meinem Bruder die Hölzer mit den Mälern ›Stürz den Degen‹ und ›Weck von Aschen‹ angepriesen, die heuer sehr zahlreich ausgezogen werden.«

Rudolf Senft lächelte säuerlich. »Nun, deshalb müßt Ihr doch nicht den Sekretär meines Bruders heimlich durchsuchen und in den Unterlagen seiner Holzkäufe blättern. Das schickt sich nicht für ein Mädchen aus gutem Hause!

Was wohl Euer Bruder dazu sagen würde? Oder hat er Euch zum Spionieren zu Eurem Lehensherrn geschickt? Wie lange er wohl noch im Rat sitzt, wenn das bekannt wird?«

Das Mädchen blieb stehen, funkelte den Junker an und flüsterte wütend: »Ich glaube nicht, daß es an Euch ist, mir zu drohen! Findet Ihr es nicht merkwürdig, daß ein Tagelöhner ein kleines Stück Land an der Haller Grenze und eines weit oben am Kocher kauft, sich Mäler eintragen läßt und dann von diesen winzigen Stücken Land Unmengen an Hölzern liefert, während andere Pächter über erhebliche Holzverluste klagen? Ist es nicht seltsam, daß dieser Pächter unter dem Namen eines Vetters kauft, der seit Jahren in den Kriegswirren verschollen ist, und daß sein Bruder Euer Knecht ist – und daß das meiste Holz zu günstigen Preisen an den Junker Gabriel Senft verkauft wird?«

»Ganz schön schlau, kleines Fräulein«, knurrte der Junker, »doch was gehen mich die unsauberen Geschäfte meines Bruders an?«

Sie wollte etwas entgegnen, doch er ließ sie nicht zu Wort kommen.

»Warum seid Ihr nicht gleich zum Stättmeister gelaufen und habt ihm davon erzählt? Soweit reicht Euer Mut wohl nicht, den Ruf einer der angesehensten Adelsfamilien von Hall zu beschmutzen!«

Er drehte sich ohne Gruß um und ließ Anne Katharina auf der Straße stehen. Erstaunt und ungläubig klappte sie den Mund zu.

Man könnte fast meinen, er wolle mich provozieren und dazu aufstacheln, meinen Verdacht dem Stättmeister zu berichten. Aber das ist doch nicht möglich!

Langsam schritt sie nach Hause und stieg die Treppe zur Küche hinauf.

»Einen Zuckerhut und Muskatnuß von Meister Gessner, Ringlein vom Bäcker Greter und weißer Käse von der Meierin«, zählte Anne Katharina auf und legte die Einkäufe auf das schmale Bord in der Küche. Die Magd, die gerade das Feuer schürte, erhob sich, den Schürhaken noch in der Hand, und betrachtete das Mädchen nachdenklich.

»Kann ich Euch kurz sprechen?«

»Ja sicher, Agnes, was ist denn los? Du schaust so merkwürdig drein.«

Die Magd sah zu Boden und kratzte mit der Spitze des rußigen Eisens über den rauhen Steinboden.

»Nun, der Alfred – Ihr kennt doch den Knecht des Junkers Rudolf? Er möchte mit Euch reden. Wenn Ihr wollt.«

Anne Katharina zog erstaunt die Augenbrauen hoch.

»Er fragt, ob er Euch morgen um die Mittagsstunde bei der Armenschüssel treffen kann.«

»Was hast du mit des Junkers Knecht zu schaffen?« fragte das Mädchen erstaunt.

Die Magd errötete.

»Wir kennen uns gut und plaudern manches Mal miteinander …«

»Und er besucht dich abends ab und zu?«

Das peinliche Schweigen war eine deutliche Antwort.

»Bitte sprecht nicht mit Eurem Bruder darüber …«

Anne Katharina nickte langsam. Erst der Junker, dann der Knecht. Was wollte der Kerl von ihr? Sie erpressen, bedrohen, einschüchtern? Ausgerechnet so einem schenkte Agnes ihr Herz und noch mehr! Gefühle gingen manchmal sonderbare Wege.

»Werdet Ihr hingehen?«

»Ja, ich werde zur Mittagsstunde dort sein!«

KAPITEL 26

Tag des heiligen Beatus,
Donnerstag, der 9. Mai
im Jahr des Herrn 1510

*I*ch bin viel zu früh da, dachte Anne Katharina mit einem Blick auf die Turmuhr, als sie, die Röcke leicht gerafft, langsam die Freitreppe hinaufschritt.

Nun gut, dann helfe ich den Schwestern, Brot und Suppe
an die Armen zu verteilen, bis er kommt, nahm sie sich
vor, denn die Beschäftigung würde ihr helfen, die Nervosität zu unterdrücken. Doch kaum hatte sie die oberste
Stufe erreicht, sah sie den breitschultrigen Knecht schon
über den kleinen Friedhof auf sich zukommen oder besser gesagt zutaumeln. Sein Gesicht war gerötet, Schweißperlen glänzten auf seiner Stirn, der Atem ging unregel-
mäßig. Mit unsicherem Schritt näherte er sich dem Mädchen, ließ sich dann aber in der Nähe des windschiefen
Hüttchens, in dem der eiserne Suppenkessel der Armenschüssel stand, auf einen Steinblock sinken und wischte
sich mit seinem schmutzigen Taschentuch die Stirn ab.

Bereits am Mittag betrunken!

Ihre Mißbilligung nicht verbergend, baute sich Anne Katharina vor ihm auf und stützte die Hände in die Hüften.

»Was willst du von mir?«

Schwankend erhob sich der Knecht, sah sich vorsichtig

um, doch niemand schien der Unterhaltung Aufmerksamkeit zu schenken.

»Ich habe über das nachgedacht, was Ihr in der Kirche gesagt habt. All die vielen schrecklichen Anschuldigungen. – Ich bin unschuldig, bitte glaubt mir. Ich bin … «, er hustete, keuchte, fing sich dann aber wieder und sprach weiter. »Ich liebe Agnes, das müßt Ihr mir glauben, aber ich kann sie nicht heiraten – noch nicht. Also haben wir uns heimlich getroffen.«

Er sah das Mädchen aus verquollenen Augen flehend an. Ungeduldig forderte sie ihn auf fortzufahren. Was hatte sein unzüchtiges Verhältnis mit den Morden zu tun?

»Sie hat uns beobachtet und hat gedroht, es dem Junker zu verraten und mit Eurem Bruder zu sprechen. Er hätte Agnes in Schande fortgejagt – vor allem, da er – er auch mit ihr …«

Anne Katharina wollte vehement widersprechen, doch dann dachte sie an das heimliche Stelldichein in der Lagerhalle und war sich plötzlich sehr unsicher, wie Ulrich dieses Verhältnis seiner Magd aufnehmen würde.

»Der Junker –« Wieder keuchte der Knecht und schnappte nach Luft, preßte die Hand auf seine Brust, um den Schmerz zu lindern.

»Ich dachte, es ist nichts Schlimmes dabei. Nie wäre es mir in den Sinn gekommen, daß ein Leben absichtlich ausgelöscht werden würde. Wer hätte mir das geglaubt? Konnte ich zum Schultheiß gehen? Wer schenkt einem Knecht Glauben, wenn ein Junker oder Bürger etwas anderes sagt?«

Er räusperte sich, hustete, spuckte blutigen Schleim auf das Pflaster.

Angewidert trat Anne Katharina einen Schritt zur Seite, packte ihn beim Arm und schüttelte ihn.

»Weiter, erzähl mir alles!«

Ein Zittern lief durch den massigen Körper. Der Knecht versuchte zu sprechen, brachte jedoch nur ein Ächzen heraus. Er fiel auf die Knie, schlang die Arme um seinen Leib, brach dann zusammen und wälzte sich auf dem Boden.

»Ich habe niemanden gemordet«, wimmerte er. »Ich sollte die Els nur einschüchtern, damit sie nichts verrät.«

Das Mädchen riß die Augen auf. Sie konnte nicht begreifen, was da vor ihren Augen geschah.

Er ist sturzbetrunken, er ist nur betrunken und muß seinen Rausch ausschlafen, versuchte Anne Katharina sich einzureden, doch das Entsetzen ließ sich nicht betrügen.

»O Gott«, schrie er, wälzte sich hin und her. Schaum trat auf seine Lippen und tropfte zur Erde. Eine Traube von Menschen zog einen Kreis um das ungleiche Paar und beobachtete gespannt und angenehm erregt das Geschehen.

Das Mädchen sank auf die Knie und versuchte den Rasenden zu beruhigen.

»Luft, ich bekomme keine Luft«, stöhnte er noch, dann verfärbte sich sein Gesicht bläulich, die Augen traten aus den Höhlen, als wollten sie herausspringen, und wurden dann plötzlich starr. Starr und steif wie der ganze Körper, der verkrampft und verdreht auf dem kalten Stein lag.

Das Mädchen regte sich nicht, spürte nicht das rauhe Pflaster unter seinen Knien, hörte nicht das aufgeregte Flüstern der Menge.

Eine junge Frau drängte sich zwischen den Gaffern hindurch, sah auf den Toten hinab und kreischte auf.

»Warum? Warum habt Ihr ihn getötet? Er hat doch nichts getan! Mörderin! Warum? Warum nur?«

Schluchzend warf sich die Magd über den Körper des Geliebten. Anne Katharina rührte sich immer noch nicht.

Heilige Mutter Gottes, nicht noch einen Toten, nicht noch einen Mord. Bitte, ich will keine Toten mehr, will nie wieder in ihre starren Augen sehen!

Eine schwere Hand legte sich auf ihre Schulter, und als sie langsam den Kopf hob, blickte sie in das sorgenvolle Antlitz des Schultheißen Büschler.

»Jungfrau Anne Katharina, ich bitte Euch, steht auf und kommt mit mir.«

Schwankend erhob sie sich und folgte ihm mit hölzernen Bewegungen.

Er bringt mich weg, weg von den Toten. Er wird mich beschützen. Keiner wird mehr sterben. Ich werde keine Leichen mehr finden.

Stumm ließ sie sich zum Amtszimmer führen, stumm saß sie da, als er ihr Fragen stellte, stumm sah sie die Büttel ein und aus gehen.

Der Schultheiß faltete die Hände, legte sie auf das glatte Holz seines nahezu völlig mit Akten bedeckten Schreibtisches und sah in die starren, weit aufgerissenen Augen des Mädchens.

»So kommen wir nicht weiter«, seufzte er und klingelte nach den Wächtern.

»Bringt die Jungfrau Anne Katharina in den Sulferturm – ins Stübchen, nicht in die Zelle.«

Mehr zu sich selbst fügte er noch hinzu: »Vielleicht bekomme ich morgen mehr aus ihr heraus.«

KAPITEL 27

Tag des heiligen Gordian
und des heiligen Epimachus,
Freitag, der 10. Mai
im Jahr des Herrn 1510

*I*n dem Kerkerraum war es so finster, daß Anne Katharina ziemlich lange, auf den Knien rutschend, mit der Hand über kalten Stein und stinkendes Stroh tasten mußte, ehe sie den Wasserkrug fand. Sie rümpfte die Nase, als ihr fauliger Geruch entgegenschlug, doch ihr Durst war größer als der Ekel. Wie lange war sie schon hier? Was wollten die Männer von ihr? Warum hielten sie sie in diesem schrecklichen Gefängnis fest?

Schritte vor der eisenbeschlagenen Tür, das Knarzen des Riegels und dann ein warmer Lichtschein brachten erlösende Abwechslung in die triste, dunkle Einsamkeit.

»Jungfrau Anne Katharina?« vernahm sie eine flüsternde Stimme, die ihr irgendwie bekannt vorkam, doch die Laterne blendete sie so sehr, daß sie den Mann nicht erkennen konnte. Sie sah nur eine schattenhafte, große Gestalt, die zu ihr herabsank, auf den Boden kniete und nach ihren Händen griff.

»Als ich in der Nacht meinen Dienst antrat und hörte, man habe Euch in dieses schreckliche Loch gesteckt, bin ich sofort zum Schultheiß gelaufen, doch der schlief be-

336

reits und seine Knechte haben mich nicht vorgelassen. Doch jetzt wird alles gut. Es war nur ein Mißverständnis. Er hat ausdrücklich gesagt, man solle Euch ins Stüblein bringen, nicht hier herein.«

Der Mann rümpfte die Nase.

»Ganz schön getobt hat der Herr Schultheiß, daß seine Anweisungen nicht befolgt worden sind. Er wird Euch nachher besuchen. Kommt jetzt mit mir. Ich bringe Euch in ein angenehmeres Quartier.«

»Rugger? Ihr seid der Wächter Rugger, Volkhards Bruder, nicht wahr?«

Noch immer verwirrt, ließ sich Anne Katharina von dem Wächter hochziehen und in die Wachstube bringen. Durch das vergitterte, schmale Fenster schimmerte Tageslicht.

»Wie spät ist es denn?« fragte sie heiser.

»Eben hat es von St. Jakob zur *hora prima* geläutet.«

Rugger stieg vor ihr die gewundene Steintreppe hinauf, drehte sich jedoch noch einmal um, als er merkte, daß Anne Katharina stehengeblieben war.

»Die Schloßsteinerin – war sie auch dort drin eingesperrt?«

Sie deutete zurück zu ihrer ungastlichen Schlafstätte.

»Ja«, nickte der Wächter, »für einen Monat war es ihr Quartier – bis auf das kurze Zwischenspiel ihrer Flucht.«

»Einen Monat!« Sie schauderte. »Und nun ist sie tot.«

Rugger griff wieder nach ihrer Hand und zwang sie mit sanftem Druck, ihm zu folgen.

»Denkt nicht darüber nach. Sie war ein Unhold, hat Gott gelästert und ihre Mitmenschen geschädigt …«

»… und mir wirft man vor, einen Knecht ermordet zu haben! Und vielleicht noch viele andere schreckliche Taten.«

Das Mädchen begann heftig zu zittern. Rugger war verunsichert.

»Bitte, so etwas dürft Ihr nicht denken. Der Schultheiß möchte sicher nur mit Euch reden, und dann dürft Ihr bald wieder heim zu Eurer Familie ...«

Anne Katharina straffte sich.

»Könnt Ihr mir das versprechen?«

»Nein, versprechen kann ich es Euch nicht.«

Verlegen sah er zu Boden.

Der Wächter nahm seinen Schlüsselbund vom Gürtel und öffnete umständlich die stabile Eichentür zur Kammer an der nordwestlichen Turmecke. Auch hier war der Boden strohbedeckt, doch es war sauber und trocken. Die einzigen Einrichtungsgegenstände waren ein schmales Bett an der Wand mit rauhen Decken und einem Kissen und ein dreibeiniger Schemel.

Das Mädchen trat an eines der schmalen Fenster, sah hinaus auf den träge dahinfließenden Kocher und auf den Haal, wo auch schon zu dieser frühen Stunde geschäftige Betriebsamkeit herrschte.

»Kann ich irgend etwas für Euch tun?«

Anne Katharina wandte sich um und bemerkte erstaunt den Schmerz in seinen braunen Augen. Mit Widerwillen blickte sie an sich hinunter. Ihr Rock war fleckig, zerknittert und staubig, die Farbe der Schuhspitzen, die unter dem Spitzensaum hervorlugten, nicht mehr zu erkennen. Sie versuchte, nicht an den blutigen Schaum zu denken, den der Sterbende an ihren Rocksaum geschmiert hatte. Mit ihrer schmutzigen, klebrigen Hand fuhr sie sich durch das zerzauste Haar.

»Ein Krug Wasser, ein sauberes Tuch und ein frisches Gewand?«

Der Wächter nickte kurz.

»Ich werde dafür sorgen, daß Ihr alles bekommt!«

Der Schlüssel knirschte im Schloß, die Schritte verklangen, sie war allein. Allein in einer kleinen Zelle in einem Gefängnisturm. Aber wenigstens hatte sie hier Licht und frische Luft.

Es ist unfaßbar, dachte sie, als sie den Menschen in Freiheit draußen auf dem Haal bei der Arbeit zusah. Nie, nie hätte ich das gedacht –

Der Traum fiel ihr plötzlich wieder ein. Er lag lange zurück, und sie hatte ihn erleichtert als einen Alptraum beiseite gewischt, verdrängt und vergessen. War es doch eine Vorwarnung gewesen? Sie schauderte, als sie über ihre Träume nachdachte. Kamen sie von Gott oder vom Teufel?

Eine Stunde später kehrte der Wächter Rugger mit einem sauberen Hemd, einem einfachen wollenen Rock, einem Krug Wasser, einer Schüssel und mehreren sauberen Leinentüchern zurück. Hastig streifte sich Anne Katharina, als der Wächter gegangen war, die schmutzigen Kleider vom Leib, wusch sich, bis der Krug geleert war, und rubbelte sich mit einem Leinentuch trocken, daß die Haut rot glühte. Dann schlüpfte sie in das saubere Gewand und flocht ihr Haar notdürftig zu zwei strengen Zöpfen. Nun fühlte sie sich ein wenig besser. Die Milchsuppe, die ein anderer Wächter ihr wenig später brachte, war genießbar, das Brot zwar dunkel, jedoch frisch.

Dann begann das Warten. Der Morgen und der Mittag verstrichen. Wenn sie sich ganz nah an die Mauer drückte, dann konnte Anne Katharina die Sonne am leicht bewölkten Himmel sehen. Die Schatten wurden länger, vertieften sich, das Licht schwand. Endlich hörte sie wieder Schritte, der Schlüssel knarzte im Schloß, die Tür schwang auf und ließ den Schultheiß herein. Umständlich nahm Konrad Büschler auf dem Schemel Platz und begann Fragen zu stellen. Es waren merkwürdige Fragen. Immer wieder wechselte der Schultheiß das Thema. Er befragte sie über ihre Familie und über ihre Lehnsherrn. Dann sprach er über Kinder und welch Sonnenschein ein Erbe ins Haus bringt. Unvermittelt kam er plötzlich auf Hexerei zu sprechen, auf Magie und Aberglaube. Aufmerksam hörte er dem Mädchen zu und kritzelte dann immer wieder kurze Notizen in sein kleines Buch, ehe er die nächste überraschende Frage stellte. Erst als Anne Katharina vor Müdigkeit fast die Augen zufielen, erhob er sich und wünschte eine angenehme Nacht.

Als der Schultheiß im Dunkeln durch die menschenleeren Gassen schritt, grübelte er darüber nach, was er morgen dem Stättmeister berichten sollte und was er lieber noch ein paar Tage für sich behalten sollte.

KAPITEL 28

Tag des heiligen Gangolf,
Samstag, der 11. Mai
im Jahr des Herrn 1510

*D*er nächste Tag verlief ereignislos. Nur Rugger kam ab und zu, um ihr die endlos dahinschleichende Zeit zu vertreiben. Vorsichtig ließ sich der große Mann auf dem wackeligen Hocker nieder, verschränkte die Hände in seinem Schoß, sah die Vogelmannstochter fast anbetend an und erzählte von seiner aufregenden, kriegerischen Vergangenheit, um sie von der trüben Gegenwart abzulenken. Anne Katharina folgte ihm mit Begeisterung auf seinen Zügen gegen die Eidgenossen oder gegen die Pfalz, und ihre Augen glänzten für eine kurze Weile.

»Es war im April, der Schnee lag noch bis tief in die Täler herab, als der Herzog mit den Truppen des Bundes versuchte, von Konstanz aus den entscheidenden Schlag gegen die Eidgenossen zu führen. Zu lange hatten sie uns schon durch ihre heimtückischen Vorstöße bis in herzogliches Gebiet, durch Überfälle und Plünderungen zum Narren gehalten. Wir mußten ihnen eine Lektion erteilen, die sie nicht so schnell vergessen würden.«

Daß bei diesem Ausfall im Morgengrauen des 11. Aprils die eidgenössischen Männer, Frauen und Kinder der umliegenden Dörfer im Schlaf erstochen worden waren, berichtete er lieber nicht. Noch immer sah er manchmal nachts das Bild vor sich, wie die wenigen Überlebenden im kurzen Hemd oder völlig nackt in Todesangst in die Wälder flohen, so mancher Verletzte auf dem Weg zusammenbrach und sterbend zurückgelassen wurde.

»Die Luzerner, die zur Verstärkung anrückten, mußten eine empfindliche Niederlage einstecken und verloren beim Rückzug ihre beiden großen Büchsen.«

»Ein überlegener Sieg Württembergs!«

»Nein, leider nicht ganz.« Seine Stimme wurde leise, die Züge verzerrten sich, als die Erinnerung nach ihm griff.

»Durch Sturmgeläut und Lärmfeuer brachten die Eidgenossen in kürzester Zeit zweitausend Männer zu den Waffen und griffen uns bei Konstanz an. Wir mußten weichen. Es war ein unerbittliches Gefecht. Mehr als tausend Männer verloren ihr Leben im Kampf und fast genauso viele noch einmal, als wir uns überstürzt über den Bodensee zurückziehen wollten. Viele der überladenen Boote kenterten, die Männer ertranken jämmerlich ...«

Anne Katharina griff nach seiner Hand.

»O Rugger, wie furchtbar.«

»Ja, wie ich Euch schon sagte, der Krieg hat nichts von der Romantik, die sich die Fräuleins oft vorstellen.«

Am Morgen danach kam der Schultheiß wieder, um weitere Fragen zu stellen.

»Dürfen meine Brüder mich nicht besuchen?« fragte das Mädchen leise, als Konrad Büschler sich erhob, um sich zu verabschieden.

Es lag ein wenig Erstaunen in seinem Blick, als er noch einmal zurücksah.

»Doch, natürlich dürfen sie das. Vielleicht kommen sie

nicht, weil Eure Schwägerin erkrankt ist«, fügte er noch hinzu, als er sah, wie sehr diese Auskunft schmerzte. Anne Katharina nickte langsam.

Als sie wieder allein war, suchte sie ihren Platz an dem winzigen Fenster auf und sah auf den in Sonntagsruhe still daliegenden Haal. Kein Rauch quoll von den zahlreichen Herden auf, um den Menschen das Atmen zu erschweren und zum Husten zu reizen, kein Holz wurde von Männern mit schwieligen Händen und Schultern geschäftig zu den lodernden Feuern geschleppt, keine Sole aus dem Brunnen geschöpft.

Nächsten Sonntag ist Pfingsten, dachte Anne Katharina traurig. Dann beginnt das Fest der Sieder. Heute gehen die ledigen Siederburschen, feierlich im dunklen Gewand gekleidet, einen erfahrenen Sieder des Hofes dabei, zum Haus ihrer Jungfer, um sie höflichst zum Kuchenfest und zum Tanz zu laden.

Ob Michel mich eingeladen hätte? Mit wem wird er wohl zum Tanz gehen, jetzt da ich hier im Turm sitze? Tränen traten ihr in die Augen und rannen über ihre Wangen.

Dort drüben werden sie im Freien tanzen, auf dem Grasbödele fröhlich sein und lachen, während ich hier sitze, mit einem winzigen Stück Himmel zwischen den grauen Steinen.

Am anderen Tag wurde ihr der Besuch ihrer Schwägerin gemeldet. Ursula war blaß, fast wie die Gefangene, doch sie hielt sich gerade.

»Ich habe dir ein frisches Gewand, Äpfel und Honig mitgebracht.«

Ursula wickelte das Bündel aus, sah sich suchend um und legte die mitgebrachten Dinge schließlich auf die schmale Pritsche.

»Hier noch ein weißes Brot und zwei süße Kringel.«

Anne Katharina nickte und sah die Schwägerin mit brennenden Augen an.

»Warum kommen Ulrich und Peter nicht zu mir? Sie sind doch meine Brüder!«

Verlegen schlug Ursula die Augen nieder.

»Es ist, weil – sie haben soviel zu tun und – weißt du, der Fall mit dem Büschler spitzt sich immer mehr zu, die Sieder rumoren wieder, die Spannung wächst mit jedem Tag, da die Anhörung näher rückt …«

»Ursula, sag die Wahrheit!«

»Sie wollen nichts mit dir zu tun haben. Sie wenden sich von dir ab, weil du Schande über die Familie bringst …«

Anne Katharina sah ihre Schwägerin fassungslos an.

»Aber ich habe nichts getan! Die Richter werden mich freisprechen. Ich habe mich doch auch um Peter gekümmert, als er im Turm saß, und mich bemüht, die schwere Zeit für ihn zu verkürzen –«

»Das war etwas anderes, eine Kinderei, ein paar Burschen, die ein wenig über die Stränge geschlagen haben.«

Kaum war Ursula gegangen, warf sich Anne Katharina auf ihr Lager und weinte bitterlich. Alle Zuversicht war verschwunden, und ihr Herz schmerzte, als wolle es zerspringen. So fand sie Pater Hiltprand, der einige Stunden später Einlaß in das Turmgemach begehrte.

Er war zutiefst beunruhigt, sie so zu sehen, ließ alle Vorsicht fallen, eilte an ihr Lager und zog sie in seine Arme. Leise redete er auf sie ein, die Worte waren nicht wichtig. Er wiegte sie wie ein Kind, strich ihr sanft über das Haar, bis sie an seiner Brust einschlief.

*   *   *

»Herr Stättmeister, entschuldigt, daß ich Euch störe, doch ich warte noch auf Eure Entscheidung im Falle der Jungfrau Vogelmann.«

Gilg Senft sah den Schultheiß erstaunt an.

»Aber ich habe Euch doch bereits gesagt, daß alle Fälle bis nach Pfingsten ruhen. Ihr wißt, daß die kaiserliche Delegation erwartet wird und es noch viel zu tun gibt!«

»Ja, schon«, Konrad Büschler versuchte, den ablehnenden Blick Rudolf Nagels, der schon seit Stunden beim Stättmeister saß, zu ignorieren. »Doch bitte bedenkt, es handelt sich hierbei um die Schwester eines Ratsherren, und es gibt keinen Hinweis, daß sie am Tod des Knechts oder an anderen Verbrechen unmittelbare Schuld trägt.«

»Die liebreizende Schwester des Ratsherrn Vogelmann – ein enger Vertrauter Eures Vetters Hermann, nicht wahr?«

Der Junker Nagel lächelte den Schultheiß so herablassend an, daß dieser nur mühsam den Wunsch unterdrücken konnte, die Faust zu ballen und dem unangenehmen Kerl in sein feistes Gesicht zu schlagen.

So, hast du jetzt die Parteienlage hinreichend klargestellt, du widerliche Straßenratte.

Er ignorierte Rudolf Nagel und sah statt dessen den Stättmeister erwartungsvoll an. Der sollte sich nicht von solch niederen Impulsen leiten lassen, doch seine Hoffnung wurde bitter enttäuscht.

»Ich habe nie behauptet, daß sie an irgend etwas Schuld hat, doch bevor ich die Akte nicht geschlossen habe, kann sie nicht aus dem Sulferturm entlassen werden. Wie so viele andere auch muß sie sich eben gedulden. Ich werde niemanden bevorzugen, und deshalb bleibt bis nach Pfingsten alles, wie es ist. Würdet Ihr nun bitte die Stube verlassen? Ratsherr Nagel und ich haben noch viel zu besprechen.«

Seine Wut nur mit Mühe unterdrückend, verbeugte sich der Schultheiß und ging hinaus. Am liebsten hätte er die Tür zugeknallt, doch er beherrschte sich. Er dachte an die Dinge, die das Mädchen ihm erzählt hatte.

Kann sein, daß an der Sache mehr dran ist, als ich bisher dachte. Vielleicht kann man unter der hellen Fassade der Junkers Senft stinkenden Moder finden.

Er nahm sich vor, gewisse Unterlagen im Haalamt und in den Schreibstuben des Rathauses durchzusehen.

* * *

»Du hast heute abend frei und kannst dich deinem derzeitigen Liebchen widmen, solange du einen Bogen um die Herrengasse machst!«

»Um nichts in der Welt wollte ich Euch in Eurem Revier in die Quere kommen, gnädiger Herr«, erwiderte der Knecht und grinste ungeniert.

Der Junker zuckte bei dieser Unverschämtheit zusammen, knurrte aber nur:

»Das will ich dir auch geraten haben.«

Er würde dem Neuen seine Grenzen zeigen müssen, doch nicht jetzt, morgen war noch Zeit genug dafür.

Der Knecht wandte sich ab, nahm den gepolsterten Samtwams seines Herrn und reichte ihm diesen, ohne den Blick zu erheben.

»Kann ich dann gehen?«

Unruhig trat er von einem Fuß auf den anderen. Sein Herr nickte abwesend und sah dem Davoneilenden kurz nach, doch er war zu sehr mit seinen eigenen Gedanken beschäftigt, um sich über dessen Verhalten zu ärgern.

Was konnte es nur so Wichtiges geben, das sie ihm unbedingt unter vier Augen sagen mußte? Warum bestellte sie ihn nachts an einen solch einsamen Ort? Er schüttelte die Spitzenmanschetten seines Seidenhemdes und betrachtete seine modisch gekleidete Gestalt im Spiegel. Nun ja, er würde es ja bald erfahren. Einen Moment schwankte er, welches Barett er aufsetzen sollte. Das einfache, schwarzsamtene oder eines aus Goldbrokat mit den Federn eines Adlers – oder gar den verwegenen Hut aus Florenz, den er erst in den letzten Tagen erstanden hatte? Er entschied sich für das einfache Barett und warf sich noch einen langen Mantel aus dunkelgrauem Wollstoff um. Es mußte ihn auf der Straße ja nicht gleich jeder erkennen. Einen Blick noch in den Spiegel, dann verließ er, höchst zufrieden mit seiner Erscheinung, das Haus, schritt in der hereinbrechenden Dämmerung die Haalgasse entlang, bog dann in die Keckengasse ein und folgte ihr bis zum zugemauerten Limpurger Tor. Wo früher einmal buntes Leben geherrscht hatte, Karren und Fuhrwerke hoch mit Waren aus dem Limpurger Land beladen den Weg zum Marktplatz eingeschlagen hatten, wuchsen nun Moos und Löwenzahn auf dem ausgetretenen Pflaster. Wilder Wein und Efeu rankten sich am grauen Mauerwerk hoch und verhüllten mit ihrem grünen Kleid das Tor jedes Jahr ein Stück mehr.

Es war nun schon beinahe achtzig Jahre her, daß der Streit zwischen der freien Reichsstadt und den Schenken derart eskaliert war, daß der Rat beschlossen hatte, das Tor zu vermauern und damit die Haupthandelsstraße ins Limpurger Land zu kappen. Die Schenken waren über die Ausfälle ihrer Zoll- und Geleitgelder so erbost gewesen, daß sie sich sogar hilfesuchend an König Sigismund gewandt hatten – doch vergeblich. Der König war an

kleinlichen Streitereien nicht interessiert und hatte nur
gemeint:

»Mögen meine lieben Söhne zu Hall alle ihre Tore zu-
mauern und mit Leitern über ihre Mauern ein- und aus-
steigen, mich kümmert's nicht.«

Alles Schimpfen und Toben half nichts, das Tor blieb zu-
gemauert, und seither mußte jeder Ratsherr bei seinem
Amtsantritt schwören, daß er das Tor nicht wieder öffnen
lassen würde.

Doch der Junker dachte nicht an das Schicksal des Tores
oder an die unterbrochene Handelsstraße. Seine Gedanken rankten sich um weiße, weiche Haut, feste Brüste und
rote, feuchte Lippen.

Suchend wanderte sein Blick die Stadtmauer entlang,
dann schritt er unter den Torbogen, sah in jede Nische,
konnte jedoch niemanden entdecken. Vielleicht war sie
oben? Flink eilte er die schmalen Stufen zum Wehrgang
hoch und trat dann auf die zinnenbewehrte Plattform
hinaus. Ein milder Nachtwind bauschte seinen Umhang.
Ungeduldig schritt er auf und ab, sah hinunter in den
finsteren Graben zu Füßen der Mauer und hinüber zu
den dichten, dunklen limpurgischen Wäldern. Die Geräusche der Nacht übertönten das leise Rascheln von edler Seide und feinem Barchent.

»Rudolf, endlich!« flüsterte sie, als sie zu ihm trat.

Obwohl er sie erwartet hatte, zuckte er zusammen, als er
plötzlich ihre Stimme vernahm. Langsam drehte er sich
um, ließ den Blick über die zierliche Silhouette streichen
und wünschte sich, der Mond möge ein wenig heller
scheinen.

»Und, was hat Euch bewogen, Eure Meinung zu ändern?«
fragte er, über die Kühle in seiner Stimme erstaunt.

»Warum diese Kälte? Warum diese Distanz? Habt Ihr mir

noch nicht verziehen? Ich liebe Euch!« Ihre Stimme klang flehend.

Na hoffentlich fängt sie nicht gleich an zu heulen. Weinende Frauen sind mir ein Greuel, dachte er und fügte nach einer Weile laut hinzu:

»Was ist mit der Treue, die Ihr geschworen habt, was mit den ach so wichtigen Regeln der Gesellschaft, mit Euren Erziehungsprinzipien?«

Sie standen noch immer zwei Schritte voneinander entfernt, eine Barriere aus kaltem Mißtrauen zwischen sich. Langsam hob die junge Frau die Hand, hielt sie so eine ganze Weile in der Luft, als könne sie die unsichtbare Sperre nicht durchdringen.

»Das hat nun keine Gültigkeit mehr.« Sie sprach so leise, daß der Junker sich vorbeugen mußte, um sie zu verstehen. »Ich bin ihm nichts mehr schuldig – jetzt nicht mehr.«

Auf Rudolfs Gesicht spiegelte sich Neugier, doch es war zu dunkel, als daß sie seine Züge erkennen konnte.

»Ich bin bereit, Euch alles zu geben, alles, was Ihr wollt – wenn Ihr mich noch begehrt.«

Die schmale Hand streifte sein Gesicht, strich über die frisch rasierten Wangen, die aristokratische Nase, den leicht geöffneten Mund, wanderte über das gelockte, schulterlange dunkelblonde Haar, fuhr sanft über den Hals. Der Junker spürte, wie die Wärme in seiner Mitte aufglomm, zu heißem Begehren wurde und seinen ganzen Körper erfaßte. Heiß pochte es in seinen Lenden, als er die streichelnde Hand grob zur Seite stieß.

»Alles? Du willst wirklich alles geben?« keuchte er heiser und zog sie an sich, schloß sie in die Arme, daß ihr fast der Atem verging, preßte ungestüm seine Lippen auf die ihren. Für einen Moment wurde sie stocksteif, spreizte die Finger in Abwehr, doch dann lief ein Schauder durch ihren Körper, sie wurde weich und anschmiegsam, ließ alles wie im Rausch geschehen.

Eng an die Zinnen gedrückt, fast vollständig mit den Schatten verschmolzen, kauerte eine Gestalt. Zwei Augen in der Dunkelheit beobachteten das engumschlungene Paar. Starr, ohne Gefühle zu zeigen, fixierten sie die Liebenden.

»Wenn ich frei wäre«, keuchte die junge Frau zwischen zwei Küssen, während die männliche Hand unter ihr Mieder glitt, »würdet Ihr mich dann heiraten?«

»Was soll diese unsinnige Frage?« Er preßte seine pochenden Lenden fest an sie. »Du bist verheiratet, er ist jung und gesund …«

»Trotzdem, ich möchte es wissen. Unser Leben ist in Gottes Hand – wenn ihm etwas passieren würde, sagt, würdet Ihr mich dann heiraten?«

Er ignorierte die Frage. Heiß pulsierte das Blut in seinen Adern, ließ Begehren und Lust auflodern. Seine Lippen wanderten über ihr Ohr, den schlanken Hals, hinab zum Ansatz ihrer festen Brüste.

»Das Kind ist Euer Sohn«, sagte sie leise.

Er schien nicht zugehört zu haben, deshalb wiederholte sie lauter:

»Junker Rudolf Senft, David Maria ist Euer Sohn!«

Der Lauscher gab einen erstickten Laut von sich und sackte in sich zusammen. Die heiße Leidenschaft des Junkers war plötzlich verflogen, und er stotterte: »Aber, das kann doch nicht sein, ich meine, wie kommst du darauf …«

Die schattenhafte Gestalt zog sich zurück, schlich die Treppe hinunter, schleppte sich mit schwerem Schritt durch die nächtliche Straße, als drücke sie ein zentnerschweres Gewicht zu Boden.

KAPITEL 29

Tag des heiligen Christian,
Dienstag, der 14. Mai
im Jahr des Herrn 1510

Die gewohnte Gleichmut wich einer unguten Vorahnung, als der Franziskaner sah, wer ihn zu sprechen
wünschte. Er schickte den Laienbruder Bert, der den
Ofen fegte, hinaus und schloß die Tür der Gästestube hinter ihm, bevor er mit ruhiger Stimme den Besucher begrüßte.

»Steckt Euch Euren Segen sonstwo hin«, schrie ihn der
um so viele Jahre jüngere Mann an und verriet mit diesen,
für ihn so ungewohnt lästerlichen Worten, wie sehr er außer sich war.

»Nun beruhigt Euch erst einmal, Ratsherr Vogelmann«,
versuchte der Mönch den aufgebrachten Mann zu beruhigen. »Setzt Euch und trinkt einen Becher Wein, dann
können wir in Ruhe alles besprechen, was Euch be-
drückt.«

Ulrich wich einen Schritt zurück und hob abwehrend die
Hände.

»Ihr seid ein Teufel! Hängen sollte man Euch, vierteilen
und verbrennen! Eher sterbe ich, als nur einen Schluck
aus Eurer Hand entgegenzunehmen!« Da jedes Wort von
ihm den jungen Ratsherrn nur noch mehr erregt hätte,

schob Pater Hiltprand stumm seine Hände in die weiten Ärmel der groben Kutte und wartete.

»Ihr habt Euch tatsächlich erdreistet, meine Schwester im Turm zu besuchen, obwohl ich Euch ausdrücklich jeden weiteren Umgang mit ihr untersagt habe!«

Pater Hiltprand nickte zustimmend.

»Sie hat in dieser schweren Zeit Beistand nötig.«

»Beistand, von Euch? Wenn Ihr Euch noch einmal erlaubt, in ihre Nähe zu gelangen, dann kann Euch kein Kloster und kein Kirchenrecht vor meiner Rache schützen! Dann können sich die Würmer an Euch gütlich tun, und der Satan wird Eure sündige Seele in die Hölle schleppen.«

Die Faust erhoben, trat er näher, doch Pater Hiltprand ließ sich nicht aus der Ruhe bringen.

»Warum besucht Ihr sie nicht, um ihr das Los, das sie unschuldig ertragen muß, ein wenig zu erleichtern? Brecht Ihr den Stab über Eure Schwester, ehe die Richter ein Urteil gefällt haben?«

»Ich weiß, daß sie unschuldig ist. Ich habe meine eigenen Gründe, nicht zu ihr zu gehen, doch das geht Euch nichts an.«

Jetzt wirkte der junge Ratsherr ein wenig wie ein schmollendes Kind, dem man Unrecht getan hat.

»Anne Katharina braucht jetzt die ganze Fürsorge und Liebe ihrer Freunde und ihrer Familie …«, fing der Mönch noch einmal an, doch der andere unterbrach ihn mit einem haßerfüllten Aufschrei.

»Liebe? Sprecht Ihr nicht von Liebe, lüsterner Alter, der Ihr Eure schmutzigen Hände nicht bei Euch behalten könnt!«

»Ulrich, ich weiß nicht, wie Ihr zu Eurem Vorwurf kommt, doch ich schwöre Euch noch einmal, bei Gott im Himmel und allen Heiligen, daß ich Anne Katharina niemals un-sittlich berührt noch etwas Unzüchtiges zu ihr gesagt habe.«

»Ihr könnt lügen und Gott lästern, soviel Ihr wollt. Ich glaube Euch nicht, denn Ihr wurdet beobachtet.«

»Von wem?«

»Von meiner Gattin Ursula!«

Der Pater schwieg und schien ein wenig in sich zusam-menzusacken. Ulrich, der das als Eingeständnis seiner Schuld wertete, stieß noch ein paar Drohungen aus und verließ dann fluchtartig das Kloster.

Pater Hiltprand schritt noch lange in der Gästestube auf und ab und kaute auf seiner Unterlippe, die Stirn in stren-ge Falten gelegt.

* * *

»Außer Ursula kommt niemand mehr, um nach mir zu se-hen«, klagte Anne Katharina einige Tage später, doch dann huschte ein Lächeln über ihr Gesicht.

»Von Euch abgesehen, natürlich, der Ihr mir mit Euren interessanten Geschichten die Zeit vertreibt und Mut und Hoffnung schenkt.«

Der Wächter sah zu Boden, denn ihr Lächeln machte ihn ganz schwindelig. Nur noch schwer ließen sich die Wün-sche in ihm unterdrücken, die ihn bei ihrem Anblick so warm durchfluteten und ihn dann den ganzen Tag und die Nacht begleiteten. Er dachte an den Pater, wie er sie im Arm gehalten hatte, und eine Welle von Eifersucht und Neid überrollte ihn.

»Haben mich alle vergessen? Lassen sie mich hier auf ewig vermauert, bis ich alt und grau werde, dahinsieche und sterbe?«

»Aber nein, bitte, so etwas dürft Ihr nicht denken! Es ist nur – seit Tagen reden alle nur noch von der Anhörung. Die Ratsherrn schwirren herum wie die Bienen, alle sind aufgeregt und mit den Vorbereitungen beschäftigt. Wenn das vorbei ist, dann werden sich die Herren Richter mit Eurem Fall befassen. Dann seid Ihr ganz schnell wieder frei und könnt gehen, wohin Ihr wollt.«

»Ihr sagt das so, als würdet Ihr das bedauern!« rief sie vorwurfsvoll aus.

Rugger erhob sich und trat ans Fenster, um seine Verlegenheit zu verbergen. Er sah durch den schmalen Schlitz im Mauerwerk hinaus auf den menschenleeren Haal und auf den ruhig dahinfließenden Fluß, der silbern im Mondlicht glitzerte. Ein warmer Frühlingswind strich durch die Weiden am Ufer, deren frischgrüne Zweige nun in samtigem Blau schimmerten.

»Möchtet Ihr mit mir ein Stück spazierengehen? Es ist eine milde Nacht.«

»Treibt nicht Euren Spott mit mir.« Das Mädchen seufzte sehnsüchtig.

»Ich spotte nicht! Niemand wird uns sehen …«

Kurze Zeit später hatten Anne Katharina und ihr Wächter Rugger den Sulferturm verlassen und spazierten im fahlen Mondlicht schweigend den Wehrgang entlang. Am kleinen Turm am Haaleck, der wie ein Vogelnest auf der Ecke der Stadtmauer thronte, kletterten sie die schmale Treppe hinunter. Rugger nahm den riesigen Schlüsselbund vom Gürtel und öffnete das Törchen. Flink schlüpften die beiden hinaus. Der Uferstreifen, an dem tagsüber die Flößer und Auszieher schwere Stämme schleppten, lag einsam und friedlich da, das Schutzhüttchen des Schreibers war verwaist. Nur die Spuren im Morast zeugten noch von der regen Betriebsamkeit des Tages.

Aufmerksam führte Rugger das junge Mädchen um die tiefen Pfützen und den Schlamm herum, bis sie den unberührten, grasigen Uferstreifen erreichten, der zwischen Kocher und Stadtmauer bis zur Henkersbrücke im Norden führte. In der Ferne sahen sie das gelbliche Licht der Fackeln, wenn die Wächter auf der Brücke ihre Runden drehten. Schwarz ragte der Brückenturm in den nächtlichen Himmel.

Als sie die Hälfte des Weges zwischen Haaltörle und Henkersbrücke zurückgelegt hatten, blieben sie stehen. Rugger ließ sich ins weiche Gras sinken. Das Mädchen folgte zögerlich seinem Beispiel. Zwei Wasserhühner, aus ihrem Schlaf hochgeschreckt, flüchteten schnatternd und zogen eine silberne Spur über das Wasser. Rugger verschränkte die Arme hinter dem Kopf und ließ sich ins Gras fallen.

> *»Unter der Linden*
> *an der Heide,*
> *da unser zweier Bette war,*
> *da mögt ihr finden*
> *schöne beiden*
> *gebrochen Blumen unterm Gras.*
> *Vor dem Walde in einem Tal,*
> *tandaradei,*
> *schon singt die Nachtigall.«*

»Das ist schön. Woher habt Ihr das nur? Doch nicht selbst ausgedacht!«

Er lächelte in die Dunkelheit.

»Nein, es ist sehr alt. Ein Dichter, Walther von der Vogelweide, hat es einst aufgeschrieben.«

Anne Katharina war überrascht.

»Ich habe schon Gedichte von ihm gelesen, doch daß Ihr ...« Verlegen brach sie ab.

»Daß ein ungebildeter Wächter wie ich lesen kann, und dann auch noch die Gedichte des von der Vogelweide kennt, das wundert Euch. Das wolltet Ihr doch sagen, oder?«

Um nicht antworten zu müssen, lenkte sie ab.

»Ich lese gerade ein sehr interessantes Buch. Es heißt ›Der gute Gerhard‹. Rudolf von Ems hat es geschrieben.«

»Ist es eine Geschichte von furchtlosen Rittern und nach ihnen schmachtenden Edelfräulein?«

»Spottet nicht! Aber um Eure Frage zu beantworten, nein, es handelt von einem Kaufmann aus Köln. Er ist sehr edel und nicht auf Ruhm und Reichtum aus. Seine Reisen führen ihn zu den Sarazenen, wo er eine Gruppe englischer Ritter und Frauen aus allen Ländern mit seinem Vermögen loskauft. Unter ihnen ist auch die norwegische Königstochter, die mit dem jungen König Wilhelm aus England verlobt ist. Gerhard schickt die Ritter zu ihrem Herrn, um ihm zu sagen, daß die Verlobte gerettet und in Sicherheit in Köln auf ihn wartet.

Zwei Jahre lebt sie bei Gerhard und seinem Sohn in Köln, ohne daß der Bräutigam erscheint oder eine Nachricht schickt ...«

»Vielleicht ist die Königstochter alt und häßlich und der gute König froh, daß sie die Sarazenen geholt haben ...«

»Aber nein! Sie ist schön wie die Morgenröte, schlank an Gestalt, jung und lieblich.«

Wie sehr genoß er es, ihrer Stimme zu lauschen.

»Deshalb verliebt sich der Kaufmannssohn ja auch unsterblich in sie, und sein Glück scheint vollkommen, als er seine Liebe erwidert findet.«

»Dann schmachtet der König in Gefangenschaft. Von finsteren Schurken entführt …«

»Immer macht Ihr Euch über mich lustig!«

In ihrer Stimme schwang Enttäuschung.

»Nein, nein«, beeilte er sich, die Wogen zu glätten.

Bitte nicht schmollen, nicht diesen Augenblick mit übler Laune zerstören.

»Erzählt weiter. Hat der Kaufmannssohn um die Hand der schönen Prinzessin angehalten? Haben sie geheiratet?«

»Zwei Jahre vergehen, dann wagt er, sie zu fragen, doch als die Gäste zur Hochzeit bereits herbeiströmen und alles für die feierliche Zeremonie bereit ist, da tritt plötzlich ein Pilger heran, enthüllt sein Haupt, gibt sich als der König und rechtmäßige Verlobte zu erkennen und fordert sein Recht.«

»Hoffentlich schickt Gerhard ihn zum Teufel!«

»Aber nein, der Kaufmannssohn verzichtet auf die große Liebe, tritt zurück und gibt sie dem König.«

»Ganz schön dumm von ihm!« Der junge Mann schüttelte den Kopf, als könne er es nicht fassen.

»Nein, edelmütig!« widersprach das Mädchen. »Würdet Ihr denn nicht verzichten?«

»Ich würde ihm sein falsches Herz aus dem Leib schneiden!«

Rugger spürte, wie sich Anne Katharina neben ihm versteifte, deshalb fügte er schnell hinzu:

»Das war nur Spaß, doch Ihr müßt zugeben, er hat dadurch auch ihre Liebe geopfert. Wäre sie nicht lieber in Köln geblieben?«

»Man kann nicht einfach seinem Herzen folgen – nicht einmal in den Büchern geht so etwas gut.«

Sie fühlte seine Hand, wie sie nach der ihren tastete. Entschlossen erhob sie sich.

»Ist es nicht Zeit, zum Turm zurückzukehren?«

Es ärgerte sie, daß ihre Stimme zitterte. Eine heiße Welle lief durch ihren Körper, als sie versuchte, sich vorzustellen, was alles geschehen würde, wenn sie die warme, kräftige Männerhand ergriffen hätte.

Auch Rugger erhob sich und stand plötzlich so nahe vor ihr, daß er ihre Wärme spürte. Er roch ihre frische, glatte Haut, das Haar, die ganze Jugend. Fast gleichzeitig machten sie einen kleinen Schritt aufeinander zu, ganz selbstverständlich hoben sich die Hände, strichen suchend über Leinen, Baumwolle und Barchent und fanden sich auf dem Rücken des anderen wieder. Es war nicht die Zeit und nicht der Ort, Fragen zu stellen, denn der Frühling und die Jugend folgen ihren eigenen Gesetzen. Als Anne Katharina den Kopf in den Nacken legte und ein bißchen erstaunt über sich selbst zu ihm hochsah, schlossen sich seine rauhen Lippen, zart, tastend behutsam, über den ihren.

Der erste Kuß junger Liebe trifft wie ein Blitz, dessen Donnergrollen den Boden erzittern läßt, als wolle er sich niemals wieder beruhigen. Er spürte, wie sie weich wurde, sich an ihn schmiegte. Er öffnete die Lippen, und seine Küsse wurden wilder, verlangender.

Der kühl glänzende Mond wanderte weiter, an zahlreichen winzigen, blinkenden Sternen vorbei in Richtung Westen, ehe sich das Paar wieder voneinander löste. Ein wenig verlegen standen die Verliebten voreinander, sich des inneren Drängens und der lodernden Flamme fleischlichen Verlangens wohl bewußt. Welch Hohn, zu behaupten, auch im Verzicht läge Süße und Erfüllung! Und doch standen sie nur da, kühlten das Feuer im Nachtwind und sahen einander an. Für das Mädchen war alles zu neu, zu überwältigend, um den unbekannten

Stimmen ihres Körpers zu folgen, den jungen Mann hielten die zärtlichen Gefühle und die Hochachtung, die er für die Bürgerstochter hegte, davon ab, sie weiter zu drängen.

Schweigend gingen sie zurück, die Hände fest ineinander verschränkt, betrachteten das Mondlicht auf dem Wasser, lauschten dem Wind in den Weiden. Erst als sie den Sulferturm wieder erreicht hatten und vor der Tür des Stübleins standen, brach Anne Katharina die Stille.

»Ich werde einen Sieder heiraten«, flüsterte sie entschuldigend, strich Rugger zärtlich über die Wange, um die Worte zu mildern. Der junge Mann nickte, steckte den Schlüssel ins Schloß und drehte ihn langsam, bis ein Knacken erklang. Er ließ Anne Katharina eintreten, hielt sie dann jedoch am Arm fest. Sanft küßte er ihre Lippen.

»Ja, ich weiß«, raunte er, mehr zu sich selbst, löste sich hastig von ihr und schloß die Tür, ehe er etwas tun würde, das sie und ihn in großes Unglück stürzen konnte.

Durch eine steinerne Wand und eine eisenbeschlagene Eichentür getrennt, verbrachten beide wachend, träumend und grübelnd die Nacht, bis das Morgengrauen und der fröhliche Gesang der Vögel einen neuen Tag verkündeten.

KAPITEL 30

Tag des heiligen Bernhardin,
Pfingstmontag, der 20. Mai
im Jahr des Herrn 1510

*I*n der Dorfmühle herrschte bereits Hochbetrieb, obwohl es draußen finster war und selbst die Vögel in den
Zweigen noch fest schliefen. Es war nicht das angelieferte
Getreide, das den Müller ins Schwitzen brachte, nein, am
Pfingstmontag, an dem alle Bürger das heilige Fest begin-
gen, mußte er in aller Frühe einen Kuchen backen, nicht
irgendeinen Kuchen, sondern es war der Mühlenkuchen
für das große Fest der ledigen Siederburschen. Hundert
Pfund würde das Prachtstück wiegen, und der dicke Müller war froh, daß er ihn nur backen und nicht durch die
Stadt tragen mußte.

Die mehligen Hände in die Hüften gestemmt, ließ er den
Blick über den Tisch wandern: Dinkelmehl, Schmalz, But-
ter, Milch, Eier, Hefe, Salz und Kümmel – alles da? Nein!

»Grete, bring mir Honig und Muskatnüsse!« brüllte er,
daß auch der letzte Müllersknecht es unten in der Mahl-
stube noch hören konnte.

»Ja, Papa«, rief sie und eilte mit fliegenden Zöpfen, das
Gewünschte zu holen.

»Ein halbes Pfund Honig und ein halbes Pfund Muskat?«

»Kannst ruhig noch mal ein viertel Pfund Nüsse reiben«,

gab der Müller zurück, die Arme bis zu den Ellenbogen im Teig. »Und sieh nach, ob der Hannes richtig eingeheizt hat, der Lump, der faule.«

Grete kicherte.

»O ja, faul ist er. Dreimal habe ich ihn heute wecken müssen, ehe er sich endlich von seinem Strohsack erhob.«

Der so Gerügte kniete gähnend vor dem Ofen und klopfte mit einem Holzhammer vorsichtig auf die Ziegel rechts und links der Öffnung, löste sie behutsam und stapelte sie auf dem Boden, um sie später, wenn der riesenhafte Kuchen fertig gebacken war, wieder einzumauern.

Die Müllerstochter huschte aufgeregt hin und her, half da ein wenig, naschte hiervon und freute sich auf den Abend, wenn die feschen Siederburschen in feierlicher Zeremonie kommen und den Kuchen abholen würden.

* * *

Bedächtig, fast ehrfürchtig band Peter Vogelmann den braunen Rock zu, zog die grünen Strümpfe hoch und überprüfte im Spiegel noch einmal den Sitz seiner knielangen, schwarzen Hose. Nun gehörte er also endlich dazu und war einer des Siederhofes – na ja, fast, erst mußte er noch die offizielle Aufnahmezeremonie über sich ergehen lassen, doch es war schon jetzt nicht mehr zu leugnen – er war ein Siederbursche.

Keck reckte er die Nase hoch und zog sich die schwarzlederne Kappe über das zerzauste Haar. Die erste große Prüfung, sich unter den strengen Augen von Michel Seyboth eine Hofjungfer zum Tanz einzuladen, hatte er mit Herzklopfen und etwas Stottern ganz gut gemeistert. Zum Glück war die kleine Blinzig nicht so dick wie ihr Bruder. Eigentlich hätte Peter viel lieber Michels süße Schwester

Maria zum Tanz geführt, doch Jörg hatte auf seine älteren Rechte gepocht und ihm schlichtweg verboten, sie auch nur anzusprechen. Natürlich hatte er sich die Wünsche seines Freundes zu Herzen genommen. Was Anne Katharina dazu sagen würde? Michel hätte sie sicher geladen, und es hätte für alle ein unvergeßliches Fest werden können. Aber sie saß im Turm, und seine Freunde vermieden es, über das Thema zu sprechen. Man konnte ja nicht wissen, was dabei herauskam. Schon jetzt hatte Peter manchmal das Gefühl, seine Freunde würden ihn anders ansehen als vorher und mit jedem Tag ein Stück weiter von ihm abrücken. Was wäre, wenn Anne Katharina irgend etwas Schlimmes getan hatte oder die Richter dies glaubten? Was würde dann aus ihm werden? Sie würden ihn ausschließen, schneiden und verachten. Haß stieg in Peter auf.

Verflucht, Anne Katharina, warum kannst du nicht einfach so ruhig und zurückhaltend wie andere Mädchen sein! Eine wie Maria findet nicht ständig Leichen, dachte er mürrisch.

Warum sonst weigert sie sich, uns zu sehen, wenn sie nicht etwas ganz Schreckliches getan hat?

Seufzend warf er einen letzten Blick in den trüben Spiegel und eilte dann die Treppe hinunter.

KAPITEL 31

Tag des heiligen Hermann Joseph,
Dienstag, der 21. Mai
im Jahr des Herrn 1510

Der Tag begann trüb. Stürmisch jagte der Wind die Wolken vor sich her. Helles Grau wechselte mit dunklem und wurde zu nächtlichem Schwarz, wenn der nächste Regenschauer herniederprasselte. Doch so schnell, wie er kam, ging er auch wieder, die bauschigen Wolkenmassen zerrissen und gaben ein Stück des Himmels frei. Ein Sonnenstrahl huschte über die Stadt und erhellte ein kleines Grüppchen Siederburschen, die, mit noch schweren Köpfen vom Vorabend, mißmutig zum Himmel starrten. Ein Kuchenzug bei Regen? Nun, sie würden sich den Spaß an ihrem Fest nicht verderben lassen, vor allem nicht von ein paar Wolken und ein wenig zusätzlichem Wasser von oben.

So wechselhaft wie das Wetter waren auch die Gefühle der Bürger der freien Reichsstadt. Es war der Tag, auf den die Junker und Bürger lange gewartet und dem sie mit Hoffnung und auch ein wenig Furcht entgegengesehen hatten. Mit wieviel mehr Sorgfalt wurden an diesem regnerischen Maientag Rock und Hose, Strümpfe und Schuhe gewählt. Lieber eines der modernen, farbigen Gewänder mit weiten, geschlitzten Ärmeln und kurzen Hosen oder einen langen, dunklen Rock, der von Tradition, Erfahrung und Vertrauen sprach? Eine schwere Goldkette? Welches Barett – oder doch lieber einen Hut?

Trotz der schwierigen Entscheidungen erschienen an diesem Tag alle Ratsherren pünktlich und vollzählig im großen Saal des Rathauses unterhalb des Klosters St. Jakob. Ob Kopfschmerzen vom Vorabend oder ein Reißen in den Gliedern, keiner wollte diese Sitzung versäumen. Es hatten sich sogar schon einige Bürger auf dem Milchmarkt versammelt, die gespannt auf die nun endlich anstehende Entscheidung warteten. Dabei hatten die Schlichter, nach einer langen Nacht, in der viel Wein und Bier durch die Kehlen geflossen war, noch nicht einmal ihre Quartiere verlassen.

Im Rathaus war die Stimmung auf das äußerste gespannt. In der einen Ecke des Saales versammelten sich die sieben Junker, die die bürgerliche Trinkstube zu verhindern suchten, und scharten sich um ihren Sprecher Junker Rudolf Nagel, der leise und eindringlich auf den Stättmeister einredete. Gilg Senft zog ein säuerliches Gesicht, unterdrückte jedoch den Wunsch, den geschwätzigen, aufdringlichen Mann einfach stehenzulassen. Im Grunde genommen war es ihm egal, wer wo seinen Schoppen Wein trank. Auch konnte es nicht Rechtens sein, einen Stättmeister, selbst wenn er bürgerlich war, von Beratungen auszuschließen. Doch der Junker wußte, wenn diese letzte Schranke fiel, dann konnte das Ende der Privilegien und der Macht des Adels in Hall nur noch eine Frage der Zeit sein – von sehr wenig Zeit!

Wollte er, daß seine Familie, die schon unter den großen Stauferkönigen Sulmeister und damit eine der einflußreichsten Familien der Reichsstadt gewesen war, in die Bedeutungslosigkeit absank? Was würde geschehen, wenn jeder frei in den Rat gewählt werden könnte? Würde dann das Geschick der Junker plötzlich von Handwerkern und Kaufleuten oder gar Knechten und Tagelöhnern bestimmt werden? Schon jetzt war das Wort der reichen Siederfamilien viel wert. Zuviel wert? Er mußte an seine Tochter und an seine Neffen denken und ihre Anrechte für die Zukunft sichern. Nachdenklich sah er zu Hermann Büschler hinüber, der bei dem jungen Ulrich Vogelmann stand.

»Was können sie schon gegen uns ausrichten?« fragte Ulrich, straffte den Rücken, strahlte Zuversicht aus.

»Die Junker sind nur zu siebt, während wir neunzehn Ratsherren auf unserer Seite haben. Ich fürchte die Schlichter nicht.«

Hermann Büschler lächelte nachsichtig, als spreche er mit einem Kind, das die Zusammenhänge des Lebens noch nicht begreifen kann.

»Wenn es nur auf Mehrheiten ankäme, hätte sich Nagel nicht an den Bund und an den Kaiser gewandt. Glaubt Ihr, der Kaiser wäre an einer Schwächung des Adels interessiert?«

»Warum nicht? Sind es nicht die Städte mit ihren Bürgern, mit den Handwerkern und Kaufleuten, die ihm seine Kriege und seinen Hof bezahlen? Ist der Adel nicht überall im Land auf dem absteigenden Ast, die Ritter verarmt, ihre Güter verwahrlost?«

Hermann Büschler sah den jungen Mann erstaunt an.

»Vielleicht habt Ihr recht, der Gedanke ist nicht dumm. Ja, vielleicht können wir hoffen.«

Die Gespräche verstummten, als einer der Schreiber, ein kleiner blonder Bursche, kaum siebzehn Jahre alt, die Tür aufriß und die ehrenwerten Herren Dr. Matthes Neithart aus Ulm, Caspar Nützel aus Nürnberg und Jörg Langenmantel aus Augsburg einließ. Die Begrüßung verlief höflich, doch es war etwas Lauerndes in den Mienen, als gelte es, den Gegner erst einmal abzutasten. Ratsdiener reichten Erfrischungen, es wurde über das Fest geplaudert und über so manch andere, unverfängliche Dinge, die nicht mit dem Streit in Verbindung gebracht werden konnten. Dennoch stieg die Spannung und wurde fast greifbar.

Endlich erhob der Stättmeister die Stimme, hieß die kaiserlichen Gesandten offiziell herzlich willkommen, forderte die Ratsmitglieder auf, sich zu setzen, und faßte, nachdem das allgemeine Stühlerücken verklungen war, die Streitpunkte noch einmal kurz zusammen.

Neithart, als Sprecher der Delegation, dankte Gilg Senft, sprach ein paar belanglose Worte und legte dann dem Rat die kaiserliche Urkunde seiner Berufung vor. Noch ehe der Doktor es sich auf seinem weich gepolsterten Stuhl wieder bequem gemacht hatte, sprang Rudolf Nagel auf, entrollte ein Papier und begann die Anklage gegen Büschler und seine Anhänger mit lauter Stimme zu verlesen.

»… und keine Gelegenheit verstrich ungenutzt, die Junker und Edlen zu benachteiligen, welch Anliegen sie auch vorbrachten. Geradezu planmäßig wurden die armen Leute der Ehrbaren auf dem Lande mit Geldbußen belegt, um das Stadtsäckel zu füllen.«

Das Gesicht purpurrot, die geballte Faust erhoben, donnerte er, daß die neugierigen Schreiber und Diener vor der verschlossenen Tür sich nicht die Mühe machen mußten, ihre Ohren an das Holz zu pressen, um die Worte zu verstehen.

»… und wurden die Belange der Gemeinen besprochen, dann sind die Ratsherren von dort her nicht etwa hinausgetreten, wie es sich gehört hätte, nein, sie versuchten, auch noch andere im Sinne ihrer Interessen zu beeinflussen!«

Herrmann Büschler verdrehte gequält die Augen. So ein Schwätzer! dachte er, ließ jedoch die Mitglieder der Kommission nicht aus den Augen und versuchte, in ihren Mienen zu lesen, welchen Eindruck der Junker Nagel mit seiner Rede hinterließ.

»… es ist ja nicht so, daß wir den gemeinen Herren keinen Ort zum Trinken gönnten, doch der Bau dieser Trinkstube verstößt gegen alles, was uns recht und teuer ist. Die Interessen des Spitals werden dadurch sträflichst vernachlässigt. Immerhin gehört das Haus zum Spitaleigentum …«

Ungeduldig rutschte Ulrich Vogelmann auf seinem Stuhl hin und her. Die strengen Blicke, die Neithart in Büschlers Richtung warf, versprachen nichts Gutes. Endlich war Rudolf Nagel fertig, wischte sich den Schweiß von der Stirn, rollte das Schriftstück zusammen und ließ sich schwer atmend auf seinen Stuhl sinken.

Hermann Büschlers angenehme, tiefe Stimme erfüllte den Raum. Aufrecht und stolz stand er da, bat um Bedenkzeit und um nochmalige Verlesung der Anklageschrift, damit er zu jedem Punkt Stellung nehmen könne, um seine Unschuld darzulegen und die Rechtmäßigkeit seiner Handlungen zu begründen.

»Das könnte Euch so passen«, giftete Rudolf Nagel, »das Verfahren zu verzögern, von schmierigen Advokaten irgendwelche rechtsverdrehende Winkelzüge anbringen zu lassen, um die ehrenwerten Abgesandten hinters Licht zu führen …«

Der Doktor aus Ulm hob die Hand, um ihm Einhalt zu gebieten. Nagel verstummte. Flüsternd unterhielten sich die drei Schlichter einige Minuten, ehe sich Dr. Neithart erhob. Die Spannung, die in alle Gesichter geschrieben war, auskostend, ließ er den Blick langsam über jeden der Ratsherren gleiten, ehe er leise und beherrscht zu der Anklageschrift Stellung nahm.

»… und da der Vorjahresstättmeister Hermann Büschler nicht bereit ist, zu den erhobenen Anklagepunkten jetzt Stellung zu beziehen, vertagen wir die Sitzung auf morgen.«

Keine der Parteien war so recht zufrieden damit. Stimmengemurmel erhob sich, Füße scharrten auf dem glänzenden Holzboden, Stühle wurden gerückt. Rudolf Nagel warf Hermann Büschler einen haßerfüllten Blick zu und fauchte drohend:

»Es werden auf dem Markt Köpfe rollen!«

Hermann Büschler und Ulrich Vogelmann, die die Worte vernommen hatten, sahen sich an.

»Nehmt das nicht so ernst. Er kann doch nur leere Drohungen ausstoßen und sich ungebührlich aufführen, weiter nichts«, sagte Ulrich leise, als die beiden Ratsherren die Treppe in die Halle hinuntergingen. Büschler schüttelte den Kopf.

»Nein, dieses Mal hat er es ernst gemeint, da bin ich mir sicher. Wenn er es nicht auf diesem Weg schafft, dann wird er einen anderen wählen.«

»Ihr meint – ?«

»Ja, ich glaube, jetzt geht es um mein Leben. Vielleicht ist es besser, wenn ich die Stadt für eine Weile verlasse.«

Ulrich Vogelmann riß die Augen auf.

»Für so gefährlich haltet Ihr Nagel?«

»Für so fanatisch!«

*   *   *

Seit die Glocken zur *hora prima* geläutet hatten, waren alle Siederburschen in dem zum Kuchenhaus erwählten »Wilden Mann« versammelt, tranken süßen Wein und starrten hinaus in den Regen. Mißmutig sahen sie den dunklen Wolken nach, die der stürmische Wind vor sich herjagte.

»Dann müssen wir eben hier tanzen«, schlug der dicke Hans vor. »Wenn wir die Tische und Stühle beiseite schieben und ...«

»Ach was, viel zu eng. Wir könnten in den ›Hirsch‹ in die Gelbinger Vorstadt gehen. Der Saal ist viel größer ...«

Michel Seyboth sah mit gerunzelter Stirn auf den kleinen Caspar Feyerabend herunter, als sei er ein dummer Lausbub.

»Du meinst, wir speisen hier zu Mittag, laufen dann in die Vorstadt zum Tanz und begeben uns mit den Jungfern am Abend dann wieder hierher? So ein Blödsinn!«

Sie stritten noch eine Weile, überlegten dies und jenes, bis Peter plötzlich rief:

»Die Sonne! Seht, die Wolken reißen auf!«

Alle rannten hinaus, ließen die stickige Wirtsstube hinter sich und traten in das blendende Licht der Morgensonne, die sich überall in den Pfützen widerspiegelte.

»Na, dann los, worauf warten wir noch!«

Unter Pfeifen- und Trommelklang marschierten die jungen Burschen, alle im roten Rock, in schwarzen Hosen und mit grünen Strümpfen bekleidet, in Zweierreihen durch die Stadt. Hinter den Musikanten kam der kräftige Hermann Eisenmenger mit dem Kuchen. Er schwitzte, machte ein grimmiges Gesicht, hielt jedoch trotz der hundert Pfund Schritt und bereute nicht, daß er mit dem unglücklichen Caspar heimlich die Lose getauscht hatte. Der hätte das sicher nicht durchgestanden! Dem Kuchen folgten die anderen Mitglieder der Kompanie, stolz den

Degen an der Seite. Den Schluß bildeten die Schützen mit ihren klobigen Büchsen. Vor dem Neuen Haus machte die Gruppe halt, spielte nach alter Tradition, bis die Fahne aus der Gerichtsstube geschwenkt wurde. Feierlich und große Reden haltend, überreichten die Sieder den Ältesten des Haalgerichts und den beiden anwesenden Haalmeistern ein Stück des Kuchens. Natürlich wurden sie dann in die Gerichtsstube gebeten, wo die Schreiber schon große Krüge mit rotem Wein bereithielten.

Zur Freude aller trieb der Wind nun auch die letzten Wolken davon, und als die Hofjungfern, züchtig im roten Rock, weißen Hemd, schwarzen Mieder und schwarzen Mützlein mit Stirnbinde, auf dem Grasbödele erschienen, lachte die Sonne von einem blitzblanken, blauen Himmel, als gäbe es auf der Welt nur das Fest, den Tanz und die übermütige Freude. Zumindest den Übermut mußten die jungen Leute jedoch noch ein wenig zurückhalten, denn bei den traditionellen, getragenen Tanzweisen, bei denen die Jungfer nur züchtig am kleinen Finger geführt werden durfte, verbot sich jeglicher Überschwang von selbst.

Mei Muater kocht mir Zwiebel und Fisch,
Rutsch her, Rutsch hin, Rutsch her,
Sie waaß wohl daß is gera iß,
Rutsch her, Rutsch hin, Rutsch her.

Peter zählte im Geist die Schritte mit und lächelte das um mehr als einen Kopf kleinere, farblose Mädchen mit den braunen Flechten an seiner Seite zaghaft an.

So züchtig und mit Ernst die ersten Tänze auf dem kurzen, grünen Gras der kleinen Kocherinsel zelebriert wurden, so lustig und ausgelassen ging es bereits nach einer

Stunde zu. Da flogen die Röcke, jauchzten die Mädchen, sprangen die Burschen hoch und höher, um die anderen zu übertreffen. Die Musik wurde lauter, wilder, die Schritte schneller.

»Wie die jungen Geißböckle«, murmelte der alte Kaspar Eberhard mehr belustigt als schockiert, stützte sich auf seinen Ebenholzstock und sah von der Brücke aus dem ausgelassenen Treiben zu.

»Ja, jung müßte man noch mal sein, so jung und unbeschwert, so ganz ohne Arglist.«

* * *

»Ich werde noch heute nacht die Stadt verlassen.«
Ursula Vogelmann ließ den Löffel sinken und sah ihren Gemahl fragend an.
»Wohin wirst du reisen, und wann kommst du wieder?«
»Das mußt du nicht wissen«, knurrte er unhöflich und richtete seine Aufmerksamkeit wieder auf den dicken Eintopf.
»Ich bin immer noch deine Gattin, und ich finde, daß es mich etwas angeht, wann ich dich zurückerwarten kann.«
Ulrich kaute auf einem großen Stück Fleisch und betrachtete Ursula nachdenklich. Sie war ernstlich gekränkt, den Tränen nahe, daher erwiderte er versöhnlich:
»Ich kann dir wirklich nichts sagen. Das hat nichts mit uns zu tun. Nagel hat Büschler bedroht, so daß Hermann um sein Leben fürchten muß und daher die Stadt verläßt. Ich werde ihn begleiten.«
»Oh! Und dabei kommt Anne Katharina morgen aus dem Turm. Es besteht kein Verdacht mehr gegen sie, und der Schultheiß hat mir versprochen, gleich morgen nach der Ratssitzung die Unterschrift des Stättmeisters einzuholen.

Deine Schwester ist krank, weißt du, sehr krank! Und mir geht es auch mit jedem Tag schlechter.«

Ulrich runzelte die Brauen.

»Morgen schon, sagst du. Ja, das ist wirklich dumm, daß ich gerade jetzt reise, doch daran läßt sich nichts ändern.«

Er erhob sich, obwohl seine Schale noch nicht einmal zur Hälfte geleert war, und verließ die Stube. Kopfschüttelnd sah ihm seine Gemahlin nach.

* * *

»Da seid Ihr ja endlich«, flüsterte der Mann, der schon seit einer halben Ewigkeit im Dunkeln vor dem Marstall auf und ab ging.

Ulrich murmelte eine Entschuldigung und ließ sein Bündel auf den Boden gleiten.

»Wie werden wir aus der Stadt kommen?«

»Ich sagte Euch doch, laßt das meine Sorge sein. Ich habe dem Wächter am Eichtor genug gegeben, doch jetzt holt endlich Euer Pferd, solange der Mond scheint und wir auf der Straße noch vorwärts kommen.«

Hermann Büschler band sein Pferd, das schon unruhig mit den Hufen scharrte, los, während Ulrich mit Hilfe eines verschlafenen Stallburschen seinen Braunen sattelte. Und kurze Zeit später führten zwei finstere Gestalten ihre Pferde durch die schmale Pforte im Eichtor, die gleich hinter ihnen wieder zufiel und verriegelt wurde. Schweigend saßen die Männer auf und ritten in flottem Trab die ausgefahrene Straße entlang. Ein fast voller Mond leuchtete ihnen den Weg.

* * *

Während die Siederburschen und ihre Jungfern draußen immer ausgelassener feierten, fühlte sich Anne Katharina mit jedem Atemzug schlechter. Vor zwei Tagen hatte es mit ein wenig Halsschmerzen angefangen, und jetzt?

Stöhnend lehnte sie ihre glühende Wange an den kalten, rauhen Stein. Sie fühlte sich schwach und konnte sich kaum auf den Beinen halten. Der Wind wehte den Klang von Trommeln und Pfeifen zu ihr herüber, das fröhliche Lachen und Jauchzen der Tänzer. Obwohl sie hart dagegen ankämpfte, rannen ihr immer wieder Tränen über das Gesicht. Nachts fror das Mädchen, und ihre Zähne schlugen hart aufeinander, trotz der zweiten Decke, die Rugger gebracht hatte. Immer wieder wachte Anne Katharina nach unruhigem, von Alpträumen geplagtem Schlaf schweißnaß und fieberglühend auf, so daß sie die Decken von sich warf und die Kälte des Gemäuers suchte. Ihr dröhnender Kopf schien auf seine doppelte Größe angeschwollen zu sein, und ein schmerzhafter Husten quälte sie. Doch noch viel mehr schmerzten sie die Einsamkeit und eine ganz andere Kälte. Warum kamen ihre Brüder nicht zu ihr? Warum wandten sie sich ab und überließen die eigene Schwester ihrem Schicksal? Glaubten sie an ihre Schuld? Selbst Pater Hiltprand hatte seine Besuche eingestellt und war seit einigen Tagen nicht mehr in ihrem trostlosen Turmzimmer erschienen. Nur Ursula kümmerte sich nach wie vor um sie – und natürlich der Wächter Rugger, der, sooft es nur möglich war, den Posten an ihrer Tür übernahm und, wenn es niemand sah, sich zu ihr auf die Strohmatratze setzte, Geschichten erzählte und ihre trüben Gedanken für einige Stunden zerstreute.

Ein Hustenanfall schüttelte sie. Anne Katharina preßte die Hände auf die Brust, als könne sie so den Schmerz lin-

dern. Voll Sehnsucht sah sie durch die winzige Schieß-
scharte in die warme Frühlingsnacht hinaus.

Heilige Jungfrau, werde ich es noch erleben, im hohen
Gras unter rauschenden Bäumen spazierengehen zu können? Werde ich je wieder wärmende Sonnenstrahlen auf
meinem Gesicht spüren? Oder werden sie mich wie die
Schloßsteinerin in ein schmutziges Loch stecken, bis ich
darin verfaule? Mir mit dem scharfen Schwert den Kopf
vom Körper trennen oder einen rauhen Strick um meinen Hals legen? Doch die Mutter Gottes schwieg und
blieb der armen Gefangenen die Antwort schuldig.

Der Klang von Schritten und das wohlbekannte Kratzen
des Riegels ließen Anne Katharina erwartungsvoll aufse-
hen. Doch nicht die sehnlichst erwartete Schwägerin kam
herein, es war die Magd Agnes, die mit hängenden Schultern und bittendem Blick vor ihr stand, bis das Mädchen
sie stumm umarmte.

»Verzeiht mir, ich habe es nicht so gemeint, nur der
Schmerz – ich wollte nie, daß Ihr leiden müßt.«

Anne Katharina nickte und strich über Agnes' Rücken.
Die Wärme des weichen weiblichen Körpers berührte sie
seltsam.

»Ich weiß, du hast ihn geliebt. Es muß schwer für dich
sein, ihn so plötzlich verloren zu haben.«

Auch wenn ich immer noch nicht weiß, was du an ihm
fandest, fügte sie in Gedanken hinzu.

»Wo ist Ursula? Sie wollte doch heute wiederkommen?«

»Die Herrin fühlt sich zu schwach, um Euch zu besuchen,
doch sie hat mich beauftragt, Euch sogleich einen Teil
der Medizin zu bringen, die der Herr heute abend noch
für sie von Meister Gessner geholt hat.«

»Ulrich hat für Ursula Medizin geholt? Das kann ich
kaum glauben. Geht es ihr so schlecht?«

Einen Augenblick war Anne Katharina von ihrer eigenen mißlichen Lage abgelenkt. Die Magd zuckte hilflos mit den Schultern.

»Das ist schwer zu sagen. Sie zieht sich meist zurück, hält sich nur noch in der kleinen Stube auf und will niemanden sehen. Auch der Herr ist mehr ein Geist denn er selbst, schleicht mürrisch und totenbleich durch das Haus. Meist jedoch ist er bis spät in der Nacht weg, und wenn er wiederkommt, kann er kaum noch die Treppen hinaufsteigen.«

»Und was ist mit Peter?«

»Er ist Gast bei den Seyboths und nur noch mit dem Michel zusammen. Peter arbeitet bei ihm im Sudhaus statt in dem seines Bruders. Gestern war er seit Tagen zum ersten Mal wieder zu Hause, doch nur, um sein Festgewand zu holen.«

Anne Katharina lauschte den zarten Pfeifenklängen.

»Ja, er ist jetzt da draußen und tanzt.«

Ihr Blick wanderte durch ihren kargen Gefängnisraum. Die schmale, heiße, schweißnasse Hand griff nach der roten, rauhen Hand der Magd.

»Glaubst du, es liegt ein Fluch auf mir? Glaubst du, es ist Gottes Wille, daß ich hier elend sterbe?«

Wieder das hilflose Achselzucken.

»Liebste Anne Katharina, ich weiß es nicht. Die Herrin geht oft nach St. Michael, um für Euch zu beten. Sie hat wieder Kerzen gestiftet, doch bisher …«

Ein erneuter Hustenanfall erinnerte die Magd an den Grund ihres Besuches. Sie nötigte das Mädchen, sich auf den Strohsack niederzusetzen, legte das mitgebrachte Bündel auf den Boden und zog dann einen verschlossenen, noch warmen Krug mit Wein hervor. Umständlich öffnete sie den Korken, füllte einen Teil in Anne Katharinas Tonbecher und rührte dann ein wenig von der zähen, dunkelbraunen Medizin darunter. Geduldig wartete die Magd, bis die Leidende den Becher leer getrunken hatte, drückte sie dann sanft, aber bestimmt auf das rauhe Kissen und zog beide Decken sorgfältig über sie.

»Ihr müßt jetzt schlafen, dann geht es Euch sicher bald wieder gut.«

Scheu strich sie ihr über die Wange und wandte sich dann zum Gehen. Der Schlüssel knirschte im Schloß, der Riegel seufzte, die Schritte verklangen.

Anne Katharina schloß die Augen, lauschte ihrem rasselnden Atem und dem Klopfen ihres Herzens. Bald würde der Schmerz im Kopf und in der Brust nachlassen, sie würde schlafen und gesund werden …

Eine bleierne Müdigkeit kroch durch ihre Glieder, doch statt Linderung und Ruhe zu bringen, wand sich ihr Magen plötzlich, schmerzte und sandte Wellen der Übelkeit aus. Wirre Bilder flackerten vor ihren Augen. Sie sah Ursula mit einem nicht angerührten Becher Wein am Tisch in der Stube sitzen, sah den aufgebrachten Ratsherrn Baumann, dem sie zur Besänftigung den Becher reichte.

Wer hat den Wein eingeschenkt? Agnes? Ulrich? Ulrich hat Medizin für Ursula besorgt. Ursula geht es schlecht. Sie ist zu schwach, mich zu besuchen –

Ein stechender Schmerz fuhr durch ihre Eingeweide, der Magen krampfte sich zusammen, und noch ehe sie sich aus den Decken schälen konnte, erbrach sie sich. Gift!

Diese plötzliche Erkenntnis zuckte mit dem Schmerz durch ihren Körper und hämmerte in ihrem Kopf.

Es war ein Versehen! Das Gift war für Ursula bestimmt, und nun liegt sie daheim und nimmt ihre Medizin und …

»Nein!« krächzte Anne Katharina und kroch auf allen vieren über den strohbedeckten Boden. Sie erbrach sich erneut, hustete, spuckte, kroch weiter auf die schwere Tür zu. In ihrem Kopf drehte sich alles, Wellen des Schmerzes zuckten durch ihren Körper, lodernde Flammen schlossen sie ein.

»Nein! Du darfst es nicht trinken«, schluchzte sie und lehnte ihren Kopf an die rostigen Eisenbeschläge.

»Bitte, kommt schnell«, wimmerte sie, würgte erneut, doch es war nichts mehr da, was ihr Magen von sich geben konnte. Tränen rannen über das bleiche Gesicht, Fingernägel schabten über das harte Eichenholz, als sie weit weg ein Geräusch hörte. Die schwere Tür schob Anne Katharina einfach weg. Die Augen weit aufgerissen, kippte sie um und blieb auf dem Rücken im feuchten Stroh liegen.

»O mein Gott, Anne Katharina. Rugger, schnell bring Licht!«

Es war ihr, als könne sie die Stimme ihres Bruders hören. Sie spürte warme, schwielige Hände, einen Arm unter ihrem Kopf, dann weichen Stoff an ihrer Wange.

»Ich hätte viel früher zu dir kommen sollen, bitte, wach auf, bitte!«

Es kostete sie viel Mühe, die Augen zu öffnen und die Lippen zu einem winzigen Lächeln zu verziehen.

»Peter, eile, Ursula darf – die Medizin – sie darf sie nicht trinken.«

Er neigte sein Ohr an ihre Lippen, konnte die Worte jedoch kaum verstehen.

»Bring sie weg, weit weg von Hall, bitte. Ulrich darf nichts erfahren.«

Erschöpft schloß Anne Katharina die Augen. Sie hörte Ruggers Stimme.

»Wir müssen sie ins Spital bringen, der Medicus muß sofort kommen. Ich meine, wenn …«

»Ich werde das Geld schon aufbringen! Los, faß mit an.«

Anne Katharina fühlte, wie sie emporgehoben wurde. Alles drehte sich, schnell und immer schneller. Sie schwamm durch eisiges Wasser, rannte durch verzehrendes Feuer. Eine gräßliche Schlange wuchs in ihr, fraß an ihrem Fleisch und nährte sich von ihren Eingeweiden. Das Mädchen schrie und schlug um sich. Dann plötzlich war ihr Geist wieder klar. Anne Katharina öffnete die Augen und sah in den rosa gefärbten Himmel. Die Luft war lau und schwer von Blütenduft.

»Du mußt Ursula wegbringen, versprich es mir!«

Sie sah in die braunen Augen, wollte noch mehr sagen, doch die gehörnten Wesen griffen wieder nach ihr und zogen sie hinab in die Finsternis.

*   *   *

Mit geschickten Händen rührte die Magd nun schon zum zweiten Mal an diesem Tag das braune, zähe Zeug in heißen Wein. Langsam, um nichts zu verschütten, stieg sie die Treppe hinauf und öffnete leise die Tür zu der dämmrigen kleinen Stube. Die Herrin saß still vor dem Ofen, einen Rosenkranz in den gefalteten Händen.

Als Agnes ihr den Becher reichte, schüttelte sie nur stumm den Kopf.

»Aber, Herrin, es ist Eure Medizin, Ihr müßt sie trinken, wenn Ihr wieder zu Kräften kommen wollt.«

Dunkle Schatten lagen um Ursulas Augen, als sie zu Agnes aufsah, doch ihr Blick war in die Ferne gerichtet. Geduldig wartete die Magd.

»Wozu soll ich es trinken, wenn es mir nur schlechtergeht, welche Kräuter du mir auch in meinen Wein gegeben hast?«

»Vielleicht waren bisher zuwenig Heilkräfte in Eurem

Trank. Dieses Mal jedoch habe ich reichlich von der Medizin genommen, die Euer Gemahl von Meister Gessner geholt hat.«

Ursula nickte, hob langsam die zitternde Hand und griff nach dem Becher, doch als sie ihn zum Mund führen wollte, entglitt er ihren Händen. Der Wein schwappte auf den grauen, schlichten Rock und färbte ihn rot, der Becher schlug auf den Boden und zersprang in tausend Stücke.

KAPITEL 32

Tag der heiligen Renate,
Mittwoch, der 22. Mai
im Jahr des Herrn 1510

Der zweite große Festtag der ledigen Siedersöhne begann mit Morgenrot und einem gläsernen Himmel, der einen heißen Tag versprach. Pünktlich, wenn auch zum Teil noch sehr verschlafen, mit brummendem Schädel und schmerzenden Schläfen, trafen sich die Burschen zu einer frühen Milchsuppe im Kuchenhaus. Peter war unter ihnen, auch wenn seine Gedanken unwillkürlich immer wieder ins Spital schweiften. Nein, so hatte er sich seine feierliche Aufnahme zum Siedershof nicht vorgestellt.

Kurze Zeit später zogen die jungen Männer am Rathaus vorbei zum Marktbrunnen und schossen Salut, schritten dann durch die Stadt hinaus in die Gelbinger Vorstadt und legten die schweren Büchsen noch einmal an. Der Funke sprang über, als die Steinschlösser zuschnappten, und das ohrenbetäubende Krachen riß auch den letzten Bürger aus seinem Schlaf. Schwerer Pulverdampf hing in der Luft und lichtete sich nur zögerlich. Der beißende Geruch nach Pulver und Schwefel lag über der Stadt.

Die Neuen, die zum ersten Mal am Brunnenzug teilnahmen, mußten nun den Brunnen umtanzen, bevor zur

Taufe übergegangen wurde. Ganz plötzlich verflog der feierliche Ernst der Prozession, der ja schon durch den Esel, den Caspar am Strick hinter sich herzerrte, ein wenig gelitten hatte. Man konnte sich fragen, wozu denn die Ledereimer auf des Esels Rücken dienen sollten, doch die Zuschauer am Wegesrand, denen die Späße der Sieder wohlbekannt waren, gaben sich keinen Illusionen hin, daß die Behälter ihren Einsatz nicht finden würden.

Doch nun wurde erst einmal ausgiebig getauft. Peter wurde gepackt, hochgehoben und fortgeschleift. Ihm blieb nur noch, die Luft anzuhalten, ehe er kopfüber in das eiskalte Wasser flog. Seine beiden jungen Mitstreiter folgten. Prustend streckte er den Kopf heraus, schnappte nach Luft, wurde jedoch sofort wieder gepackt und untergetaucht. Immer wieder verschwand er unter der Wasseroberfläche, bis er hustend und strampelnd um Gnade bat.

Die frisch Getauften waren noch nicht aus dem Brunnen gekrabbelt, da suchten die alten Jäger bereits nach neuem Wild. Hermann entdeckte seine Geschwister unter den Zuschauern, füllte einen Eimer und goß den Inhalt über seinen jüngsten Bruder aus, der daraufhin plärrend bei seiner Mutter Schutz suchte. Mit Gejohle rannten nun drei Straßenjungen zum Brunnen und spritzten die Schützen naß, die daraufhin, mit gefüllten Eimern bewaffnet, den frechen Buben nachsetzten. Mit einem lauten Platsch landete der erste im Brunnen. Einer von Feyerabends Feurern eroberte einen Eimer und kippte ihn über dem Sohn seines Arbeitgebers aus. Zwei Mädchen kreischten, als sich ein Schwall Wasser über ihre Röcke ergoß, doch sie ließen sich nicht einschüchtern und gingen zum Gegenangriff über, bis ihre Mutter dem zügellosen Treiben ein Ende setzte.

Einer der Sieder landete im Brunnen, zwei Zuschauer folgten. Während der kräftige Schmied, der von fünf Burschen überwältigt worden war, in dröhnendes Gelächter ausbrach, sobald er das unfreiwillig eingeatmete Wasser wieder ausgehustet hatte, schimpfte der Schreiber Rieble wie ein Rohrspatz, hob drohend die Faust und tippelte auf seinen krummen Beinen, eine nasse Spur hinter sich herziehend, davon.

»Wir müssen weiter«, keuchte Michel Seyboth, dessen Gewand ebenfalls nicht mehr ganz trocken war.

Um eine ernste Miene bemüht, zogen die Sieder zurück in die Stadt zum Milchbrunnen, wo sich bald ebenfalls sehr nasse Szenen abspielten.

* * *

Die heiteren Menschen auf den Straßen ahnten nicht, welch dramatische Szenen sich hinter den verschlossenen Türen im Ratssaal abspielten. Dr. Neithart hielt eine Rede, donnerte wild gestikulierend, als stünde er auf der Kanzel und ermahne die schwarzen Schafe seiner Gemeinde. Er ließ keinen Zweifel aufkommen, daß er fest auf Rudolf Nagels und der Junker Seite stand. Die Anhänger Hermann Büschlers, durch dessen Flucht verunsichert, hielten still. Am Ende legte die Kommission ein Papier vor, das die Zusammensetzung des Rats für die Zukunft regeln sollte. Von nun an sollten mindestens zwölf Ehrbare dem Rat angehören und sieben der zwölf Richterstellen besetzen. Auch der regierende Fünferausssschuß sollte außer von den Stättmeistern des Jahres und des Vorjahres noch von zwei Junkern besetzt werden.

Die bürgerlichen Ratsherrn sahen sich fassungslos an. Welch vernichtende Niederlage! Der Adel würde eine

Vormachtstellung einnehmen, wie schon seit über hundertfünfzig Jahre nicht mehr. Entsetzt starrten sie auf das Papier, als würden sich dadurch die Worte ändern. Die Feder lag auf dem Tisch, die Tinte trocknete langsam ein, doch keiner wollte als erstes seinen Namen unter diese schändliche Kapitulation setzen.

Noch Stunden lang schwangen sie Reden, die hohen Herrn, und beschimpften sich gar, doch am Ende eines langen Tages waren die Namenszüge von vierundzwanzig Ratsherren unter dem Vertrag zu lesen. Um dem Schriftstück Gültigkeit zu verleihen, wurden auch sogleich fünf von Büschlers Anhängern aus dem Rat hinausgewählt und durch Ehrbare ersetzt. Dr. Neithart und Rudolf Nagel schüttelten sich die Hände und beglückwünschten sich zu diesem gelungenen Streich, während die angesehenen Bürgersleut' wie geprügelte Hunde aus dem Ratssaal schlichen.

*   *   *

Anne Katharina spürte nicht, daß sie in einem weichen Bett unter einer dicken Daunendecke lag. Sie bemerkte nicht den kleinen, schrumpligen Mann, der sich besorgt an seiner roten Glatze kratzte, ihr immer wieder große Mengen einer merkwürdigen Flüssigkeit einflößte und sie dann festhielt, wenn sie von Krämpfen geschüttelt erbrechen mußte. Glänzendes Blut rann aus ihrem Arm in eine silberne Schale, doch auch das drang nicht bis zu ihrem Bewußtsein vor. Sie sah nur die schreckliche gehörnte Gestalt, schwarz mit zotteligem Haar, einer furchterregenden Fratze, Klauen und spitzen Zähnen, die mit höhnisch triumphierendem Lächeln abwartend neben ihrem Kopf Platz genommen hatte. Das Wesen schien nicht im mindesten beunruhigt. Es saß nur da, nagte an seinen Krallen und betrachtete die schon sicher erscheinende Beute. Am dritten Tag wurde der Dämon nervös, am vierten schritt er unruhig auf und ab, und am fünften Tag war er plötzlich verschwunden.

Nach sechs Tagen tiefer Bewußtlosigkeit erwachte Anne Katharina, abgemagert und blaß, doch ihre tiefliegenden Augen waren lebhaft. Noch ein wenig verwirrt sah sie sich in der dämmrigen, kleinen Kammer um. Gedämpftes Licht fiel durch das mit Pergament bespannte Fenster. Das Mädchen lag auf einem schmalen Bett, die Laken waren grob und rauh und das Kissen hart, doch es roch frisch, nach Sauberkeit und Kräutern. Vor dem Bett standen ein Hocker, eine Waschschüssel und ein Krug, an der Wand hing ein hölzernes Kruzifix, sonst war die Kammer völlig leer.

In diesem Augenblick öffnete sich die Tür, und Peter Vogelmann trat ein. Als er sah, daß seine Schwester erwacht war, eilte er an ihr Lager, kniete nieder und ergriff ihre Hand.

»Dem Allmächtigen sei gedankt, du bist wieder bei dir! Du kannst mich doch verstehen, oder?«

Sie lächelte schwach. »Ja, kann ich, du brauchst nicht so zu schreien.«

Peter grinste erleichtert. »Dir geht es ja wirklich besser.«

Plötzlich fiel ihr alles wieder ein, und sie richtete sich halb auf, drückte beschwörend Peters Hände.

»Was ist mit Ursula? Ist sie gesund?«

»O ja, sie ist wohlauf – oder war es zumindest, als ich sie, das Kind und die Amme vor drei Tagen bei ihrer Tante in Wimpfen ablieferte.«

Anne Katharina entspannte sich und sank erschöpft in ihre Kissen zurück.

»Was hat Ulrich dazu gesagt?«

»Nichts, er weiß es noch gar nicht. Er ist am Tag der Anhörung mit dem Büschler nachts aus der Stadt geritten. Niemand weiß, wohin und wann er zurückkommt.«

»Oh!«

Anne Katharina schloß die Augen, um nachzudenken, doch sie fühlte sich plötzlich so müde, ihre Gedanken wurden immer langsamer, stockten schließlich und schwebten dann in ihren Träumen davon. Sie schlief ruhig und tief, viele Stunden lang, und merkte nicht, daß der Großvater kam und sich nach einigen Stunden von Pater Hiltprand ablösen ließ.

KAPITEL 33

Tag des heiligen Bonifatius,
Mittwoch, der 5. Juni
im Jahr des Herrn 1510

Am frühen Morgen des 5. Junis, eines regnerischen, windigen Tags, ritt Ulrich Vogelmann durch das Weilertor in die Stadt hinein. Sein dünner Umhang hatte den Regen nicht abhalten können, und so war er bis auf die Haut durchnäßt, fror jämmerlich und freute sich auf ein gutes Essen, heißen Wein und ein duftendes Kräuterbad. Langsam lenkte er sein schlammbespritztes, müdes Roß über die Henkersbrücke zu dem Stallgebäude hinter dem Marstall, in dem einige Bürger ihre Pferde einstehen hatten. Steifbeinig stieg er aus dem Sattel und drückte dem Stallburschen eine Münze in die Hand, ehe er sein Bündel schulterte und leicht hinkend nach Hause stakste. Eine ganze Nacht im Sattel, das war er einfach nicht mehr gewöhnt, doch noch eine Nacht in einem der verlausten Gasthäuser am Weg verbringen – nein danke. Ulrich kratzte sich den Hals. Die Flohplage wurde mit jedem Tag schlimmer. Sicher, ganz los wurde man das Ungeziefer in der heißen Jahreszeit nie, doch auf der Reise hatte es sich zu einem echten Ärgernis entwickelt. Überall auf seiner weißen Haut prangten rote Flecken, die dick anschwollen, sich entzündeten und entsetzlich juckten.

Mit einem Seufzer der Erleichterung bog er in die Herrengasse ein, stieß die Haustür auf und lauschte in die Stille.
»Peter? Ursula? Anne Katharina?«

Nichts, alles blieb still. Eilig stieg er die Stufen hinauf und
sah in die Stube. Sie war aufgeräumt und sauber, doch sie
wirkte so – so unbewohnt. Noch einmal rief er. Keine Antwort. Es mußten doch wenigstens die Amme und das Kind
da sein. Zwei Stufen auf einmal nehmend rannte er die
Treppe hinauf, riß die Tür zur hinteren Stube auf – leer.
Das Körbchen ohne Kissen und Tücher stand verwaist in
der Ecke, keine Windeln, kein Häubchen oder Jäckchen
waren zu sehen. Langsam stieg Ulrich die Treppe hinunter. Fast wäre er vor der Küche mit der Magd zusammengestoßen.

»Guten Tag, gnädiger Herr.«

»Oh, guten Tag, Agnes. Was ist hier los? Wo sind sie alle?
Wie geht es Anne Katharina?«

»Die Herrin ist mit dem Kind und der Amme nach Wimpfen zu ihrer Tante gereist. Peter hat sie begleitet. Sie hat
nicht gesagt, wann sie wiederkommt. Eurer Schwester
geht es besser. Sie konnte das Spital verlassen und wohnt
seit zwei Tagen im Büschlerhaus. Peter arbeitet immer
noch für die Seyboths und wohnt auch dort.«

»So, dann bist also nur du mir geblieben.«

Verlegen trat Agnes von einem Fuß auf den anderen.

»Ja schon, Herr, doch meine Mutter ist erkrankt, und
mein Vater schickt dringend nach mir. Die Liese, die
manchmal bei den Feyerabends aushilft, könnte ich Euch
zum Saubermachen und Kochen vorbeischicken, wenn es
recht ist und …«

Sie sah ihn flehend an. Der Hausherr nickte müde.

»Ja, geh du nur, doch vorher bereite mir noch ein kräftiges Mahl. Ich werde derweil ins Vorderbad gehen.«

Er fragte nicht, wann die Magd zurückkommen würde. Er wollte keine Lügen hören, keine Entschuldigungen, keine Ausflüchte. Ein Bündel frischer Kleidungsstücke unter dem Arm stieg er die Stufen zum Bad hinunter, entkleidete sich langsam, ließ sich in das heiße, duftende Wasser gleiten, schloß die Augen und versuchte all die trüben Gedanken aus seinem Herzen zu vertreiben, während im Vogelmannshaus die Magd das Feuer schürte, ein kleines Hühnchen ausnahm, Speck briet und einen Teig für Eierkuchen anrührte.

* * *

Zaghaft klopfte Anne Katharina an die Tür, die sofort vom Schultheiß Büschler aufgerissen wurde. Er verbeugte sich tief.

»Gegrüßt sei Jesus Christus, verehrte Jungfrau Anne Katharina. Es ist mir eine Freude und große Hilfe, daß Ihr meinem Ansinnen gefolgt und hierhergekommen seid.«

»In Ewigkeit, Amen«, murmelte das Mädchen verwirrt und trat in die kleine Ratsstube ein, in der der Stättmeister Gilg Senft und der alte Junker Gabriel Senft mit seinen Söhnen Gabriel und Rudolf in der Fensternische beisammenstanden. Vier Augenpaare richteten sich erwartungsvoll, anklagend, warnend auf die Vogelmannstochter, so daß sie am liebsten kehrtgemacht hätte, doch der Schultheiß führte sie zu einem leeren Stuhl und bat sie, Platz zu nehmen. Die Herren folgten ihrem Beispiel und warteten schweigend.

»Alles begann damit, daß sich im letzten Frühjahr die Beschwerden über Holzverluste häuften«, begann der Schultheiß, schritt langsam auf und ab und ließ den Blick abschätzend über die Gesichter wandern.

»Schon immer zogen arme Bauern so manch einen Stamm heraus, und es gibt nicht selten Zäune und Schuppen im Limpurger Land, die Flößermäler zieren, doch dies schien etwas anderes zu sein. Ich hatte nichts damit zu tun, es war auch nicht meine Aufgabe, mich darum zu kümmern, doch bei mehreren ausführlichen Gesprächen mit Jungfrau Anne Katharina, der Tochter unseres ehrenwerten, verstorbenen Sieders Claus Vogelmann, erfuhr ich Dinge, die mich aufhorchen ließen. Seitdem habe ich in so manche Akte gesehen und viele Dokumente und Siegel studiert. Doch ich glaube, es ist für alle Beteiligten am besten, wenn die gnädige Jungfrau uns ihre Gedanken selbst erzählt.«

Anne Katharina fühlte die Blicke auf sich, als sie sich erhob. Warum huschte dieses selbstzufriedene Lächeln über Junker Rudolfs Gesicht? Sie drückte die Handflächen auf den glatten, kühlen Tisch, um das leichte Zittern zu verbergen.

»Es führt zu weit, wenn ich erzähle, warum ich mich für den Flößer Dreifingerbert interessierte, denn seit einer Weile weiß ich, daß dies nichts mit dem Fall zu tun hat, über den wir heute sprechen. Jedenfalls vernahm ich bei einem Gespräch zwischen ihm und dem Junker Rudolf die Worte ›Weck von Aschen‹ und ›Stürz den Degen‹. Sie klangen so geheimnisvoll, daß sie mich neugierig machten. Einige Tage später sah ich den Flößer wieder und sprach ihn auf die merkwürdigen Worte an. Nun, seine Reaktion war, sagen wir mal, überraschend heftig. Er bedrohte mein Leben – meine Unschuld –«, sie errötete, fuhr jedoch fort: »Hätte er damals gleichgültig getan und mir schulterzuckend gesagt, es handle sich um Namen von Mälern, nun, ich hätte das Ganze wohl vergessen, doch so? Vom Haalschreiber erfuhr ich, daß die Mäler

erst vor einem Jahr eingetragen worden waren und daß
sehr viel Holz mit diesen Zeichen ausgezogen wird. Im
Haalgericht sah ich, daß die Pachtländereien sehr klein
sind. Sie wurden von einem ehemaligen Knecht des Junkers Gabriel des Jüngeren gepachtet, der – wie merkwürdig – vor acht Jahren des Kaisers Aufruf zum Türkenkrieg
gefolgt ist und seitdem in Hall nicht wiedergesehen wurde. Einer der Schreiber erinnerte sich, daß der Mann, der
die Mäler eintragen ließ, an der linken Hand nur noch
zwei Finger hatte. Welch Zufall, daß dem Flößer Bert
ebenfalls drei Finger fehlen.
Sehr schnell wurde mir klar, daß hier in großem Stil Mäler
gefälscht wurden. Doch wer kaufte das gestohlene Holz?
Mein Bruder, der Sieder Ulrich Vogelmann, und sein
Lehnsherr Junker Gabriel der Jüngere!«
Der stattliche, gutaussehende junge Mann sprang auf und
rief erregt:
»Das ist eine infame Lüge, was sie hier andeutet! Will sie
uns wirklich glauben machen, ich würde mich mit ihrem
Bruder zusammen mit Holzdiebstahl abgeben? Das ist absurd! Warum sollte ich für die paar Münzen meine Ehre
beschmutzen?«
Der Stättmeister drückte ihn wieder auf seinen Stuhl.
»Setz dich, lieber Neffe, ich glaube, die Geschichte ist
noch nicht zu Ende.«
Anne Katharina sah zu Gabriel, der sie wütend anblitzte,
und dann zu Rudolf, der selbstzufrieden vor sich hinlä-
chelte.
»Verehrter Junker Gabriel, genau diese Gedanken kamen
mir auch. Warum solltet Ihr so etwas tun? Seid Ihr ver-
schuldet, und keiner weiß etwas davon? Oder wußtet Ihr
nicht, daß das Euch angebotene Holz gestohlen war?«
»Natürlich wußte ich das nicht! Und außerdem war es

Euer Bruder, der mir von dem günstigen Angebot erzählte«, fauchte er, doch Anne Katharina ließ sich nicht beirren.

»Ich kam also zu der Auffassung, daß der Junker unschuldig ist. Mein Augenmerk fiel auf seinen Bruder. Immerhin hatte ich ihn mit dem Flößer im Gespräch angetroffen. Doch auch wenn er ein jüngerer Bruder ist, Gulden hat er sicher genug. Was wollte er dann mit diesen Diebereien bezwecken? Ich will es kurz machen. Er war sich wohl bewußt, daß der Diebstahl eines Tages herauskommen muß, und es lag in seiner Absicht, daß man dann seinen Bruder verdächtigt. Egal, ob es zum öffentlichen Gesichtsverlust kommen oder die Peinlichkeit in der Familie vertuscht werden würde – die Ehre des Erstgeborenen wäre beschädigt, und der jüngere Sohn würde an Macht, Ansehen und an Geld gewinnen. Deshalb wolltet Ihr auch, daß ich zum Stättmeister gehe, nicht wahr?«

Das Lächeln gefror. Die Lippen wurden weiß und zu einem harten, dünnen Strich, die Selbstzufriedenheit wandelte sich in Wut. Röte stieg in Junker Rudolfs Gesicht, als er sie anfuhr:

»Verlogenes Biest, kleines Miststück, wie könnt Ihr solche Lügen verbreiten ...«

Der Stättmeister unterbrach ihn.

»Du bist jetzt ruhig und bleibst auf deinem Stuhl sitzen, bis du an der Reihe bist, etwas zu sagen!«

Der stolze Senftensohn sah seinen Oheim haßerfüllt an, doch er beherrschte seinen Zorn, so daß Anne Katharina leise fortfahren konnte.

»Ihr werdet in diesem Zusammenhang nirgends das Siegel Rudolf Senfts finden, doch um so öfter das von Junker Gabriel. Die Sache wurde sehr geschickt eingefädelt. Nicht er drängte seinen Bruder zum Kauf, er und sein

Knecht erzählten es meinem Bruder, der es wiederum dem älteren Junker, seinem Lehnsherrn, zutrug. Ja, und der dreifingrige Flößer Bert, der offiziell für Gabriel Senft und Ulrich Vogelmann arbeitet, zog fremde Stämme an Land, fälschte auf den winzigen Pachtländern die Mäler und trieb das Holz dann nach Hall. Er ist übrigens verschwunden und wurde seit einigen Tagen nicht mehr gesehen. Ich vermute, daß die Herren Richter keine Gelegenheit bekommen werden, ihn zu verhören …«

»… also ist alles nur ein wildes Gerücht, eine dumme Lügengeschichte«, mischte sich Rudolf ein. »Wie sie schon sagte, es gibt keine Unterschrift, kein Siegel von mir, doch jede Menge von ihm!« Anklagend zeigte er auf seinen Bruder, der sich langsam erhob.

»Rudolf«, Schmerz, Ungläubigkeit und Trauer zeigten sich in des Junkers Gabriel Miene, »wie gerne würde ich den Verdacht zurückweisen und den anderen ins Gesicht schreien: »Ihr tut ihm Unrecht. Er ist mein Bruder! Doch tief in meinem Inneren weiß ich, daß es so ist, wie die Vogelmannstochter gesagt hat. Warum? Warum hast du das getan?«

»Verschone mich mit deinem Getue! Du haßt mich doch so sehr wie ich dich. Ja, ich wollte dich von deinem hohen Roß stoßen und mich daran weiden, wie deine so hochgehaltene Ehre in Trümmer zerbricht und deine Welt voller ritterlicher Tugend zerfällt. Ich wollte es genießen, wie sie dich decken und alles zu vertuschen versuchen, dich jedoch von diesem Tag an jedesmal mit diesem verächtlichen, ungläubigen Blick ansehen!«

»Rudolf, du bist ein ehrloser Schelm«, sagte der Junker Gabriel leise, doch die Stimme durchdrang mühelos den Raum. Alle waren wie erstarrt, hielten den Atem an und konnten ihre Blicke nicht von dem Brüderpaar wenden.

»Du hast die Familienehre beschmutzt. Du bist ein erbärmlicher Feigling, der es nicht wagt, sich offen gegen mich zu stellen, und statt dessen solch einen schmierigen Betrug ausgeheckt hat.«

»Einen Schelm und Feigling nennst du mich?« Rudolf sprang vom Stuhl hoch und baute sich drohend vor seinem Bruder auf. »Nimm das sofort zurück!«

»Nein, denn es ist die Wahrheit«, erwiderte der Bruder immer noch kühl und ruhig.

In höchstem Zorn riß der Jüngere seine Handschuhe vom Gürtel und klatschte sie Gabriel rechts und links hart ins Gesicht.

»Ich werde offen gegen dich kämpfen und dich besiegen. Dann wirst du derjenige sein, der ohne Ehre ist, der sich nie wieder den Bart scheren, nie wieder ein Pferd besteigen wird. Gott soll entscheiden, und alle Bürger sollen es auf dem Marktplatz sehen!«

Der alte Vater sank in seinem Sessel zusammen, der Stättmeister sprang auf, der Schultheiß stieß einen erstickten Schrei aus, Anne Katharina starrte die Brüder nur mit weit aufgerissenen Augen an. Ein Gottesurteil! So etwas hatte es früher gegeben, darüber wurden Geschichten erzählt, doch die Zeit der Ritter war vorbei. Man lebte jetzt in einem hellen, neuen Zeitalter, in dem es für solche Rituale keinen Platz mehr gab. Die Männer redeten aufgeregt durcheinander.

»Das wird der Rat niemals genehmigen«, polterte der Stättmeister, »und wenn doch, dann verprügle ich euch persönlich vorher so den Hintern, daß ihr auf keinem Pferd mehr sitzen könnt. Zweikampf! Gottesurteil! So ein Unsinn!«

KAPITEL 34

Tag des heiligen Antonius,
Donnerstag, der 13. Juni
im Jahr des Herrn 1510

Zwei Tage hatten unzählige Tagelöhner und Knechte hart gearbeitet, um den Platz beim Marktbrunnen mit Sand zuzuschütten. Hölzerne Schranken waren aufgebaut und zwei Zelte errichtet worden. Auch eine Tribüne für die adeligen Zuschauer und für die Herren des Rats wurde rasch zusammengezimmert, und bequem gepolsterte Stühle wurden herbeigeschleppt. Gegen den Willen des Rates und trotz der heftigen Proteste von den Kanzeln herab sollte der Kampf um Ehr und Glimpf, das adelige Kampfgericht, heute stattfinden. Obwohl selbst der Bischof von Würzburg eilends ein Schreiben geschickt, gegen den Streit gewettert und dieser Art der Beilegung eines Zankes abgesprochen hatte, als Gottesurteil gelten zu können. Wenigstens hatten die Pfarrer und Prediger verhindern können, daß dieses veraltete Ritual aus kühnen Ritterzeiten am Sonntag abgehalten wurde, doch auch so würde sich genug neugieriges Volk einstellen, um dem Spektakel beizuwohnen.

Trotz der erbitterten Widerstände ließen sich die haßerfüllten Senftenbrüder nicht von ihrem Vorhaben abhalten. Die Vorbereitungen strebten ihrem Ende entgegen.

Schon stand in jedem der beiden Zelte eine Totenbahre bereit, von vier Kerzenhaltern umgeben. Auch an Stühle für die Sekundanten war gedacht worden.

Die Mittagsstunde war kaum eingeläutet, da strömten die Handwerker, Kaufleute, Knechte und Tagelöhner bereits herbei, um sich einen guten Platz zu sichern. Die Büttel und Wachleute hatten alle Hände voll zu tun, so manchen wilden Burschen zu bändigen, Streitereien zu verhindern und darauf zu achten, daß sich kein Weibsstück unter die Zuschauer mogelte, denn es galten die alten Regeln, die den Frauen und Kindern unter dem zwölften Lebensjahr das Zusehen strikt verboten.

So warteten die Menschen in der prallen Sonne, schwitzten unter ihren Wämsen und Kitteln, wischten sich die Schweißperlen von den roten Gesichtern und stellten Vermutungen an, welcher der Brüder den Kampf überleben würde.

»Ich sage, die gehen beide drauf«, ließ sich der dürre Binder Bißlin aus der Gelbinger Vorstadt vernehmen.

Der stiernackige Rotgerber Romig nickte zustimmend.

»Da kannst du recht haben. Ich habe gehört, daß das früher oft so war. Was ist eigentlich, wenn der Verlierer überlebt?«

»Der Verlierer darf keine Waffen mehr tragen, sich auf kein Pferd mehr setzen und sich den Bart nicht mehr scheren«, klärte sie einer der Haalschreiber auf.

Die Männer sahen einander an.

»Na, dann ist das für so einen Junker besser, er geht drauf«, meinte der Binder, und die anderen nickten zustimmend.

Als die Glocken von St. Jakob die *hora nona* einläuteten, trafen die Kämpfer in glänzenden Rüstungen, mit Schwertern und Schilden bewaffnet, auf dem Marktplatz ein. Vornweg ritt der ältere der Brüder, Junker Gabriel Senft, auf einem kräftigen weißen Wallach. Der bunte Büschel am Helm, in den Farben des Familienwappens, flatterte in der leicht auffrischenden Brise. Auch den Schild und die fast bis zum Boden herabhängende Schabracke des Pferdes schmückte das blauen Wappen mit dem schrägen, gelben Strich. In seinem Gefolge sahen die Menschen den alten Junker Keck, der sich als Grieswart angeboten hatte, den Prediger Brenneisen als des Junkers Beichtvater und den kahlköpfigen Bader Wüst vom Vorderbad.

Mit etwas Abstand folgte Rudolf Senft auf seinem feurigen Rappen, der ungeduldig wieherte und immer wieder vorn hochsteigen wollte, doch der junge Adelsmann hatte sein Pferd im Griff. Grüßend hob er das reich verzierte Schwert, dessen bläuliche Klinge makellos in der Sonne blitzte. Auch er trug das Familienwappen, hatte jedoch als Hintergrundfarbe Rot statt Gelb gewählt. Sein Sekundant war der Junker von Rinderbach, Vater der Jungfrau Helene, seiner Verlobten. Hinter ihm folgten der Beichtvater der Familie, der zappelige, dürre Medicus – wie üblich in verschwenderischer Pracht gekleidet – mit seinem Lehrbuben und ein paar seiner Freunde und Zechkumpane.

Gelassen nahmen die Streiter vor ihren Zelten Aufstellung, beobachteten mit unbeweglicher Miene, wie sich die beiden Sekundanten auf der Mitte des Platzes trafen, über Möglichkeiten der Versöhnung sprachen, Bedingungen austauschten, sie verwarfen, die Ansinnen der Gegenpartei zornig von sich wiesen und sich dann unverrichteter Dinge wieder trennten. Die Menge atmete auf. Welch Enttäuschung, wenn der spannende Kampf so kurz vorher durch eine unerwartete Versöhnung abgesagt worden wäre!

Knapp berichteten die Grieswarte den Kämpfern von ihrem vergeblichen Schlichtungsversuch. Die Geistlichen verschwanden kurz im Innern der Zelte, um die Kerzen zu entzünden, dann traten sie zu den Reitern, sprachen leise auf sie ein, beteten mit ihnen und segneten sie dann. Erst als die beiden Beichtväter zurücktraten, schritt der Schultheiß auf den sandigen Platz hinaus und erhob seine kräftige Stimme. Er sprach von der Beleidigung und forderte den Allmächtigen auf, sein Urteil zu fällen und dem Gerechten zum Sieg zu verhelfen. Dann, als er sich an die Menge wandte, wurde seine Stimme scharf.

»Keiner soll die kämpfenden Parteien zu beeinflussen suchen, sie weder unterstützen noch etwas zu ihrem Nachteil unternehmen. Wer durch Zuruf oder Wink einem der Kämpfer zu helfen versucht, dem soll der Henker die rechte Hand und den linken Fuß abhacken.«

Zur Bekräftigung der Worte schritt der wie üblich in leuchtendem Rot gekleidete Henker gemächlich über den Kampfplatz, präsentierte sein wuchtiges Beil und drehte sich langsam im Kreis, damit es auch alle sehen konnten. Die Männer verstummten und zogen die Köpfe ein. Nur hier und da war noch ein heiseres Flüstern zu vernehmen. Deutlich hörte man nun den Rappen ungeduldig schnauben.

Durch die Schlitze seines Helms beobachtete Rudolf die Zeremonie, verstärkte den Schenkeldruck, als das Pferd immer nervöser wurde, und zwang es zur Ruhe.

Und wer kann mich zur Ruhe bringen? Wer kann meine Nervosität besänftigen?

Es kam ihm plötzlich ungeheuerlich vor, in voller Ritterrüstung nur wenige Schritte entfernt seinem Bruder gegenüberzustehen und mit ihm einen Kampf um Leben oder Tod zu führen. Fast verwünschte er seinen heißen

Zorn, mit dem er ihm den Handschuh ins Gesicht geschlagen hatte, doch dann flackerte wieder der häßliche Neid in ihm auf.

Rudolf Senft betrachtete den Ritter auf dem Wallach am anderen Ende des Kampfplatzes abschätzend. Wer würde am Ende dieses Tages noch am Leben sein? Würden sie am Ende gar beide sterben und dieser Zweig der Senften Junker erlöschen? Würde seine Verlobte noch vor der Hochzeit zur Witwe? Wie kühl sie sich von ihm verabschiedet hatte, als würde sie ihm zürnen. Zum Glück weilte Ursula außerhalb der Stadt. Sie wurde ihm langsam lästig, sosehr er sie früher auch begehrt hatte. Zwar war er einem heimlichen, verschwiegenen Stelldichein niemals abgeneigt, und die zierliche Blonde hatte immer noch ihre Reize, doch er haßte Schwierigkeiten, Tränen, Bitten und Erpressungen. Nein, es wäre für ihn besser, wenn sie und das vermaledeite Kind dort blieben, wo sie jetzt gerade sein mochten.

Der Henker hatte seine Runde beendet und trat beiseite, der Schultheiß nahm seinen Platz auf der Tribüne ein. Eine gespannte Stille senkte sich über den Marktplatz, selbst der Wind flaute ab, und die Vögel schwiegen. Es war, als könne man den Atem jedes einzelnen vernehmen. Der junge Junker Rudolf straffte sich und umfaßte den Schwertgriff so fest, daß seine Knöchel unter dem gepanzerten Handschuh weiß wurden. Entschlossen preßte er die Lippen zusammen und konzentrierte sich auf seinen Gegner – nicht seinen Bruder –, er war nur noch ein Gegner, namenlos unter der schimmernden Rüstung, hinter dem geschlitzten Visier des Helms verborgen. Vergeblich versucht der junge Ritter den Haß und den grenzenlosen Zorn wieder in sich aufwallen zu lassen. Nun ja, vielleicht war kühle Distanz auch besser.

Der Junker kniff die Augen zusammen und starrte auf das winzige weiße Taschentuch. Einen Augenblick flatterte es noch in der behandschuhten Hand, dann flog es, vom wieder auflebenden Wind erfaßt, davon, hielt sich einige Augenblicke wie ein Schmetterling in der klaren Frühlingsluft, ehe es herabsank und den frischen Sand berührte.

Die Reiter gaben ihren Pferden die Sporen, hoben die Schwerter, preschten mit fliegenden Federbuschen aufeinander zu. Die langen Schabracken der Pferde bauschten sich, Sand wirbelte auf. Ein Raunen lief durch die Menge, als die Schwerter das erste Mal aufeinandertrafen, doch die Pferde trennten sich wieder, und beide Reiter saßen noch unverletzt im Sattel. Rasch wendeten sie am Ende der Bahn, trieben die Pferde wieder aufeinander zu. Dieses Mal täuschte Rudolf einen hohen Schlag an, stach dann aber blitzschnell nach des Gegners Beine, traf jedoch nur die Kniekachel und fing Gabriels Hieb mit dem Schild ab. Immer noch schienen beide Gegner unbeschadet.

Erneut ritten sie aufeinander zu, doch kurz bevor sie zusammentrafen, riß der Junker Gabriel sein Pferd zurück, so daß ihn der Streich seines Bruders verfehlte. Für einen Moment brachte der hart angesetzte Schlag, der, ohne auf Metall zu treffen, ins Leere ging, Rudolf aus dem Gleichgewicht, und bevor er sich fassen konnte, sauste seines Bruders Schwert herab. Schützend hob Rudolf den Schild, doch die Klinge krachte so heftig dagegen, daß der Schild ihm aus der Hand fiel. Das Schwert schlug hart gegen Rudolfs Unterarm, zerbeulte die Schutzröhre, schnitt ihm den Arm auf und streifte sein Pferd. Sofort stieg der Rappe vorn hoch, wieherte vor Schmerz und warf seinen Reiter in den Sand. Mit einem Sprung setzte der Wallach über den Gestürzten hinweg, doch Rudolf hatte sich schon abgerollt und stieß geistesgegenwärtig zu. Der Schimmel stieß einen Schmerzenslaut aus und brach hinten ein. Schnell ließ sich Gabriel vom Pferd gleiten, ehe dieses den Ritter unter sich begraben konnte, blieb jedoch für einen Moment zu lang in den Steigbügeln hängen und schlug mit der linken Seite unsanft auf dem Boden auf, sein Helm traf hart das sandbestreute Pflaster. Für Mitleid mit dem armen Tier blieb keine Zeit. Gabriels Schädel brummte, sein Knie schmerzte, doch er hielt Schwert und Schild noch in den Händen. Gerade als er sich aufrappelte, drang Rudolf, der sich seinen Schild zurückgeholt hatte, auf ihn ein. Doch der Arm des Jüngeren war stark getroffen, kaum konnte er den Schild noch halten, geschweige denn starke Hiebe damit abfangen! Wütend warf der junge Junker den nutzlos gewordenen Schutz in den Sand und konzentrierte sich auf sein Schwert.

In Gabriel keimten Zweifel, ob er die Lücke nutzen und auf die ungeschützte Seite schlagen sollte, als die Spitze des gegnerischen Schwerts sein verletztes Knie traf. Enttäuschung, Wut und Trauer flammten in ihm auf.

Was habe ich erwartet? Daß Rudolf mich absichtlich schonen wird?

Kraftvoll und mit wilder Entschlossenheit schlug der Ältere auf des Bruders schutzlose linke Seite ein und fing dessen Schläge mit dem Schild ab.

Gebannt verfolgten die Zuschauer den Schlagabtausch, rissen die Münder auf und wagten kaum zu atmen. Beide Gegner waren verletzt, die Rüstungen verbeult und beschädigt. Blutige Flecken breiteten sich hier und da aus. Gabriel schien sein Bein zum Verhängnis zu werden, er konnte kaum noch stehen und den Streichen seines Bruders ausweichen, und auch der verbeulte Helm zeugte von seinem harten Sturz und einigen Treffern. Rudolf dagegen hatte nicht nur am linken Arm und an der Schulter schwere Verletzungen, auch sein Schwertarm war getroffen. Ein scharfer Schnitt zwischen dem Harnischhandschuh und der eisernen Stulpe am Handgelenk hatte ihm fast die Hand vom Arm getrennt. Er schwitzte, die salzigen Tropfen rannen ihm in die Augen, und er mußte blinzeln, um das Bild zu klären. Seine Schläge kamen immer langsamer und fahriger, der Griff um das Schwert lockerte sich, seine Deckung wurde schlechter. Da! Ein geschickter Streich seines Gegners löste den Bauchreifen an seiner linken Seite, riß ihm das Fleisch auf und ließ ihn unter dem stechenden Schmerz taumeln. Das Schwert entglitt seinen Händen. Es war ihm, als verginge eine Ewigkeit, bis es im aufspritzenden Sand aufschlug und liegenblieb. Rudolf schloß die Augen und wankte einige Augenblicke, dann kippte er, die Hände auf die Bauchwunde gepreßt, mit einem Seufzer rückwärts um und rührte sich nicht mehr. Hellrot quoll das Blut zwischen den eisernen Fingern hindurch und tropfte in den Sand.

Gabriel machte einen Schritt nach vorn, knickte jedoch ein. Das Knie versagte ihm endgültig seine Dienste. Vor seinen Augen wurde es dunkel, doch mit einem heftigen Kopfschütteln vertrieb er die herannahende Ohnmacht, stützte sich schwer atmend auf sein Schwert und betrachtete seinen Bruder, der wie ein unbeholfener Käfer auf dem Rücken lag. Eine tiefe Traurigkeit erfaßte den Junker. Sollte er ihn nun töten, den Gegner, der ihn beleidigt hatte? Den Bruder, dem er in der Kindheit so oft den Hintern versohlt hatte? Die Schwärze griff erneut nach ihm, nahm ihm die Sicht, doch dieses Mal kämpfte er nicht dagegen an. Er ließ sie in sich hochsteigen, sah, wie sich die Welt verdunkelte, spürte, wie ihm das Gefühl aus Armen und Beinen wich, und fiel dann mit einem Seufzer zur

Seite, das Schwert noch in der Hand. Der Kampf war zu Ende.

Einen Augenblick war es still, all die Menschen waren wie erstarrt, doch dann bückte sich der alte Gabriel Senft unter der Abschrankung hindurch und eilte zu seinen Söhnen. Der Stättmeister folgte ihm, brüllte nach dem Medicus, winkte die Büttel mit den Bahren herbei und rief nach dem Bader. Behutsam legten helfende Hände die beiden Verletzten auf den rauhen Stoff, trugen sie in ihre Zelte und lösten vorsichtig Riemen und Schnallen der verbeulten Rüstungen. Visierhelm, Nackenschirm, Harnischbrust und Bauchreifen polterten achtlos zu Boden. Der Bader Wüst sah, daß der ältere der Brüder bereits wieder bei Bewußtsein war.

»Ist es vorbei? Lebt er noch?«

Der glatzköpfige Riese nickte, obwohl er nicht wußte, wie es auf der anderen Seite des Platzes aussah.

»Es scheint ihn aber schlimmer getroffen zu haben als Euch«, fügte der Bader nach einer Weile hinzu. Sorgfältig untersuchte er die Beinwunde des Junkers, nickte dann zufrieden.

»Das kriegen wir wieder hin. Na ja, vielleicht wird das Knie etwas steif bleiben …«

Der Junker konnte ihn nicht mehr hören, denn eine weitere Ohnmacht hatte ihn bereits wieder in die Finsternis zurückgezogen.

»Hat ganz schön was auf die Kapuze bekommen, der Herr Junker«, murmelte der Bader und ließ seine Finger vorsichtig über Stirn, Schläfen und den braunen Haarschopf wandern. Zu seiner Erleichterung fand er den Schädelknochen unversehrt.

Auf der anderen Seite des Platzes konnte noch keine Entwarnung gegeben werden. Mit spitzen Fingern entfernte der Medicus Bauchreifen und Beintaschen, schnürte das Kettenhemd auf und zerschnitt den gepolsterten Wams. Kopfschüttelnd betrachtete er den tiefen, stark blutenden Stich im Unterleib.

»Haltet ihm doch endlich die Arme fest!« fuhr er die untätig Herumstehenden an, ehe er mit seiner Untersuchung fortfuhr. Ein leichtes Lächeln spielte um seine Lippen, als er sich davon überzeugte, daß Leber und Milz unversehrt waren. Die Schmerzensschreie des Verletzten hörte er nicht.

»Steckt ihm ein Holz zwischen die Zähne, empfahl er, bevor er ein graues Pulver in Branntwein auflöste und dann in die Wunde goß. Der verletzte junge Mann bäumte sich auf und stieß ein gurgelndes Geräusch aus, die Augen verdrehten sich, wurden starr, dann erschlaffte der Körper, und die Lider sanken herab.

»Mein Sohn! Ihr habt meinen Sohn getötet!« schrie der alte Gabriel, ließ seinen Stock fallen und schüttelte die kleine Gestalt des Medicus, daß dessen Kopf wild hin und her schlug. Der Stättmeister und der Schultheiß rissen den alten Mann zurück, erstaunt, welche Kraft noch in dem Gichtkranken steckte.

»Unsinn«, fauchte das kleine Männchen und rückte sich sein Gewand wieder zurecht. »Wenn es hier Tote gibt, dann haben sich Eure Söhne gegenseitig umgebracht. Im Moment jedenfalls ist dieser nur bewußtlos, und ich würde gerne mit meiner Arbeit fortfahren, statt dauernd gestört zu werden.«

Er funkelte den alten Adelsmann aus seinen kleinen, schwarzen Augen an. Beschämt senkte dieser den Blick, murmelte eine Entschuldigung und ließ sich zu einem der Scherenstühle führen.

Der Medicus indessen tupfte noch einmal die Wunde sauber, nähte sie dann flink mit kleinen Stichen zusammen, bestrich die Naht dick mit einer Paste aus Schafsgarbe und Kamille, legte ein mit Johanniskrautöl getränktes Leinen auf und verband die Wunde fest. Dann wandte er sich leise summend den anderen Verletzungen zu, um auch diese zu säubern und zu verbinden.

»Doctore, bitte sagt, wird er wieder genesen?« fragte der alte Gabriel leise, seine Stimme zitterte.

»Nun, wenn kein Fieber auftritt, wenn sich kein Wundbrand bildet und das Fleisch nicht zu faulen beginnt …«

»Wenn, wenn«, keifte der Greis erregt. »Wird er gesund oder nicht?«

Das kleine Männchen kniff die Augen zu, strich sich über seinen gepflegten Kinnbart, sah zu dem Junker auf, der trotz seines Alters noch eine imposante Gestalt war, und lächelte dünn.

»In Anbetracht meiner Heilkunst und meiner Erfahrung, die ich in den vielen Jahren erworben habe, werde ich Eurem Sohn seine Gesundheit zurückgeben – wenn Gott nichts anderes für ihn bestimmt hat.«

Der Junker nickte. Mit seinen gichtigen Fingern zog er einen feinen Lederbeutel hervor, schnürte ihn so weit auf, daß die goldenen Münzen im Kerzenschein blitzten, und reichte den Beutel dann an seinen Knecht weiter.

»Gib dem Medicus, was er haben will, und dann bringt mir meinen Sohn nach Hause.«

Er strich dem Ohnmächtigen noch einmal über das bleiche Antlitz, umgriff seinen Stock mit dem Elfenbeinknauf fester und humpelte aus dem Zelt hinaus, um nach seinem Erstgeborenen zu sehen.

* * *

Was für ein Aufruhr in der Stadt! Zwei erwachsene Männer schlugen sich wie die schmutzigen Knaben auf den Gassen, doch dieses Mal ging es nicht nur um die Ehre, um eine Steinschleuder oder einfach die Lust, einen anderen zu Boden zu werfen und seine Nase bluten zu sehen. Dieses Mal ging es um Leben und Tod. Peter war natürlich zum Marktplatz geeilt, so wie all die anderen Männer auch, die ihre Arbeit stehen und liegen gelassen hatten, um dem Schauspiel beizuwohnen.

Ganz im Gegensatz zu Afra verspürte Anne Katharina kein Bedauern, daß es Frauen nicht gestattet war, dem Zweikampf zuzusehen. Sie packte ein paar frische Beeren und eine Schüssel mit honiggesüßtem Rhabarberkompott in ihren Korb und schlenderte zum Spital. Natürlich wollte auch der Großvater Einzelheiten über den Zweikampf wissen – Männer! Doch da sie die begehrten Nachrichten nicht liefern konnte, plauderten der ehemalige Richter und seine Enkelin über vielerlei Nichtigkeiten, bis eine der jungen Beginen ins Zimmer gestürmt kam.

»Sie sind verletzt, beide jedoch noch am Leben. Der Junker Gabriel ist schon nach Hause gebracht worden, seinen Bruder Rudolf hat es wohl schlimmer erwischt, doch der Medicus ist zuversichtlich, daß auch er überleben wird. Der Rat hat beschlossen, daß keiner der beiden besiegt wurde, doch der Streit hiermit ein Ende haben soll.« Nun mußte sie Luft holen, beschrieb dann jedoch die Verletzungen, als habe sie sie selbst gesehen.

Wie im Fluge hatten sich die Neuigkeiten über die Stadt verbreitet und noch weit über die Stadtmauern hinaus. Nun ja, Anne Katharina würde später sicher von Peter jede Einzelheit mehrmals berichtet bekommen.

»Ich muß jetzt gehen, lieber Großvater, um noch einige Besorgungen zu erledigen. Peter und ich wollen uns heute abend mit Ulrich zu Hause zum Nachtmahl treffen, um über alles zu reden …«

… und den Lügen hoffentlich endlich ein Ende machen. Ihr Herz war schwer. Würden sie irgendwann wieder eine Familie sein, oder war die Wahrheit so niederschmetternd, daß sie alles zerstören würde – die warme, gewohnte Welt, das Vertrauen und noch mehr Leben?

»Ja, geh nur, mein liebes Kind.«

Sie küßte dem alten Mann zärtlich auf die Wange, schloß leise die Tür hinter sich, schritt durch den langen Gang und trat dann auf den sonnendurchfluteten Hof. Aus der Wäschekammer im Gebäude gegenüber humpelte eine gebückte Gestalt, einen großen Korb voll Leinen in den Händen, der ihr sichtlich zu schwer war. Grüßend und ihre Hilfe anbietend, trat Anne Katharina näher.

Die alte Schwester beschattete ihre getrübten Augen und lauschte aufmerksam der jungen Stimme.

»Ihr seid die Enkelin des Richters, nicht wahr?«

»Ja, Schwester Dorothea, Anne Katharina.«

Die Alte nickte langsam, ließ sich den Korb aus den Händen nehmen und rieb sich dann stöhnend den gebeugten Rücken.

»Das ist sehr lieb von Euch, mein Kind.«

Hinkend schlurfte sie neben dem Mädchen her.

»Es ist für Euren Großvater ein Segen, daß Ihr ihn so häufig besucht. Auch wie Ihr Euch der Senftenmagd angenommen habt, der armen Sünderin, hat dem Herrn sicher gefallen, denn auch er rief die Ehebrecherin und die Hure zu sich.«

Sie seufzte, versank in ihre Erinnerungen und schien für einige Zeit in einer ganz anderen Welt zu weilen. Langsam humpelte sie hinter Anne Katharina her und überquerte mit ihr bedächtig den Hof zum Krankensaal.

»Ihr wart es doch auch, die das arme Würmchen zum Kaplan getragen hat.« Sie seufzte wieder. »Auch wenn es ein Kind der Sünde war, stimmte es mich sehr traurig, so einen winzigen, leblosen Körper in Händen zu halten. Das süße kleine Mädchen zu waschen und wieder in seine Windel zu wickeln, um es dann der kalten Erde zu übergeben.«

»Junge«, korrigierte Anne Katharina zerstreut und setzte den schweren Korb auf einer Bank ab. »Es war ein Junge.«

Schwester Dorothea straffte sich.

»Aber nein, wenn ich es Euch sage.« Sie schien ein wenig gekränkt. »Meine Augen sind mit den Jahren zwar schwach geworden, doch mein Geist und meine Hände sind noch völlig in Ordnung, und daher sage ich Euch, ich habe die Leiche eines kleinen Mädchens gewaschen!«

In Anne Katharinas Kopf begann es zu schwirren. Die Gedanken jagten sich. Ein Mädchen! Sie wandte sich ab, ließ die alte Schwester stehen und versuchte, das Gehörte zu begreifen. Es war sicher, daß Marie einen Jungen geboren hatte, doch was für ein totes Kind hatte sie dann in den Händen gehalten und wohin war Maries Sohn verschwunden? Was hatte Els gesagt? Salomo, die Geschichte des Salomo! Die Hure wollte ihr Kind lieber der anderen geben, als daß es getötet würde – und wäre es nicht in dieser Welt, in diesem Winter zum Tode verurteilt gewesen?

»Vielen Dank für Eure Hilfe, mein Kind, und einen gesegneten Tag«, verabschiedete sich die Erblindende, »und sagt Eurem Bruder, dem Ratsherrn, es ist schön, daß er nach so langer Zeit den alten Herrn mal wieder besucht hat.«

Anne Katharina wandte sich mit einem Ruck um.

»Ulrich war hier?«

»O ja, ganz früh am Morgen, als ich das Nachtgeschirr des Herrn Richter holen wollte, saß er bei ihm.«

Was hatte das nun wieder zu bedeuten? Eine merkwürdige Vorahnung schnürte ihr die Kehle zu und jagte einen kalten Schauder über ihren Rücken. Es war wohl besser, sofort mit Ulrich zu sprechen. Mit gerafften Röcken eilte sie davon.

»Und dann noch die Freude, am selben Tag Eure Schwägerin hier zu treffen«, fügte die Alte noch hinzu, doch Anne Katharina hatte den Saal bereits verlassen, und so verflogen die Worte ungehört.

*   *   *

Anne Katharina war ihrem Bruder, seit er von seiner Reise mit Hermann Büschler zurückgekehrt war, bewußt aus dem Weg gegangen, doch jetzt drängte es sie, noch in diesem Augenblick mit ihm zu reden. Mit einem mulmigen Gefühl im Magen stieg sie über die schmutzige Treppe nach oben.

In der Stube war es stickig, es roch unangenehm nach ranzigem Fett und erkalteter Asche, der Boden war nicht gefegt und der Tisch klebrig von getrocknetem Wein, doch das störte den Hausherrn nicht. Er hatte die Magd, die säubern wollte, so rüde hinausgeworfen und die Tür mit einem kräftigen Tritt hinter ihr geschlossen, daß sie seither nicht mehr gewagt hatte, die Stube zu betreten.

Die schmutzigen Hemdsärmel hochgeschoben, die Ellenbogen auf den Tisch gestützt, den Kopf in den Händen vergraben, saß Ulrich Vogelmann schon seit Stunden da und bewegte sich nur, um immer mal wieder einen Becher Wein zu leeren. Längst hatte er aufgehört zu zählen, wie viele es schon waren. Düster starrte er vor sich hin, so sehr in seinen trüben Gedanken versunken, daß er das Öffnen der Stubentür nicht vernahm. Auch die leichten Schritte auf dem Dielenboden hörte er nicht. Erst als sich seine Schwester auf der Truhe ihm gegenüber niederließ, schreckte er auf und starrte sie aus blutunterlaufenen Augen verwirrt an.

»Was willst du? Mich wieder mit deinem vorwurfsvollen Blick strafen? Es ist doch noch nicht Abend, oder?«

Seine Schwester schüttelte stumm den Kopf. Erst nach einer Weile sagte sie leise:

»Ich versuche nur zu verstehen.«

»Warum alles so geworden ist? Warum wir in einem Strudel treiben und immer schneller in die Tiefe gerissen werden? Ich weiß es nicht. Auch der Wein kann mir nicht sagen, was ich falsch gemacht habe, doch er läßt es mich besser ertragen.«

»Wer den Felsblock ins Rollen bringt, darf über den Steinschlag nicht klagen!«

»Verstehen willst du? Nein, du willst doch nur deinen Haß, den du schon immer gegen mich hegst, nähren.«

Erstaunt hob Anne Katharina die Augenbrauen.

»Aber nein, es ist nur dein aufbrausendes, hartes Wesen, das mit jedem Tag schlimmer zu werden scheint, welches die Menschen dich ablehnen läßt.«

»Es war die Last eines trutzigen Turmes, die der Herr auf meine Schultern lud, als er unseren Vater so früh zu sich rief, doch ich war so arrogant, zu glauben, ich könnte all die Aufgaben bewältigen: unser Salz gewinnen, den Weinhandel stärken, die Ehre der Familie mehren, aus Peter einen fähigen Advokaten machen, dich zu einer sittsamen Frau erziehen und gut verheiraten, mit einer liebenden Gattin eine große Familie gründen … Und was habe ich erreicht? Unsere Ehre liegt im Schmutz, ich werde des Betruges und der Steuerlüge bezichtigt, und meine Geschwister haben im Zorn das Haus verlassen. Mein Sohn, auf den ich so viele Jahre gewartet habe, wurde mir genommen – ist nicht einmal mein, und meine Gattin ...« Er lachte bitter.

»Es war doch guter Wille in alldem, was ich tat, doch meine Strenge zu dir trieb dich in immer heftigeren Trotz, und ich mußte mit ansehen, wie du Regeln und Gebote mit Füßen tratst. Ich hoffte, durch eine Ehe würde es besser. Bei Peter war es die Milde, die ihn zu immer wüsteren Streichen trieb. Und als ich mich dann entschloß, ihn endlich einmal die Folgen seiner Tollheiten selbst ausbaden zu lassen, schickte ich ihn damit fast in den Tod ...«

Ungewollt berührt konnte Anne Katharina nicht verhindern, daß ihre Verachtung und ihre Wut ein wenig schmolzen, doch dann dachte sie an Ursula und die grausamen Schläge, die sie von ihrem Ehegatten hatte ertragen müssen, dachte an seine Lieblosigkeit und die anderen Weiber.

»Aber was ist mit Ursula?« unterbrach ihn seine Schwester. »Ich weiß, daß man Ehen nicht aus Liebe eingeht, doch ist Respekt und Freundschaft zuviel verlangt?«

»Respekt? Freundschaft? Ich habe sie bis zum Wahnsinn geliebt!«

»Du hast sie brutal geschlagen!«

»Ja, das war der Tag meiner größten Schwäche. Du wirst das nicht verstehen, doch ich konnte einfach nicht mehr. Ich habe sie so sehr geliebt und vom ersten Augenblick an begehrt. Ich dachte, das Paradies bereits auf Erden genießen zu dürfen, als ich sie zum Altar führte, doch die herbeigesehnte Wonne blieb mir versagt. Ich war geduldig mit ihr, hoffte, daß sie ihre Scheu bald überwinden werde, doch vergeblich. O ja, sie war schon immer die perfekte Tugend.« Er lachte bitter. »Sie versprach, klaglos ihre ehelichen Pflichten zu erfüllen und mir einen Erben zu schenken, mich zu ehren und mir treu zu gehorchen, mir das Haus zur steten Zufriedenheit zu führen – doch lieben könne sie mich nicht, denn ihr Herz sei für immer vergeben. Meine Hoffnung, sie für mich gewinnen zu können, schwand. Wie der größte Schurke kam ich mir jedesmal vor, wenn ich sie angespannt, leidend und mit zusammengepreßten Lippen in unserem ehelichen Bett liegen sah. Ich versprach, sie nicht mehr zu berühren, wenn wir einen gesunden Sohn bekommen würden, doch der Herr hatte kein Einsehen mit uns. Er verlachte unseren Schmerz, denn obwohl sie immer wieder schwanger wurde, konnte sie kein gesundes, kräftiges Kind gebären. Mein Wunsch, wenigstens mein Kind lieben zu dürfen und von ihm geliebt zu werden, wurde übermächtig.«

Anne Katharina nickte langsam. Der dichte Nebel lüftete sich allmählich und rückte die ganze Schmach und all den Schmutz ins grelle Sonnenlicht.

»Dann die überwältigende Freude über das Kind – und die Traurigkeit, sie endgültig verloren zu haben. Ich verstehe es immer noch nicht, warum es ab diesem Tag noch viel schlimmer wurde. Sie hat ihr Versprechen gebrochen, hat gelogen, Geld gestohlen, mich betrogen. Warum? Warum nur? Sie mußte doch keine Bücher fälschen …« Er schluchzte auf.

»Moment mal, Ursula hat das Geld genommen und die Bücher geändert?«

»Ja, sie hat versucht, meine Schrift nachzuahmen, und hat dadurch die ganze Familie in Schande gebracht. Warum hat sie mich nicht einfach um das Geld gebeten?«

Anne Katharina fühlte, wie ihr Mund trocken wurde.

»Vielleicht konnte sie dir den Grund nicht sagen, für den sie das Geld benötigte.«

»Du meinst, sie hat es ihrem Buhlen gegeben? Pah, der Junker hat Geld genug.«

»Rudolf Senft? Sie hat ihn angehimmelt, ja, doch mehr wird es nicht gewesen sein.«

Nun brach Ulrich in Tränen aus.

»Ich habe gesehen, wie sie sich mit ihm getroffen hat. Ich dachte, nach all diesen Jahren kann mich nichts mehr erschüttern, doch als sie ihm beichtete, daß David Maria sein Sohn ist … Alles, alles hat sie mir verwehrt«, schrie er in höchstem Schmerz. »Ihre Liebe, ihren Respekt und den Sohn.«

Anne Katharina saß ganz still. Sie hätte ihn trösten müssen, doch sie konnte sich nicht bewegen, war wie erstarrt, ihr Mund ausgetrocknet. Die letzten, schon brüchigen Mauern ihrer Welt stürzten in sich zusammen. An was konnte sie noch glauben? Wem ihr Vertrauen schenken?

»Es ist nicht so, wie du denkst«, sagte sie so leise, daß sie nicht sicher war, ob er es gehört hatte. »Heilige Jungfrau, vielleicht ist alles noch viel schlimmer.«

Langsam, wie plötzlich zur Greisin geworden, erhob sie sich und wandte sich zu Tür, drehte sich dort aber noch einmal um.

»Warum bist du nicht zu mir in den Turm gekommen?«

Erstaunt sah Ulrich auf.

»Du wolltest mich doch nicht sehen! In deiner größten Not hast du dich von deinen Brüdern abgewandt …«

»… hat Ursula dir das gesagt?«

Sie fühlte sich so müde, so schwer. Die Tränen brannten hinter ihren Augen, doch sie wollten nicht fließen, um den lähmenden Druck von ihr zu nehmen.

Schwankend stieg sie die schmutzige Treppe hinunter

und wankte wie eine Trunkene durch die Straßen, ziellos mit wirren Gedanken. Nach außen blind, stieg sie die Freitreppe hinauf, durchschritt die Kirchenhalle, kniete vor der kleinen Marienstatue in einer Nische nieder und betete still, um Ruhe und um eine Antwort zu finden. Der weise Salomo. Von Anfang an hatte sie die Lösung mit sich herumgetragen und sie nicht verstanden.

Anne Katharina wußte nicht, wie lange sie auf dem kalten Boden gekniet hatte, doch ihre Beine waren taub, als sie wieder aufsah und den leichten Schritten auf den großen Steinplatten lauschte. Das Mädchen blickte der in einen langen, schäbigen Umhang und ein dickes Schleiertuch gehüllten Gestalt nach, die in der Nische der Grablegungskapelle niederkniete. Am Haupt stand der betende Johannes, die leidende Jungfrau Maria hielt, die Hände gefaltet, das tränenüberströmte Antlitz ihrem toten Sohn entgegen, die anderen Frauen am Grab, Maria Jacobi und Maria Magdalena, teilten ihren Schmerz. Noch konnten sie nicht wissen, daß der Herr Jesu in drei Tagen schon aus seiner Gruft steigen und gen Himmel fahren sollte.

Nicht lange, da zog die verschleierte Frau vier dicke Wachskerzen unter ihrem leichten Mantel hervor, entzündete sie und kniete dann wieder nieder, um zu beten. Die Perlen des Rosenkranzes glitten leise klappernd durch ihre Hände.

Die Kerzen müssen ein Vermögen gekostet haben. Es muß eine sehr reiche oder sehr sündige Seele sein, für die sie bittet. Anne Katharina dachte nach, doch ihr fiel keine wichtige Persönlichkeit ein, die in den letzten Tagen plötzlich und ohne priesterlichen Beistand verstorben war und für deren Heil nun nur noch die Hinterbliebenen durch Kerzen, Gebete, Seelenmessen oder reiche Stiftungen sorgen konnten.

Merkwürdig, solch teure Kerzen in den Händen einer Frau, die sich keinen guten Umhang leisten konnte. Grübelnd beobachtete Anne Katharina die so vertrauten Gesten. Doch Ursula war weit weg, in Wimpfen bei ihrer Tante –

Bei allen Heiligen, sie ist zurückgekehrt!

Die Erkenntnis war so stark, daß kein Zweifel dagegen bestehen konnte. Das Mädchen sehnte sich danach, zu ihr zu laufen, ihre Hände zu fassen und zu hören, daß es für alles eine ganz einfache Erklärung gab, daß es nicht so war, wie es schien, doch der Boden hielt Anne Katharina fest und umklammerte ihre Knöchel.

Wozu die Kerzen? Wozu die Verkleidung?

Ihr Kopf begann allmählich wieder zu arbeiten, und als sich die verhüllte Gestalt erhob und dem schmalen Seiteneingang zustrebte, folgte ihr Anne Katharina in einiger Entfernung.

Ohne sich umzusehen, schritt Ursula auf das Langenfelder Tor zu, folgte erst ein Stück der befestigten Straße nach Süden und bog dann in einen kaum erkennbaren Pfad ein. Die dicht belaubten Bäume und das wuchernde Unterholz dämpften das Licht, so daß Anne Katharina Mühe hatte, die Schwägerin nicht aus den Augen zu verlieren. Zweige schlugen ihr ins Gesicht. Als der Hang steiler wurde, rutschte sie im feuchten Erdreich. Ranken krallten sich in den Stoff ihres Rockes. Ganz unvermittelt, als sie um eine Biegung kam, tat sich vor ihr eine kleine Lichtung auf, die an einer Felswand endete. Der Weg war zu Ende, aber Ursula nirgends zu entdecken. Erst nach einer Weile erkannte Anne Katharina, daß es sich nicht nur um eine natürliche Felswand handelte. Unter einer weit vorstehenden Felsplatte waren die Mauern so geschickt eingefügt und einige Sträucher so dicht aneinander gepflanzt, daß man das Häuschen nur mit Mühe erkennen konnte. Die schmale Tür, im Schatten halb verborgen, war einen Spaltbreit geöffnet. Mit klopfendem Herzen und weichen, zitternden Knien trat das Mädchen näher und spähte hinein. Die winzigen Fenster ließen nur wenig Licht in den kleinen Raum, so daß Anne Katharina ihre Schwägerin nicht sogleich entdecken konnte. Langsam lösten sich die Schatten auf und nahmen Konturen an.

»Du kannst ruhig hereinkommen. Ich habe schon lange bemerkt, daß du mir folgst.«

Zaghaft schob Anne Katharina die Tür auf und trat ein. Der strenge Geruch von unzähligen Kräutern trieb ihr Tränen in die Augen und reizte sie zum Niesen. Die Hände an die Nase gedrückt, sah sie sich neugierig um. Langsam gewöhnten sich ihre Augen an das Halbdunkel und enthüllten immer mehr der seltsamen Behausung, die an zwei Seiten direkt an die Felswand geklebt schien. Vor dem rauhen, hellgrauen Stein waren Regale errichtet, auf denen dicht an dicht Fläschchen, Krüge, Tiegel und Holzkästchen standen. In der Ecke zwischen Felswand und Außenmauer sah sie einen Ofen, primitiv aus kaum bearbeiteten Steinblöcken gemauert. Ein eiserner Kessel hing darüber, die Asche darunter glomm noch. Neben dem Ofen war eine Lagerstatt aus Decken und Fellen errichtet, die über Moos, Zweigen und Blättern ausgebreitet waren. Von der Decke hingen getrocknete Reisig- und Kräuterbündel herab, die einen süßlich-bitter betäubenden Duft verströmten. Das einzige richtige Möbelstück in der kleinen Hütte war eine schwere Eichentruhe, mit Eisenbändern und schönen Schmiedearbeiten in Lilienform verziert. Ursula lehnte sich neben dem Ofen an die Wand, die Hände auf dem Rücken verschränkt, und wartete geduldig, bis das junge Mädchen die seltsame Behausung ausgiebig gemustert hatte.

»Hier wohnt die alte Berta, die Hexe, nicht?«

Ursula nickte.

»Du bist so schlau und so neugierig, meine Liebe. Das allein wird dir zum Verhängnis werden«, sie seufzte traurig, »denn ich hege keinerlei Zorn gegen dich, das mußt du mir glauben.«

Anne Katharina ging nicht darauf ein, sondern fragte statt dessen mit brüchiger Stimme:

»Warum liegt dein kleines Mädchen in der kalten Erde beim Spital?«

»Er wollte einen Sohn, das weißt du doch. Was ist schon ein Mädchen? Nichts, gar nichts hätte sich geändert. Jede Nacht eine Ewigkeit des Grauens zusammen mit diesem nach Schweiß riechenden, ungehobelten Mann. Seine Hände auf meiner Haut.« Ursula schüttelte sich voller Ekel. »Wer weiß, ob ich je noch ein lebendes Kind zur Welt gebracht hätte.« Ihr Ton wurde schärfer. »Der Herr im Himmel ist mein Zeuge, ich habe immer nur um einen Sohn gebetet, doch all die Heiligen hörten nicht richtig zu. Der unzüchtigen Schlampe gaben sie den Knaben! Ich habe das Versehen nur korrigiert.«

Leichte Übelkeit stieg in Anne Katharina hoch, als sie noch einmal fragte:

»Warum mußte deine Tochter sterben?«

»Das fragst du?« Sie schien ehrlich überrascht. »Was hätte sie denn für ein Leben gehabt, als Kind einer ledigen, wegen Unzucht verurteilten, mittellosen Magd? Wie kannst du nur an so etwas denken. Das wäre eine Sünde gewesen! Doch so wurde das Würmchen getauft, starb ohne die kleinste Schuld und wurde sogleich von den himmlischen

Heerscharen empfangen.« Tränen traten in die himmel-
blauen Augen. »Glaube nur nicht, daß es mir leichtgefal-
len ist, doch was hätte ich denn anderes tun sollen, als ein
Kissen auf das winzige Gesicht zu drücken, bis der Atem
stockte. Nun ja, offensichtlich war es zäher, als ich dachte.
Ich habe um das Kind geweint und unzählige Rosenkränze gebetet. Es hat mir das Herz zerrissen, doch es war der
einzige Weg.«

»Und nun nennst du das Kind von Rudolf Senft und Marie deinen Sohn und läßt ihn ohne Taufe in tiefer Sünde
leben! Ja, jetzt verstehe ich, was Marie meinte, bevor sie
verschwand.«

Anne Katharina zitterte vor unterdrückter Wut.

»Ja«, nickte Ursula, »das war ein großes Problem. Ich
konnte ja nicht zu einem der Pfarrer gehen und das Kind
noch einmal taufen lassen. Doch sei unbesorgt und sieh
mich nicht mit solchem Grimm an, es ist alles in Ordnung.«

Mißtrauisch zog Anne Katharina die Augenbrauen hoch.
»Was ist in Ordnung?«

»Es ist getauft und wird nicht von Gott verstoßen! Nachdem die dumme Els unbedingt bei deinem Oheim beich-
ten mußte und er daher Bescheid wußte, ließ ich ihn das
Kind taufen. Ich habe ihm alle meine Sünden gebeichtet,
doch er wollte nicht stillschweigen, obwohl das seine
Pflicht gewesen wäre. Zum Schultheiß wollte er gehen!
Die Familienehre beschmutzen.«

Anne Katharina stieß einen erstickten Laut aus, doch Ursula fuhr unbeirrt fort.

»Du verstehst doch, daß er nicht am Leben bleiben durfte.« Ursula sah ihre junge Schwägerin flehend an. »Mir
blieb keine andere Wahl, und er wehrte sich nicht! Der
Stich in den Rücken war nicht tief. Er wandte sich zu mir

um und sah mich nur an. Wie das Opferlamm wartete er auf den tödlichen Stich.«

Der Magen des Mädchens begann sich zu regen, doch sie beachtete das säuerliche Brennen nicht.

»Und bei Els hattest du natürlich auch keine andere Wahl!«

Ursula überhörte den Sarkasmus.

»Aber ja, sie dachte, daß es nur einen Austausch gibt, das törichte Weib, und kam dann hinterher plötzlich mit ihrem Gewissen daher.«

»Deshalb hast du ihr auch Geld bezahlt, und als das nichts nutzte, sie von Rudolfs Knecht bedrohen lassen!«

Nun war Ursula wirklich erstaunt.

»Du weißt sehr viel.«

»Und hast du ihn dann geschickt, sie zu erstechen?«

»Alfred?« Sie lachte glockenhell. »Der konnte sich zwar aufplustern wie ein Kampfhahn, doch wenn es ernst wurde, bekam er feuchte Hosen. Nein, ich mußte alles selber machen. Ich hätte sie ja sauber und einfach mit einem Becher Wein ins Fegefeuer geschickt, doch sie besaß die Unverschämtheit, mir zu sagen, daß sie in meiner Gegenwart nichts anrühren würde. Da wurde ich zornig. Ich wußte, daß es sein mußte, und trotzdem zitterten mir die Knie, als ich hinter ihrem Rücken das lange Küchenmesser ergriff. Es ging so einfach. Ich war ehrlich erstaunt, wie leicht es ist, einen Menschen zu erstechen. Ich geriet in einen Rausch. Das ganze Blut! In mir war plötzlich soviel Wut und verzehrender Haß, zusammengesetzt aus unendlich vielen Demütigungen, aus unzählbar vielen nicht gesagten Worten, geschluckten Erwiderungen, nicht geweinten Tränen. Ich habe meinen Eltern nie widersprochen, habe den Mann geheiratet, den sie mir aussuchten, habe nie die Stimme erhoben, nicht gezankt, nicht gezetert, niemals aufbegehrt. Nicht so wie du, die du fast täglich auf schändliche Weise mit deinem Bruder streitest. Ich habe meine Wut unterdrückt, sie mit Tugend und Bescheidenheit bedeckt. Els' Blut an meinen Händen war meine Befreiung!«

Ihre Augen glänzten fiebrig rot und flackerten verklärt. Das Böse, das Anne Katharina immer wieder gespürt hatte, schwebte nun beinahe greifbar in der stickigen Luft zwischen ihnen beiden.

»Ich wollte nicht in diesen alles vernichtenden Strudel geraten, der sich immer schneller dreht und immer mehr Opfer fordert. Es war nicht meine Schuld. Baumann, der alte Narr, bedrängte Ulrich heftig und ließ ihm nur die Wahl, selbst die Schuld auf sich zu nehmen oder denjenigen zu opfern, der die Bücher gefälscht hat. Er wollte die ganze Familie in Unehre stürzen! Als ich das hörte, wußte ich, daß ich schnell handeln mußte. Leider hat Sara, das dumme Weib, gesehen, wie ich die schwarze Katze erschlug. Und da sie mich einmal zu Berta begleitet hatte, zog sie ihre Schlüsse. Weißt du, wenn ein Ratsherr ermordet wird, dann braucht man auch einen Sünder, der dafür büßt. Sara war die naheliegende Lösung des Problems, und so hat alles seine Ordnung.«

Sie ist besessen, von den Dämonen der Hölle getrieben. Unwillkürlich trat Anne Katharina einen Schritt zurück.

»Dein Kind, Els, Ratsherr Baumann, seine Magd, Oheim Bernhart, Marie, der Knecht Alfred – all diese Leben hast du vernichtet?! Selbst mich hast du zu vergiften versucht. Wie kannst du auch nur einen Augenblick mit deinem Gewissen zusammensein? Drückt dich die Angst vor deinem Ende nicht nieder? Wenn die Dämonen dich zu deiner letzten, ewigen Reise holen?«

»O nein, ich brauche mir keine Sorgen zu machen. Was

glaubst du wohl, für was ich das viele Geld benötigte und warum ich in den letzten Wochen so viele Stunden beim Gebet zubrachte? Nicht nur für die Seelen der Toten stiftete ich Kerzen, stets betete ich für ihr und für mein Seelenheil. Für jede meiner Sünden erstand ich einen Ablaßbrief – und für einen Teil empfing ich Absolution von deinem Oheim!«

»Du hast bei Oheim Bernhart erst gebeichtet, dir die Absolution geben lassen und ihn dann ermordet?«

»Aber ja, das war das einzig Sinnvolle.«

Es klang so natürlich leicht, als plaudere sie über Putz oder Naschwerk.

»Du brauchst dir keine Sorgen zu machen, Liebes«, fuhr Ursula fort, »auch für dich, deinen lieben Großvater und deine Brüder ist Vorsorge getroffen. Die größten und teuersten Kerzen, die ich finden konnte, habe ich für euer Heil gestiftet.«

»Danke, ich glaube nicht, daß wir die nötig haben, schließlich sind wir noch am Leben. Denke nicht, daß du Gelegenheit haben wirst, diesen Wahnsinn fortzusetzen.« Sie schien ehrlich belustigt.

»Du bist ja doch nicht so schlau, wie ich dachte, denn dieses Mal bist du im Irrtum. In diesem Augenblick liegen deine Brüder bereits tot in der Stube. Der Wein für beide ist schon lange vorbereitet. Auch das Spital besuchte ich heute schon und brachte dem Großvater ganz besonders feinen Honigkuchen, den er eigentlich mit dir zusammen verzehren sollte, doch nun muß ich mir für dich etwas anderes ausdenken.«

»Du lügst!« schrie Anne Katharina, bebend vor Angst und Zorn.

»Warum sollte ich lügen? All die vielen Jahre tat ich meine Pflicht, heiratete deinen Bruder, obwohl mein Herz bereits vergeben war, erfüllte ohne Klage meine ehelichen Pflichten und nahm all die Widrigkeiten auf mich, um ihm den Sohn zu geben, den er begehrte. Glaubst du, es war angenehm, diesen Blick der Begierde auf der nackten Haut zu spüren, diese feuchten Küsse, den heißen Atem? Meinst du, es macht Freude, neun Monate voller Qual den schwellenden Leib zu tragen, nur um dann mit Verachtung gestraft zu werden, weil es nur ein kränkliches Mädchen geworden ist? Ich hielt mein Eheversprechen, doch was tat er? Statt mich dafür zu ehren, beschimpfte und schlug er mich! Es war doch nicht meine Schuld, daß alles so außer Kontrolle geriet. Nur Gott der Herr weiß, warum ich meinem Ehegatten keine wärmenden Gefühle entgegenbringen konnte.«

Tränen quollen aus ihren Augen und rannen über die bleichen Wangen.

»Es war diese Liebe, diese alles verbrennende Liebe in mir, die ich mir nicht aus dem Herzen reißen konnte. Ich habe alles versucht, gegen sie angekämpft – vergeblich. Ich sah immer nur sein Gesicht, hörte seine Stimme. Ja, ich roch sogar sein Parfüm. Wie konnte ich da etwas für deinen Bruder fühlen? Der Schmerz ist unbeschreiblich. Es ist, als zerrten tausend Teufel an meiner Seele. Welch schlimmeres Schicksal kann es geben, den innig und über alles Geliebten nur von Ferne sehen zu dürfen und statt dessen in die Arme eines anderen gezwungen zu werden?« Ursula schluchzte auf. »Ich kann nicht mehr kämpfen. Ich bin am Ende meiner Kräfte! Ich muß dem Drängen in mir nachgeben und ihm folgen.«

»Du sprichst von Liebe?« ächzte Anne Katharina.

»Ja, von nun an lasse ich nur noch mein Herz sprechen. Ich habe Rudolf meine Liebe versichert. Er wartet auf mich. Morgen bin ich frei und so reich, daß auch die stolze Junkersfamilie nichts gegen unsere Verbindung einwenden kann. Wir werden seinen Sohn aufziehen, und das Glück wird sich mir endlich zuwenden. Nach so vielen Jahren Leid werde ich alle Fesseln abwerfen und frei sein, frei, in unserer blühenden Liebe meine Erfüllung zu finden.«

Sie lächelte verklärt, doch dem Mädchen war es, als sehe sie den Gehörnten leibhaftig vor sich.

»Du bist besessen! O Gott, Großvater, Peter, Ulrich! Ich muß zu ihnen.«

Die furchtbare Wahrheit umschlang sie kalt. Anne Katharina drehte sich um, stieß die Tür auf, doch da war Ursula schon hinter ihr und riß an ihren Zöpfen, so daß sie strauchelte und nach hinten fiel. Ehe sich das Mädchen wieder aufrappeln konnte, kniete die Schwägerin schon auf seiner Brust. Eine lange, scharfe Klinge schimmerte im trüben Licht. Die Spitze des Dolches bohrte sich in Anne Katharinas Brust. Ein paar Blutstropfen quollen durch das schwarzsamtene Mieder.

»Ich mag dich wirklich«, flüsterte Ursula rauh unter Tränen. »Gerade weil du so klug bist, wirst du verstehen, daß ich dich töten muß. Bitte verzeih mir. Du würdest deine Familie rächen und mir nie meinen Frieden lassen. Glaube mir, es ist nicht wegen des Siedens, das gönne ich dir von Herzen. Aber ich kann es nicht zulassen, daß ich so kurz vor meinem Ziel scheitere. Verstehe doch, es ist wegen Rudolf, ich brauche ihn, und ich muß zu ihm.«

Anne Katharina fühlte den stechenden Schmerz in ihrer Brust. Der Druck auf die kalte Spitze, die jeden Moment ihr Leben beenden konnte, verstärkte sich. Das Mädchen schloß die Augen und versuchte zu beten, doch es fielen ihr keine Worte ein.

Worauf wartet sie noch?

»Ich werde für deine Seele eine Messe lesen lassen, für dich beten, jeden Tag, damit du schnell vom Fegefeuer befreit wirst und Gott in seiner ganzen Herrlichkeit schauen darfst ...«

Die Stimme brach ab. Ein Poltern und Krachen, ein spitzer Schrei. Das Gewicht auf Anne Katharinas Brust verschwand, das Mädchen wurde hochgehoben und von starken Armen an eine breite Brust gepreßt.

»Mein armes Kind, mein Schatz, mein Augenlicht«, murmelte die tiefe Männerstimme bewegt. »Ich hatte solche Angst, zu spät zu kommen.«

Noch völlig verwirrt, daß sie ihrem Schöpfer nun doch noch nicht gegenübertreten sollte, öffnete Anne Katharina die Augen und sah zu ihrem Retter hoch. Die an der Steinwand zu einem Bündel zusammengesackte Gestalt bemerkte sie nicht.

»Ich habe dich so sehr vermißt!« flüsterte der Pater bewegt. Eine Träne schlich über das gütige Gesicht, in dem sich die leichten Falten allmählich vertieften.

Verwirrt befreite sich das Mädchen aus der Umklammerung und wollte schon einen Schritt zurücktreten, um von dieser flammenden Liebe nicht erdrückt zu werden, doch die Sehnsucht, die sie Wochen und Monate unterdrückt hatte, brach den aufgeschütteten Damm und schwemmte ihn davon. Schluchzend krallte sich Anne Katharina an die rauhe Kutte, preßte die Wange an die starke Brust und ließ den Tränen freien Lauf.

»Ja, weine nur, mein Kleines, es ist vorbei.« Sanft streichelte er ihr Haar, ihre Wangen, ihren bebenden Rücken.

Hinter ihnen regte sich etwas, doch die beiden bemerkten ihre Umgebung nicht mehr. Das zusammengesackte Bündel streckte sich und erhob sich langsam. Blut rann über Stirn und Schläfen. Weiß traten die Fingerknöchel hervor, als die Besessene den Dolch fest umklammerte.

»Du verfluchter Mönch«, flüsterte sie kaum hörbar. »Du schmutziger Sünder, legst deine Hände an eine unschuldige Jungfrau. Dafür sollst du in der Hölle schmoren!«

Schwankend, doch schneller, als man es ihr in diesem Zustand zugetraut hätte, trat sie heran und hob die scharfe Klinge, bereit, sie in den breiten Rücken zu stoßen. In diesem Moment sah Anne Katharina auf und schrie gellend. Der Pater warf sich zur Seite und zog das junge Mädchen mit sich. Tief fuhr die Klinge in seinen Arm. Der grobe Stoff färbte sich dunkel. So schnell sich der Pater auch aufrappelte, um der Wahnsinnigen das Messer zu entwinden, jemand anderes war schneller. Ein dicker, knorriger Ast sauste herab, traf den Hinterkopf der jungen Frau und brachte sie mit einem häßlichen Knirschen zu Fall. Die Wucht des Hiebes war so stark, daß die Knochen des Schädels nachgaben. Noch bevor Ursula Baumgärtner, Ehefrau des Ratsherrn Ulrich Vogelmann, mit einem dumpfen Schlag auf dem Boden aufprallte, war sie bereits tot.

»Ich dulde keine Morde in meiner Hütte«, schnarrte die gebückte Alte, den Prügel noch in den Händen, und sah mitleidslos auf die Tote herab. »Außerdem hat sie für ein Menschenleben mehr als genug Schaden angerichtet.«

»Ihr seid die Hexe Berta?!« keuchte Anne Katharina und ließ sich von Pater Hiltprand auf die Beine helfen.

Das bucklige Weiblein lachte.

»Ja, es hat viel Zeit und Arbeit gebraucht, bis ich endlich dem Bild der alten Hexe entsprochen habe, doch nun geht mein Name geflüstert von Ohr zu Ohr, und immer mehr ehrenwerte Haller suchen mich mit ganz speziellen Wünschen auf, die ihre Heiligen wohl kaum erfüllen würden.«

Sie richtete sich zu ihrer vollen Größe auf und sah plötzlich gar nicht mehr alt und gebrechlich aus. Ihre Augen funkelten.

»Doch so eine Besessene wie die ist mir bisher noch nicht untergekommen.«

Respektlos stieß sie mit ihrem plumpen Schuh der Toten in die Seite.

»O Gott, meine Brüder, der Großvater, wir müssen sie retten!« rief Anne Katharina plötzlich und zerrte an der verschlissenen Kutte.

Pater Hiltprand preßte eine Hand auf die stark blutende Wunde.

»Ja, laß uns gehen.«

Er schob das junge Mädchen vor sich her ins Freie, die Alte folgte leise lachend. Am Ende der Lichtung drehte sich der Pater noch einmal um.

»Sie werden dich verhaften, peinlich befragen und hinrichten.«

Die Hexe Berta nickte.

»Ja, das werden sie, wenn sie mich kriegen, doch ich wollte schon lange weiter nach Süden ziehen. Eine günstige Gelegenheit, meint ihr nicht auch Pater?«

Ihr Lachen begleitete Vater und Tochter, als sie den Hang hinaufhasteten, und schien – von jedem Baum und Busch, von jedem Tier des Waldes getragen – den beiden bis zur Straße zu folgen.

* * *

Die Stille war fast greifbar, als Anne Katharina zaghaft die Tür zu ihrem Elternhaus öffnete.

»Peter? Ulrich?«

Keine Stimmen erklangen aus der Stube, kein Klappern

drang aus der Küche. Die Angst vor der schrecklichen Wahrheit schnürte ihr die Kehle zu, als sie Stufe für Stufe die staubige Treppe hochstieg. Ihre Hand krampfte sich um die geschwungene Klinke, doch ihr Arm weigerte sich, seine Pflicht zu tun. Nur ihr Herzschlag und ihr schneller Atem waren zu hören. Vielleicht hatten sie sich ja versöhnt und waren zusammen ins Wirtshaus gegangen, saßen irgendwo in der Stadt auf einer rohen Holzbank und prosteten sich gegenseitig zu. Vielleicht saßen sie aber auch kalt und still hinter dieser Tür und würden nie wieder die Augen öffnen, nie wieder lachen und die Sonne auf ihrer Haut spüren. Sie mußte es wissen, jetzt! Noch einmal holte Anne Katharina tief Atem, dann stieß sie die Stubentür auf.

Er lag auf dem Rücken in einer Weinlache, der zerbrochene Krug neben sich, die Hände zu Fäusten geballt, die Augen geschlossen, das Gesicht zur Grimasse entstellt.

Anne Katharina kniete sich nieder und nahm die kalte Faust in ihre Hände. Ihre Lippen zitterten.

»Ach, Ulrich, auch wenn soviel falschgelaufen ist, ich weiß jetzt, daß du es gut machen und für uns alle das Beste erreichen wolltest. Wir haben aneinander vorbeigelebt und uns nie verstanden. Würde der Allmächtige uns doch eine zweite Chance geben! So vieles möchte ich dir noch sagen …«

Behutsam legte sie die Fäuste, die sich nicht zum Gebet falten lassen wollten, auf der Brust nebeneinander. Sanft hauchte sie einen Kuß auf die Stirn und erhob sich dann.

Ein polterndes Geräusch ließ sie herumfahren.

»Peter! Der heiligen Jungfrau sei gedankt, du lebst«, stieß sie aus und stürzte auf ihren jüngeren Bruder zu, der mit zwei Eimern Wasser in den Händen die Stube betrat. Sie umarmte ihn und kniete dann wieder neben Ulrich nieder. Tränen stürzten in ihre Augen und rannen über ihre Wangen. Peter schüttelte unwillig den Kopf.

»Was soll das, du hysterisches Geschöpf? So tragisch ist das nun auch wieder nicht.«

Ein Schrei der Entrüstung entfuhr ihren Lippen. Abwehrend hob das Mädchen die Hände, als Peter den eiskalten Inhalt eines Eimers über seinen älteren Bruder goß.

»Wie kannst du nur so herzlos und respektlos …« Der Rest blieb ihr im Hals stecken, als ein Zittern durch den Körper des Reglosen lief, die Augen flatterten und sich dann öffneten.

»Verflucht«, lallte Ulrich, rollte sich unbeholfen auf die Seite und erbrach sich. Mühsam wischte er sich mit dem Ärmel über den Mund, sah seine Geschwister fragend an und erhob sich dann schwankend.

»Wo is' denn der verdammde Grug, den die Schlambe mir gebrachd had?« Er taumelte, hielt sich dann jedoch an der Tischkante fest. Sein Blick wanderte über den Boden und blieb an den Tonscherben hängen.

»Rundergefallen, das dumme Ding. Nich' mal der Wein von ihr daugt was«, murmelte er mit schwerer Zunge.

Anne Katharina starrte ihn sprachlos an. Der Schock über seinen vermeintlichen Tod und dann die unerwartete Wiedererweckung lähmten sie völlig.

»Wie kann man nur so gräßlich besoffen sein«, schimpfte Peter, dem dieser Zustand nicht unbekannt war, und goß mit Genuß den zweiten Eimer über seinen älteren Bruder, der nun langsam wieder zu sich kam. Die Schamröte stieg ihm ins Gesicht, als er sich in der Stube umsah.

»Ich – wir müssen unser Gespräch verschieben. Ich hole die neue Magd, damit sie die Stube säubert, und gehe dann ins Bad und …«

Anne Katharina griff nach seiner Hand.

»Ich bin froh, daß du noch lebst. Laß dir Zeit, wir müssen schnell zum Spital.«

Sie ergriff Peters Hand und zog ihn hinter sich her die Treppe hinunter.

»Daß ich noch lebe?« Ulrich runzelte die Stirn. »Hat sie gedacht, ich hätte mich totgesoffen?«

* * *

In der spartanisch eingerichteten Kammer des ehemaligen Richters im Spital saßen zwei alt gewordene Männer und hielten sich an den Händen. Die zwölf Jahre, die zwischen ihnen lagen, waren mit der Zeit verwischt worden.

»Ich danke dir, mein Freund, ich danke dir. Anne Katharina ist das Licht in meiner traurigen Finsternis. Ich hätte es nicht ertragen, sie zu verlieren.«

Pater Hiltprand drückte die Hand in der seinen.

»Ich auch nicht, und ich werde sie daher nicht wieder hergeben! Sie nicht und dich auch nicht, mein Freund.«

Der Alte nickte.

»Ja, es tut mir leid. Verzeih einem alten Mann seine Eifersucht, doch verstehe, Barbara war meine einzige Tochter, und ich konnte nicht tatenlos zusehen, wie sie in ihr Unglück läuft. Du weißt, wie hart die Gesellschaft mit denen ist, die sich den Regeln nicht beugen!«

Peter Schweycker schwieg einige Augenblicke, dann sagte er leise:

»Barbara hat dich sehr geliebt, ich wußte es, doch wie konnte ich etwas akzeptieren, was nicht sein darf?« Er seufzte. »Sie hätte für ihre Liebe alles ertragen, doch aus Rücksicht auf mich und auf ihren Sohn blieb sie bei dem Mann, den ich für sie bestimmt hatte.«

»Anne Katharina ist ihrer Mutter so ähnlich. Die Augen,

das Haar, wie sie sich bewegt – ach, könntest du sie nur sehen! Welch Segen ist es, daß ich Barbara in unserer Tochter weiterlieben kann.«
Peter Schweycker richtete sich in seinem Stuhl auf und
legte die zweite Hand auf die des Freundes.
»Sie darf es nie erfahren!«
»Sie wird es nie erfahren!«

* * *

Ein Hemd, Beinlinge, ein paar Kräuter und Fläschchen
und eine Lampe packte die Alte in ihr Bündel. Dann öffnete sie die schwere Truhe und schob Lumpen und altes
Leinenzeug beiseite. Glänzende Goldgulden, eine schwere Halskette, Saphire, Topase und Rubine kamen zum
Vorschein und verschwanden sogleich in ihrem Bündel.
Einen schweren Goldreif mit einem wunderschönen Sma-
ragd in der Hand, hielt die Alte plötzlich inne. Ihr Mund
verzog sich zu einem boshaften Grinsen und entblößte
die gelblichen Zähne, als sie an den Tag zurückdachte, da
er in ihre Hände gelangt war.
»Bist du eine mächtige Hexe?« fragte der junge Junker
mit dem hochmütigen Zug um die schön geschwungenen
Lippen skeptisch. »Kannst du Liebeszauber?«
Er spielte mit dem schweren Ring an seinem Finger, der
für seine jungen Hände zu groß und zu klobig erschien.
»Da ist dieses Mädchen, zart und schlank, mit blondem
Haar und solch unschuldig blauen Augen.« Gier glomm
in seinen Blick. »Leider ist sie schrecklich streng und tu-
gendsam erzogen.«
Die Hexe kicherte.
»So, haben dein Charme und deine Verführungskünste
ausnahmsweise versagt?«

»Ich will, daß sie sich unsterblich in mich verliebt. Kannst du das?«

»Ich kann viel, doch bedenke, Junker Rudolf, daß auch die Magie ihr eigenes Wesen hat, das mit uns spielt und manchmal seinen Spott mit uns treibt.«

»Ich gebe dir diesen Ring dafür.«

Hastig zog er das schwere Schmuckstück vom Finger und legte es in die schmutzige Hand, die sich ihm begehrlich entgegenstreckte.

»Ihr Name ist Ursula, Ursula Baumgärtner ...«

Wie viele Jahre war das schon her? Die Magie warf manches Mal lange Schatten.

Die alte Berta ließ den Ring in das Bündel gleiten, legte ihren schon löchrigen Umhang über die Schulter, griff nach einem knorrigen Wanderstab und verließ die kleine Hütte, die ihr so viele Jahre als Unterschlupf gedient hatte.

*　*　*

»Der Rat hat entschieden, daß hiermit euer Zwist beendet ist, und du wirst dich an dieses Urteil halten und mit Gabriel Frieden schließen!«

Rudolf preßte die Lippen zusammen und schwieg. Der alte Vater seufzte leise.

»Sei doch froh, daß ihr beide noch am Leben seid«, versuchte er es noch einmal. »Ihr bekommt durch Gottes Gnade noch einmal die Chance, euch zu versöhnen. Wolltest du wirklich der Kain sein, der von Gott verdammte Brudermörder?«

»Pah, Mörder!« begehrte Rudolf Senft auf. »Es war ein faires Gottesurteil und ...«

»... und Gott war auf deiner Seite?«

Die bleichen Wangen des jungen Mannes färbten sich rosig.

»Gabriel hätte dich töten können!«

»Hätte er es nur getan!« schrie der jüngere Senftensohn und ballte die Fäuste, verzog dann jedoch das Gesicht, als ein stechender Schmerz durch seinen dick verbundenen Leib fuhr.

»Weil es Gottes Wille ist, daß ihr in Frieden miteinander lebt!« antwortete sein Vater bestimmt. »Versprich mir, daß du Seinem Willen folgen wirst.«

Die Augen des Verletzten verengten sich wieder. Dieses Mal jedoch nicht wegen der Schmerzen.

»Versprich es mir!«

»Ja, ja, Vater«, knurrte der Senftensohn gereizt.

Der alte Mann erhob sich mühsam, und es war nicht nur die Gicht, die ihm zu schaffen machte.

»Dann ist es wohl besser, wenn du dich auf deine ländlichen Güter zurückziehst, sobald es deine Gesundheit zuläßt.«

»Ja, ich werde Hall verlassen«, zischte der Verletzte, als sein Vater die Tür hinter sich geschlossen hatte. »Doch glaube nur nicht, ich würde die Schmach vergessen. Wenn die Zeit reif ist, dann werden wir ja sehen, wer auf der Seite des Siegers steht!«

* * *

Zwei Jahre zog Hermann Büschler durch die Lande auf der Suche nach Gerechtigkeit, während es sich in Hall die Junker der alten Adelsfamilien in ihren Ratssesseln bequem machten. Büschler reiste dem Kaiser nach, und endlich, 1512, schaffte er es, in Trier dessen Aufmerksamkeit zu erlangen. In einem Gewand aus grobem Leinen, das Haupt mit Asche bestreut, einen Strick um den Hals und ein Rad auf der Brust, trat er barfüßig vor den Kaiser, kniete nieder und bat um Gerechtigkeit.

»Ich bin gern bereit, den Strick oder gar das Rad zu erleiden, wenn Ihr mich von einem unvoreingenommenen Gerichtshof solch schlimmer Vergehen als schuldig befindet.«

Kaiser Maximilian schien beeindruckt.

»Erhebt Euch, guter Mann. Niemand soll sagen, in meinem Reich werde nicht Recht gesprochen. Ich werde eine neue Kommission benennen und die Sache wohlwollend prüfen lassen.«

Als am 16. Oktober 1512 die kaiserliche Kommission, begleitet von hundert Geharnischten, nach Hall ritt, fanden sie eine gespaltene Stadt in größter Unruhe vor. Nachts mußten die Bewaffneten auf den Straßen patrouillieren, um für Ruhe zu sorgen. Mit Hellebarden und Büchsen bewaffnet, drängten die Bürger zum Rathaus.

Endlich, am 29. Oktober, erklärte der Sprecher der Kommission, Graf Öttinger, den Vertrag des Dr. Neithart für kraftlos und tot. Er hob das Schriftstück hoch, so daß alle sehen konnten, wie er das Siegel zerbrach und die Urkunde durchstach. Die Urkunden des Kaisers Ludwig von 1340 wurden wieder in Kraft gesetzt. Die Ratsmehrheit bekam das Recht zugesprochen, eine Trinkstube zu errichten. Die Mitglieder von Rat und Gericht sollten in Zukunft hinaustreten, wenn Sachen ihrer Verwandtschaft verhandelt würden, und die armen Leute der Ehrbaren sollten nicht mehr belastet werden, als es dem alten Herkommen entsprach. Die Zusammensetzung des Rats sollte unverändert bleiben. Der Rat und die Gemeinde, die sieben Gegner Büschlers und er selbst mußten schwören, all dies getreu einzuhalten.

Daraufhin begannen die Glocken von St. Michael zu läuten, und man begann das *te deum laudamus* zu singen.

Praktisch bedeutete der neue Vertrag das Ende der Adelsherrschaft in der Reichsstadt Hall. Enttäuscht und verbittert verließen etliche der Junkersfamilien in der folgenden Zeit die Stadt, führten jedoch noch jahrelang Prozesse vor dem Schwäbischen Bund und dem Reichskammergericht wegen ihrer innerhalb der Heg gelegenen Güter.

Wichtige Personen

Familie Vogelmann

Reiche, angesehene Sieder-familie, wohnhaft in der Her-rengasse

Anne Katharina Vogelmann

Tochter des verstorbenen Sieders Claus Vogelmann und seiner Frau Barbara, Schwester von Ulrich und Peter Vogelmann

Ulrich Vogelmann

Sohn des verstorbenen Sie-ders Claus Vogelmann und seiner Frau Katharina, Bru-der von Anne Katharina und Peter Vogelmann

Ursula Vogelmann, geb. Baumgärtner

Ehefrau von Ulrich Vogel-mann

Peter Vogelmann

Sohn des verstorbenen Sie-ders Claus Vogelmann und seiner Frau Katharina, Bru-der von Anne Katharina und Ulrich Vogelmann

Pater Bernhart Vogelmann

Onkel der Geschwister Ul-rich, Anne Katharina und Peter Vogelmann, Kaplan und Notar

Peter Schweycker

Großvater der Geschwister Ulrich, Anne Katharina und Peter Vogelmann. Ehemaliger Ratsherr und Richter, lebt seit seiner Erblindung im Spital

Familie Senft

Mächtige Adelsfamilie, unter den Stauferkönigen als Sulmeister höchste Beamte der Saline

Gilg Senft

Stättmeister

Afra Senft

Tochter des Stättmeisters, lebt als Gesellschafterin bei Gabriel Senft dem Jüngeren und seiner Frau Barbara in der Herrengasse

Rudolf Senft

Bruder von Gabriel Senft dem Jüngeren

Gabriel Senft der Jüngere

Bruder von Rudolf Senft

Barbara Senft, geb. Berler

Ehefrau von Gabriel Senft dem Jüngeren

Gabriel Senft der Ältere

Vater von Gabriel und Rudolf Senft, drittreichster Bürger der Stadt mit einem Vermögen von 7200 Gulden

Hermann Büschler

Ratsherr und Vorjahresstättmeister, fünfreichster Bürger der Stadt mit einem Vermögen von 6800 Gulden

Anna Büschler	Tochter von Hermann Büschler
Konrad Büschler	Vetter von Hermann Büschler, Schultheiß
Hans Baumann	Ratsherr und Behtherr, Nachbar der Familie Vogelmann zur Keckengasse hin
Rudolf Nagel	Ratsherr aus einer Familie des alten Stadtadels, Vertreter der Stadt beim Schwäbischen Bund, achtreichster Bürger der Stadt mit einem Vermögen von 5800 Gulden

Die ledigen Söhne der angesehenen Siederfamilie

Hans Blinzig	Siederbursche, Freund von Peter Vogelmann
Hermann Eisenmenger	Siederbursche, Freund von Peter Vogelmann
Caspar Feyerabend	Siederbursche, Freund von Peter Vogelmann
Jörg Firnhaber	Siederbursche, Freund von Peter Vogelmann
Michel Seyboth	Siederbursche, Freund von Peter Vogelmann

Mägde und Knechte

Marie Wagner   Magd bei den Senften, später Amme bei Ursula Vogelmann

Agnes   Magd bei der Familie Vogelmann

Sara Döllin   Magd des Ratsherrn Hans Baumann

Alfred   Knecht von Rudolf Senft

Bert   Bruder von Alfred, Flößer und Feurer

Arme Bewohner der Vorstädte

Els Krütlin   Hebamme, wohnhaft in der Katharinenvorstadt

Margarete Schloßstein   Ehefrau von Hans Stetter, Nachbarin der Hebamme Els Krütlin

Hans Stetter   Bader im Unterwöhrdbad, wohnhaft in der Katharinenvorstadt

Rugger   Wächter, Volkhards Bruder, wohnhaft in der Weilervorstadt

Volkhard   Wächter, früher Feurer bei
                      Ulrich Vogelmann, wohnhaft
                      in der Weilervorstadt

Berta   Hexe, wohnhaft in einer ver-
                      borgenen Hütte im Wald
                      nahe der Limpurg

BEGRIFFSERKLÄRUNGEN

Angstloch

Loch im Gewölbescheitel der Verliesdecke, einziger Zugang zu einer Gefängniszelle im Turm.

Barchent

Mischgewebe aus Baumwolle als Schußfäden und Leinen als Kettfäden; variiert vom feinen Schleierstoff bis zum groben Kleiderstoff.

Beginen

Schwestern des dritten Ordens des heiligen Franziskus; meist Laienschwestern, die sich der Krankenpflege widmeten.

Beht

Vermögenssteuer. Kam der Verdacht auf, ein Bürger habe bei der Abgabe seines Vermögens betrogen, so konnte dieses abgelöst werden, d. h., alle Güter wurden beschlagnahmt und der in der Steuererklärung angegebene Vermögensbetrag ausgezahlt. Meist konnten die Bürger einen Teil ihrer Güter wieder zurückerwerben.

Behtherr	Oberster Steuerbeamter für die Abgabe der Vermögensteuer.
Binsenlicht	Kleine Lampe.
Brokat	Gemustertes Gewebe aus Seide, zu dessen Musterbildung auch Gold- und Silberfäden dienen.
Bruech	Unterhose.
Drache	Eines der großen Geschütze von Hall.
Fürspan	Ringförmiges Schmuckstück mit Scharniernadel, das den Hemd- oder Kleiderschlitz am Hals oder an der Brust verschloß.
Gewöhrd	Salzüberkrustetes oder salzdurchtränktes Material, das man in der Brunnensole ablaugte, um deren Konzentration zu erhöhen.
Gewöhrdstatt	Wannen, in denen das Gewöhrd gesammelt wurde.
Gölten	Große Holzeimer.
Grieswart	Sekundant bei einem Duell.
Guardian	Vorsteher in Kloster der Barfüßer.

Gugel	Kurzer Überwurf mit Kopfloch und Kapuze; vorwiegend von Bauern, Jägern und Reisenden getragen.
Heg	Durch Graben und Dornenhecken geschützte Grenze des Haller Gebietes.
Hegreiter	Wachen, die an der Heg unerlaubte Grenzüberschreitungen oder Schmuggel verhindern sollten.
Heimliches Gemach	Toilette.
hora tertia	Lat. dritte Stunde, gegen 9 Uhr.
hora nona	Lat. neunte Stunde, gegen 15 Uhr.
hora prima	Lat. erste Stunde, gegen 6 Uhr, Sonnenaufgang.
hora sexta	Lat. sechste Stunde, gegen 12 Uhr
hora vesperalis	Sonnenuntergang, gegen 18 Uhr.
Hospet	Holzlagerplatz.
Junker	Die Adeligen nannten sich ab dem späten Mittelalter Junker oder Edelmann.

Kaltliegen Die Wochen des Jahres, in denen nicht gesotten wurde.

Kemenate Geheizter Aufenthaltsraum der edlen Frauen in einer Burg.

Kienspan Billige, stark rußende Fackel aus Werg, Harz und Kiefernholz.

Kotze Grobgewebter, zottiger Wollstoff.

Kukulle Tütenförmige Kapuze mit Schulterkragen, die von den Mönchen einiger Orden getragen wurden.

Latwerg Eingedickter Fruchtsaft mit Honig und Gewürzen in dünnen Scheiben, luftgetrocknet.

Löchle Hohlraum, in dem die Salzschilpen, von glühenden Holzkohlen umgeben, ausgetrocknet wurden.

Lotterbett Liege zum Ruhen in der Stube oder der Kemenate.

Marstall Pferdestall der Stadtangestellten wie Wächter und Hegreiter.

Naach

Holzwanne, in der die Sole durch das Gewöhrd angereichert wurde.

Offizin

Verkaufsräume des Apothekers.

Paternoster

Lat. Vaterunser.

Pfaunstle

Längliche Grube, die mit glühenden Kohlen und Sand abgedeckt wurde. Darüber formten die Sieder mit Hilfe von Brettern eine Salzmauer von 5 m Länge und 1,4 m Höhe aus dem feuchten Salz. Wenn diese stabil geworden war, wurden die Bretter entfernt und die Mauer in sechzehn gleich große Platten (Schilpen) zersägt.

Pferrich

Über den Kocher gespannte, hölzerne Rechen als Fangvorrichtung für geflößte Stämme.

Pfründner

Insasse eines Altersheims, in das sich der Betreffende eingekauft hat. Die Versorgungslage richtete sich nach der Höhe der Stiftung. Es gab jedoch auch Armenpfründner, die ohne Geld aufgenommen wurden.

Platz	Süßes Gebäck.
Salzschilpen	Feste Salzplatte von ca. 30 Pfund.
Schabracke	Lange, verzierte, farbige Decke unter dem Reitsattel.
Schamkapsel	Bezeichnung für den vergrößerten und modisch betonten Hosenlatz.
Schamlot	Feines, immer einfarbiges Wollgewebe aus dem Haar vorderasiatischer Angoraziegen.
Schapel	Kranzförmiger Kopfschmuck der Jungfrauen höherer sozialer Schichten.
Schaube	Männerobergewand, eine Art Mantel, vorn offen, mit Kragen und meist weitausladenden Ärmeln; charakteristisch v. a. als Kleidungsstück von Amtsträgern; später teilweise auch von Frauen getragen.
Schecke	Modisches männliches Obergewand, betonte die Körperformen durch starke Taillierung und Auspolsterung der Brustpartie.

Schelm	Zu dieser Zeit ein hochgradig ehrenkränkendes Schimpfwort, da es den Beschimpften als einen Wortbrüchigen, dem man kein Vertrauen schenken kann, darstellt.
Schilpen	Feste Salzplatte von ca. 30 Pfund.
Schultheiß	Beamter, der mit der niederen Gerichtsbarkeit betraut war. Seine Helfer, die Büttel, hatten für Ordnung auf den Straßen und für die Einhaltung der Vorschriften zu sorgen.
Sieden	Siedensrecht, Anteil an der Saline. Insgesamt gab es 111 solcher Siedensrechte oder Salzpfannen. Die Eigentumsrechte lagen zu dieser Zeit nicht mehr beim König, sondern in den Händen der Stadtadeligen, der Stadt selbst oder von Klöstern.
Soggen	In der Phase des Soggens fällt beim Sud das Salz am Pfannenboden aus.
Stättmeister	Oberster Ratsherr, Bürgermeister. Durfte nur ein Jahr im Amt sein; daher wechsel-

ten der Stättmeister und der Vorjahresstättmeister oft über längere Zeitabschnitte im Jahresrhythmus ihre Ämter.

Steupen

Mit einem Drahtbesen den Rücken des Verurteilten blutig schlagen.

Sulmeister

Minister zur Zeit der Stauferkönige. Als oberster Beamter zur Verwaltung der Saline von diesen eingesetzt.

Surcot

Weibliches Obergewand des gehobenen Bürgertums und des Adels, bodenlang, ärmellos mit weiten Armausschnitten.

Theriak

Mittelalterliche Medizin aus unzähligen Bestandteilen, die als allheilend galt.

Tresur

Eine Art Wandbord, um Geschirr und damit Wohlstand zur Schau zu stellen.

Trippen

Holzsohlen, die, um den Straßenschmutz von den Schuhen fern zu halten, unter die Sohlen gebunden wurden.

Urfehde

Nach jedem Gerichtsverfahren mußten die Verurteilten

schwören, das Urteil anzuerkennen und sich an keinem
der Beteiligten zu rächen.
Der Bruch dieses Eides wurde sehr hart bestraft.

unicornu verum Echtes Einhorn.

veni, sancte spiritus Lat. Komm, Heiliger Geist.
Welschen Italiener.

Wölze Wannenförmige Schneise im
steilen Uferhang des Ko-
chers, um Stämme einzuwerfen.

Dichtung und Wahrheit

Die Morde und anderen Verbrechen im Umfeld der Familien Vogelmann und Senft habe ich erfunden. Ulrich, Ursula, Anne Katharina und Peter Vogelmann sowie den Großvater Peter Schweycker gab es, so wie ich sie beschrieben habe, nicht. Wahr ist jedoch, daß die Familie Vogelmann zu den Stammsiederfamilien gehört. Von 1444 bis 1484 lebte der Stammsieder Claus Vogelmann. Zwei seiner drei Ehefrauen hießen Katharine. Er hatte mindestens zwei Söhne, Ulrich und Peter.

Bernhart Vogelmann war Notar und Kaplan. Mit seiner Köchin Barbara Meisterin bzw. Michelbacherin hatte er einen Sohn namens Jörg, dem er ein Sieden hinterließ. Er wurde nicht ermordet, sondern lebte bis 1529.

Die Mitglieder des Rates, der Schultheiß Konrad Büschler und die Junker Senft, sind historische Personen. Allerdings habe ich den Zweikampf der Senftenbrüder, der das letzte Gottesgericht in Hall war, um ein paar Jahre vorgezogen. Er fand erst 1523 statt. Beide Brüder überlebten. Die Ursache des Streits ist mir nicht bekannt.

Die Tochter Afra des Stättmeisters Gilg Senft wurde erst 1501 geboren, nicht schon bereits 1495. Sie heiratete später – welche Ironie – Hermann Büschlers Sohn Philipp.

Auch Ratsherr Hans Baumann wurde nicht ermordet, 1510 jedoch aus dem Rat hinausgewählt. Ab 1517 war er wieder Ratsherr, wurde jedoch 1526 aus Altersgründen auf seine Bitte hin entlassen. Er wohnte in der Keckengasse und war so reich, daß er von Renten und Gülten leben konnte. 1527 starb er mit 76 Jahren.

Der Streit um die Bürgerliche Trinkstube ist geschichtlich belegt. Man spricht vom Sturz der Adelsherrschaft oder von der dritten großen Zwietracht in Hall. Die Anfänge habe ich zeitlich ein wenig gestrafft. Der Höhepunkt fand jedoch wie erzählt an den Tagen nach Pfingsten 1510 statt. Die Stättmeister waren 1508 Hermann Büschler, 1509 Veit von Rinderbach und 1510 Gilg Senft.

Die Familie Büschler kam durch Grundbesitz und Weinausschank zu Vermögen. Hermann Büschler wurde um 1470 geboren und heiratete 1495 die adelige Anna Hornberger aus Rothenburg. Sein dramatischer Auftritt vor dem Kaiser 1512 scheint wirklich so stattgefunden zu haben. Noch lange war Hermann Büschler eine der einflußreichsten Persönlichkeiten der Stadt.

Seine Tochter Anna Büschler, geboren um 1496, galt als hübsch, schlagfertig und geistreich. Sie arbeitete bei der Schenkin von Limpurg und hatte sowohl mit dem um einige Jahre jüngeren Schenkensohn Erasmus als auch mit dem Rittmeister Daniel Treutwein ein Verhältnis. Der Streit über ihr unzüchtiges Leben und um das Erbe ihrer Mutter entzweite Vater und Tochter. Der Zank ging vor Gericht und eskalierte dann dermaßen, daß Hermann Büschler seine Tochter verhaften und gefesselt auf einem Karren nach Hall bringen ließ. Zu Hause hielt er sie als Gefangene und wurde daher 1527 aus dem Rat entlassen. Der Familienzwist beherrschte beide bis zu ihrem Tod. 1543 starb Hermann Büschler, einsam und verbittert. Anna überlebte ihren Vater nur um neun Jahre und starb in Armut.

Rudolf Nagel wurde zwischen 1460 und 1465 geboren. Er verließ 1486 die Stadt und wandte sich dem Waffenhandwerk zu. 1490 kehrte er mit einer Gattin zurück. Er kaufte das Schloß Eltershofen und nannte sich nun »von Eltershofen«, blieb aber in Hall wohnhaft. Seit 1505 war er ständiger Vertreter Halls beim Schwäbischen Bund und Mitglied des Bundesrates. Oft war er zu den Bundestagen nach Augsburg, Ulm oder Konstanz unterwegs. Er hatte Kontakt zum Herzog Ulrich von Württemberg und zu Kaiser Maximilian. Bis zu ihrem Streit ritten er und Hermann Büschler oft zusammen, um die Interessen der Stadt zu vertreten. Nach seiner Niederlage fühlte sich Rudolf Nagel in Hall nicht mehr sicher und floh 1512 über den Unterwöhrd nach Gaildorf.

So berichten es die zeitgenössischen Chronisten. Während des Bauernkrieges 1525 befand sich Rudolf Nagel beim Grafen Helfenstein in Weinsberg, als die Bauern angriffen. Er soll zu den 24 Edelleuten gehört haben, die durch die Spieße gejagt worden und willig in den Tod gegangen seien.

Katharina Schloßstein, Tochter des armen Sieders Hans Appel, genannt Schloßstein, Ehefrau des Baders Hans Stetter, habe ich Margarete genannt, um Verwechslungen mit Anne Katharina auszuschließen. Der Hexenprozeß der Schloßsteinerin ist der einzige von Hall, der mit allen Unterlagen: Anklagepunkte, Zeugenaussagen, Verhöre, peinliche Befragung und Urteil überliefert wurde. Allerdings fand der Prozeß erst 1574 statt. Die Ankläger waren wie beschrieben Pfarrer Rüttinger und einige Nachbarn. Nach ihrem erfolglosen Fluchtversuch wurde Katharina Schloßstein am 21.6.1574 ertränkt.

Die Mägde und Knechte, Marie und die Hebamme Els sowie die beiden Wächter Rugger und Volkhardt sind erfunden, da es über Dienstpersonal und die Armen der Vorstädte kaum Unterlagen gibt. Einige Handwerker, wie der

Bäcker Gräter und seine Frau oder die Metzgersfamilie Seckel, sind in den Steuerlisten zu finden. Der Apotheker Hans Gessner taucht erst 1519 in den Dokumenten auf.

LITERATURAUSWAHL

Abraham, H. Thinnes, I., *Hexenkraut und Zaubertrank, Unsere Heilpflanzen in Sagen, Aberglauben und Legenden*, Greifenberg, 1995.

Bayer, E., Wende F., *Wörterbuch zur Geschichte*, 5. Auflage, Stuttgart, 1995.

Beckmann, D., Beckmann, B., *Das geheime Wissen der Kräuterhexe. Alltagswissen vergangener Zeiten*, München, 1977.

Bedal, A., Marski, U., (Hrsg.) *Baujahr 1337, Das Haus Pfarrgasse 9 in Schwäbisch Hall*, Schriftenreihe des Vereins Alt Hall e. V. Band 15, Verlagsdruckerei Schmidt Neustadt, SHA Stadtarchiv, 1997.

Bendal, A., Fehle, I., (Hrsg.) *HausGEschichten, Bauen und Wohnen im alten Hall und seiner Katharinenvorstadt*, Hällisch-Fränkisches Museum Schwäbisch Hall, Jan Thorbecke Verlag, Sigmaringen, 1994.

Bitsch, I., Ehlert, T., Ertzdorff, X. von, *Essen und Trinken in Mittelalter und Neuzeit*, Wiesbaden, 1997.

Breit, E., *400 Jahre Löwen-Apotheke Schwäbisch Hall*, Jubiläumsschrift, 1966.

Bühler, B., *Geschichte der Franziskaner in der Reichsstadt Hall*. In: Württembergisch Franken Jahrbuch 1984, Band 68. Jan Thorbecke Verlag, Sigmaringen, 1984.

Clauß, H., König, H.-J. Pfistermeister, U., *Kunst und Archäologie im Kreis Schwäbisch Hall*, Aalen, 1979.

Daxelmüller, C., *Aberglaube, Hexenzauber, Höllenängste. Eine Geschichte der Magie.* München, 1996.

Ehlert, T., (Hrsg.) *Haushalt und Familie in Mittelalter und früher Neuzeit*, Wiesbaden, 1997.

Frasch, W. *Ein Mann namens Ulrich*, Württembergs verehrter und verhaßter Herzog in seiner Zeit. Leinfelden-Echterdingen, 1991.

Hällisch-Fränkisches Museum Schwäbisch Hall, *Hexenwahn und Hexenverfolgung in und um Schwäbisch Hall*, 1988.

Hickeldey, C., (Hrsg.) *Justiz in alter Zeit*, Band VI c der Schriftenreihe des Mittelalterlichen Kriminalmuseums Rothenburg ob der Tauber, 1989.

Hinderer, S., *Hexen, Henker und Halunken*, Strafjustiz in der Reichsgrafschaft Limpurg, Verlag des Historischen Vereins für die Stadt Gaildorf, 1996.

Kalinke, D., (Hrsg.) *Die Haller Siedler*, Geschichte und Brauchtum des großen Haller Siederhofes, Haller Tagblatt Verlag, Schwäbisch Hall, 1993.

Krüger, E., *Schwäbisch Hall, ein Gang durch Geschichte und Kunst*, Schwäbisch Hall, 1990.

ders., *Die Stadtbefestigung von Schwäbisch Hall*, Schwäbisch Hall, 1966.

Kühnel, H., *Bildwörterbuch der Kleidung und Rüstung*, Stuttgart, 1992.

ders., (Hrsg.), *Alltag im Spätmittelalter*, 3. Auflage, Graz, Wien, Köln, 1986.

Mann, G., Heuß, A., *Weltgeschichte*, Eine Universalgeschichte in 10 Bänden, Berlin, Frankfurt a. M., 1961.

Miller, M., Uhland R., (Hrsg.) *Lebensbilder aus Schwaben*, Band 7, Stuttgart, 1960.

Naujoks, E., *Schwäbisch Hall im Rahmen reichsstädtischer Sozialgeschichte Südwestdeutschlands im 14. bis 16. Jahrhundert*. In: Württembergisch Franken Jahrbuch 1990, Band 74., Sigmaringen, 1990.

Nordhoff-Behne, Hildegard, *Gerichtsbarkeit und Strafrechts-pflege in der Reichsstadt Schwäbisch Hall seit dem 15. Jahrhundert*, Schwäbisch Hall, 1971.

Ozment, Steven, *Die Tochter des Bürgermeisters*, Hamburg 1997.

Schindler, Hanns Michael, Schauber, Vera, *Die Heiligen und Namenspatrone im Jahreslauf*, München und Zürich, 1985.

Soldan, W. G., Heppe, H., überarbeitet, *Geschichte der Hexenprozesse*, Essen, 1986.

Taddey, Gerhard, *Kein kleines Jerusalem*, Geschichte der Juden im Landkreis Schwäbisch Hall, Sigmaringen, 1992.

Toellner, R., *Illustrierte Geschichte der Medizin*, 6 Bände, Vaduz, 1978.

Thomasius, C., *Vom Laster der Zauberei*. Über die Hexenprozesse, München, 1967.

Uitz, E., *Die Frau in der mittelalterlichen Stadt*, Freiburg, Basel, Wien, 1992.

Ulshöfer, Kuno, Beutter, Herta, *Hall und das Salz*, Beitrag zur hällischen Stadt- und Salinengeschichte, Sigmaringen, 1983.

Wunder, Gerd, *Die Bürger von Hall*, Sozialgeschichte einer Reichsstadt, Sigmaringen, 1980.

ders., *Die Bürgerschaft der Reichsstadt Hall von 1395–1600*, Stuttgart, Köln, 1956.

ders., *Bauer, Bürger, Edelmann*, Ausgewählte Aufsätze zur Sozialgeschichte, Sigmaringen, 1984.

Württembergische Kommission für Landesgeschichte (Hrsg.), *Geschichtsquellen der Stadt Hall*, erster Band, Stuttgart, 1994.

Widmans Chronica, Geschichtsquellen der Stadt Hall, zweiter Band, Stuttgart, 1904.

40 Jahre Seite an Seite

ULRIKE SCHWEIKERT
Die Hexe und die Heilige
Roman

Deutschland am Vorabend des 30-jährigen Krieges: In einer wohlhabenden Familie in einer deutschen Kleinstadt kommen Zwillingsschwestern zur Welt. Während die tugendhafte Helena ins Kloster geht, wird ihre eigenwillige Zwillingsschwester Sibylla Hebamme. Als die Tochter des obersten Richters der Stadt ein uneheliches Kind bekommt, soll Sibylla das Mädchen von dieser ›Last‹ befreien. Damit weiß sie um ein dunkles Geheimnis der Mächtigen und wird zur Gefahr. Die Häscher der Inquisition rüsten zur Hexenjagd …

»Ein Buch, von dem man nicht mehr lassen kann!«
Rheinzeitung

Knaur

WOLFRAM FLEISCHHAUER
Die Frau mit den Regenhänden
Roman

Paris im Frühjahr 1867: Aus den dunklen Gewässern der Seine wird die Leiche eines Kindes geborgen. Für die Polizei steht fest: Die Mutter des Babys ist schuldig und muss zum Tode verurteilt werden. Aber warum verschwinden plötzlich Zeugen und Beweismaterial? Warum interessieren sich auf einmal die höchsten Regierungskreise für den Vorfall? 100 Jahre später beginnt eine junge Frau über die Hintergründe zu recherchieren …

»Ein packender, vielschichtiger Roman, in dem sich spannende Fiktion mit detaillierten Fakten mischt.«

Focus

Knaur

JACQUELINE PARK
Das geheime Buch der Grazia dei Rossi

Das Leben der klugen und schönen Grazia die Rossi – faszinierend wie ein farbenprächtiges Gemälde der Renaissance.

»Ich widme dieses Buch meinem Sohn, damit er es liest, sobald er die Schwelle zum Erwachsenenalter überschritten hat.«

In einem *libro segreto* – einem geheimen Buch – beginnt Grazia dei Rossi am 17. Oktober 1526 die Geheimnisse ihres Herzens niederzuschreiben. Den Blättern aus wertvollem Pergament vertraut sie nicht nur die einzelnen Stationen ihres ereignisreichen Lebens an, sondern auch ihre geheimsten Gefühle und Sehnsüchte. Grazia die Rossi – eine unvergessliche Frauengestalt, der durch Klugheit und Schönheit ein einzigartiger Aufstieg gelingt.

»Ein historischer Roman mit Niveau, ein farbenprächtiges Gemälde der Renaissance.«

Brigitte

Knaur

40 Jahre Seite an Seite

ULRIKE SCHWEIKERT
Die Herrin der Burg
Roman

Zwei Frauen, die ihre gesellschaftliche Stellung zu trennen scheint: Tilia, Tochter des Ritters von Wehrstein, und Gret, ihre Magd, die am selben Tag wie sie geboren wurde und denselben Vater hat wie Tilia. In der Fremde, weit weg von der väterlichen Burg, muss sich ihre Freundschaft bewähren …

Nach »Die Tochter des Salzsieders« und »Die Hexe und die Heilige« der neue große Roman der Erfolgsautorin!

Knaur